O JOGO DE RIPPER

Da autora:

Afrodite: Contos, Receitas e Outros Afrodisíacos
Amor
O Caderno de Maya
Cartas a Paula
A Casa dos Espíritos
Contos de Eva Luna
De Amor e de Sombra
Eva Luna
Filha da Fortuna
A Ilha sob o Mar
Inés da Minha Alma
O Jogo de Ripper
Meu País Inventado
Paula
O Plano Infinito
Retrato em Sépia
A Soma dos Dias
Zorro

As Aventuras da Águia e do Jaguar

A Cidade das Feras (Vol. 1)
O Reino do Dragão de Ouro (Vol. 2)
A Floresta dos Pigmeus (Vol. 3)

ISABEL ALLENDE

O JOGO DE RIPPER

Tradução
Luís Carlos Cabral

Rio de Janeiro | 2014

Título original: *Ripper*

Ilustração de capa: PRHGE / Marta Borrell

Imagem de capa: © Arcángel

Foto da autora: © Lori Barra

Editoração: FA Studio

Texto revisado segundo o novo
Acordo Ortográfico da Língua Portuguesa

2014
Impresso no Brasil
Printed in Brazil

Cip-Brasil. Catalogação na publicação.
Sindicato Nacional dos Editores de Livros, RJ.

A428j Allende, Isabel, 1942-
O jogo de Ripper / Isabel Allende; tradução Luís Carlos Cabral. — 1. ed. — Rio de Janeiro: Bertrand Brasil, 2014.
490 p.; 23 cm.

Tradução de: El juego de Ripper
ISBN 978-85-286-1757-3

1. Ficção chilena. I. Cabral, Luís Carlos. II. Título.

13-08127
CDD: 868.9933
CDU: 821.134.2(83)-3

EDITORA BERTRAND BRASIL LTDA.
Rua Argentina, 171 — 2º andar — São Cristóvão
20921-380 — Rio de Janeiro — RJ
Tel.: (0xx21) 2585-2070 — Fax: (0xx21) 2585-2087

Atendimento e venda direta ao leitor:
mdireto@record.com.br ou (0xx21) 2585-2002

Impresso no Brasil pelo Sistema Cameron da Divisão Gráfica da
DISTRIBUIDORA RECORD DE SERVIÇOS DE IMPRENSA S.A.

Para William C. Gordon,

meu sócio no amor e no crime.

Obrigada,

Isabel

“Minha mãe ainda está viva, mas ele vai matá-la na Sexta-feira Santa, à meia-noite”, disse Amanda Martín ao inspetor-chefe, e o policial não a contestou, porque a garota vivia dando provas de que sabia mais do que ele e todos os seus colegas do Departamento de Homicídios. A mulher estava no cativeiro, em algum lugar dos 18 mil quilômetros quadrados da baía de São Francisco; tinham poucas horas para encontrá-la viva, e ele não sabia por onde começar a procurá-la.

Os garotos chamaram o primeiro assassinato de “o crime do bastão fora de lugar”, pois não quiseram humilhar a vítima com uma referência mais explícita. Eram cinco adolescentes e um homem de certa idade que se conectavam através de seus computadores para participar do *Ripper*, um jogo de RPG.

No dia 13 de outubro de 2011, às 8h15, os alunos da quarta série da escola pública Golden Hills, de São Francisco, entraram no ginásio trotando ao ritmo dos apitos do treinador, que os incentivava parado na porta. O ginásio, amplo, moderno e bem-equipado, construído graças à generosidade de um ex-aluno que amealhara uma boa fortuna antes do boom imobiliário, também era usado para cerimônias de formatura e espetáculos musicais e teatrais. Os garotos deviam correr duas voltas completas de aquecimento na quadra de basquete, mas pararam no centro, diante da inesperada visão de uma pessoa que estava deitada, dobrada, em um cavalo com alças, com a calça enroscada nos tornozelos, o traseiro erguido e a empunhadura de um bastão de beisebol enfiada no reto. Os garotos cercaram o corpo, espantados, até que um deles, de 9 anos de idade, mais atrevido do que os outros, se agachou, passou o dedo indicador em uma mancha escura no piso e afirmou que, se aquilo não era chocolate, devia ser sangue seco, enquanto outro menino recolhia um cartucho de bala e o enfiava no bolso com a intenção de trocá-lo no recreio por um gibi pornográfico, e outro pirralho filmava o cadáver com o celular. O treinador, que continuava tocando o apito a cada exalação, aproximou-se aos pulos do grupo compacto e, quando viu aquele espetáculo, que não parecia uma brincadeira, teve um ataque de nervos. A agitação dos alunos atraiu outros professores, que os expulsaram aos gritos e empurrões do ginásio, arrastaram o treinador, arrancaram o bastão de beisebol enfiado no cadáver, deitaram-no no chão e então confirmaram que tinha um orifício ensanguentado no meio da testa. Cobriram-no com um par de moletons e depois fecharam a porta à espera da polícia, que chegou rapidamente, em dezenove minutos; mas então a cena do crime já estava tão contaminada que era impossível dizer com exatidão que diabos acontecera.

Um pouco mais tarde, em sua primeira entrevista coletiva à imprensa, o inspetor-chefe Bob Martín informou que a vítima já havia sido identificada. Era Ed Staton, de 49 anos, segurança da escola. "O que aconteceu com o bastão de beisebol?", perguntou aos gritos um jornalista inquisitivo, e o inspetor, incomodado ao saber que o detalhe humilhante para Ed Staton e comprometedor para o estabelecimento educacional viera a público, respondeu que aquilo era uma coisa que seria esclarecida pela autópsia. "Há algum suspeito? O segurança era gay?" Bob Martín não levou em conta o bombardeio de perguntas e deu por encerrada a entrevista, mas assegurou que o Departamento de Homicídios daria informações à imprensa à medida que os fatos fossem sendo esclarecidos ao longo da investigação, que já estava em curso e sob sua responsabilidade.

Na tarde do dia anterior, um grupo de estudantes da última série estivera no ginásio ensaiando uma comédia musical de além-túmulo para o Halloween, alguma coisa que misturava zumbis e rock'n'roll, mas só ficara sabendo do que acontecera no dia seguinte. Na hora em que, segundo os cálculos da polícia, o crime fora cometido, por volta da meia-noite, não havia ninguém dentro da escola, a não ser três membros da banda de rock no estacionamento, colocando seus instrumentos musicais em uma caminhonete. Foram os últimos a ver Ed Staton com vida; testemunharam que o segurança acenara para eles e se afastara em um pequeno automóvel por volta de meia-noite e meia. Encontravam-se a certa distância de Staton e o estacionamento não estava iluminado, mas tinham certeza de que haviam reconhecido o uniforme à claridade da lua, embora não tivessem conseguido chegar a um acordo sobre a cor ou a marca do veículo em que o segurança fora embora. Tampouco conseguiram dizer se havia outra pessoa na caminhonete, mas a polícia deduziu que o automóvel não pertencia à vítima, porque seu jipe cinza metálico estava a poucos metros da caminhonete dos músicos. Os peritos afirmaram que Staton saíra com alguém que estava esperando por ele e depois voltara à escola para pegar seu carro.

Em sua segunda entrevista coletiva, o chefe do Departamento de Homicídios disse que o turno do segurança terminava às seis da manhã e que não se sabia por que ele saíra da escola naquela noite e depois voltara ao edifício, onde a morte o espreitava. Sua filha Amanda, que vira a entrevista na televisão, telefonou para ele e o corrigiu: não fora a morte, mas sim o assassino que espreitara Ed Staton.

Esse primeiro assassinato levou os jogadores de *Ripper* ao que haveria de se transformar em uma perigosa obsessão. Os cinco adolescentes se fizeram as mesmas perguntas que a polícia: onde estava o segurança no curto espaço de tempo transcorrido entre quando foi visto pelos músicos e a hora em que se calculava que morrera? Como voltara? Por que o segurança não se defendera antes de lhe meterem um balaço na testa? O que significava o bastão naquele orifício íntimo?

Talvez Ed Staton tivesse merecido seu fim, mas a moral da história não interessava aos garotos, que se atinham estritamente aos fatos. Até então, o jogo de RPG se limitara a crimes fictícios no século XIX, em uma Londres sempre envolta em densa bruma, onde os personagens enfrentavam malfeitores armados com machados ou picadores de gelo, ou então outros clássicos perturbadores da paz cidadã, mas adquirira um viés mais realista quando os participantes aceitaram a proposta de Amanda Martín de investigar o que estava acontecendo em São Francisco, também envolta em névoa. A célebre astróloga Celeste Roko prognosticara um banho de sangue na cidade, e Amanda Martín resolvera usar essa oportunidade única para colocar à prova a arte da adivinhação. Com esse objetivo, conseguiu a colaboração dos jogadores de *Ripper* e de seu melhor amigo, Blake Jackson, que, por acaso, era também seu avô, sem suspeitar que a diversão se tornaria violenta e que sua mãe, Indiana Jackson, seria uma das vítimas.

Os jogadores de *Ripper* eram um seleto grupo de *freaks* espalhados pelo mundo, que se comunicavam pela internet para prender e destruir o misterioso Jack, o Estripador, superando obstáculos e derrotando os inimigos que surgiam no caminho. Como mestra do jogo, Amanda planejava cada aventura em função das habilidades e limitações dos personagens, que cada jogador criara como seu alter ego.

Um garoto da Nova Zelândia, paraplégico devido a um acidente e condenado a uma cadeira de rodas, mas com a mente livre para vagar por mundos fantásticos e viver tanto no passado quanto no futuro, adotou o papel de Esmeralda, uma cigana esperta e curiosa. Um adolescente de Nova Jersey, solitário e tímido, que vivia com a mãe e nos últimos anos só saía do quarto para ir ao banheiro, era sir Edmond Paddington, um coronel inglês aposentado, machista e petulante, muito útil no jogo por ser expert em armas e estratégias militares. Em Montreal, uma jovem de 19 anos, que passara sua curta vida em clínicas para tratamento de transtornos alimentares, inventou o personagem Abatha, uma vidente capaz de ler o pensamento, induzir recordações e comunicar-se com fantasmas. Um órfão afro-americano de 13 anos, com QI de 156, bolsista de uma escola para crianças superdotadas de Reno, escolheu ser Sherlock Holmes, porque deduzia e tirava conclusões sem nenhum esforço.

Amanda não tinha um personagem próprio; cabia a ela dirigir e garantir que as regras fossem respeitadas, mas se permitiu fazer ligeiras alterações em relação ao banho de sangue. Por exemplo, transferiu a ação, tradicionalmente situada em Londres, em 1888, para a cidade de São Francisco, em 2012. Além disso, violando o regulamento, atribuiu-se um guarda-costas chamado Kabel, um corcunda de poucas luzes, mas obediente e leal, encarregado de executar suas ordens por mais disparatadas que fossem. Não escapou ao avô que o nome do guarda-costas era um anagrama de Blake. Aos 64 anos, Blake Jackson era muito velho para jogos de pirralhos, mas participava do *Ripper* para compartilhar com sua neta algo mais do que filmes de terror, partidas de xadrez e problemas de lógica com que se desafiavam mutuamente, e que às vezes ele ganhava, consultando previamente dois amigos, professores de filosofia e matemática da Universidade de Berkeley, Califórnia.

JANEIRO

Segunda-feira, 2

De bruços na mesa de massagem, Ryan Miller cochilava sob a influência benéfica das mãos de Indiana Jackson, praticante do primeiro grau de Reiki, de acordo com a técnica desenvolvida pelo budista japonês Mikao Usui, em 1922. Miller sabia, porque havia lido sessenta e tantas páginas a respeito, que não existe evidência científica de que o Reiki sirva para alguma coisa, mas suspeitava que devia ter algum poder misterioso, uma vez que na conferência dos bispos católicos dos Estados Unidos, em 2009, fora declarado perigoso para a saúde espiritual cristã.

Indiana Jackson ocupava a sala número 8 no segundo andar da famosa Clínica Holística de North Beach, no umbigo do bairro italiano de São Francisco. Sua porta estava pintada de índigo, cor da espiritualidade, e as paredes de um verde pálido, cor da saúde. Uma placa com letra cursiva anunciava "*Indiana, curandeira*", e mais abaixo seus métodos: massagem intuitiva, Reiki, ímãs, cristais, aromaterapia. Na parede da diminuta antessala estava pendurada uma tela escandalosa, comprada em uma loja asiática, com a imagem da deusa Shakti, uma jovem sensual de cabelos negros, vestida de vermelho, coberta de joias de ouro, com uma espada na mão direita e uma flor na esquerda. A deusa se multiplicava com vários braços e mãos que sustentavam outros símbolos de seu poder, desde um instrumento musical até algo que, à primeira vista, parecia um telefone celular. Indiana era tão devota de Shakti que estivera prestes a adotar seu nome, mas seu pai, Blake Jackson, convencera-a de que nenhuma norte-americana alta, corpulenta e loura, com pinta de boneca inflável, poderia usar o nome de uma deidade hindu.

Embora fosse desconfiado, devido à natureza de seu trabalho e ao treinamento militar, Miller se entregava aos cuidados de Indiana com profunda gratidão e, ao final de cada sessão, saía leve e feliz, fosse pelo efeito placebo e o entusiasmo amoroso, como acreditava seu amigo Pedro Alarcón, ou pelo alinhamento de seus chacras, como afirmava Indiana. Aquela hora agradável era o melhor momento de sua vida solitária; ele sentia mais intimidade em uma sessão de terapia com Indiana do que em suas complicadas brincadeiras sexuais com Jennifer Yang, a mais persistente de suas amantes. Era um homem alto e robusto, com pescoço e costas de lutador, braços fortes e rígidos como troncos, mas mãos elegantes de confeiteiro, cabelos castanhos grisalhos e cortados à escovinha, dentes brancos em demasia para serem naturais, olhos claros, nariz quebrado e treze cicatrizes aparentes, contando a da amputação. Indiana Jackson suspeitava que ele tinha várias outras, mas não o vira sem cuecas. Ainda.

— Como está se sentindo? — perguntou a curandeira.

— Muitíssimo bem. O cheiro de sobremesa abriu meu apetite.

— É óleo de essência de laranja. Se vai começar a debochar, não sei para que você veio aqui, Ryan.

— Para vê-la, mulher, para que mais seria?

— Então isto não é para você — replicou ela, irritada.

— Não está vendo que estou brincando, Indi?

— Laranja é um aroma juvenil e alegre, duas qualidades que lhe faltam, Ryan. O Reiki é tão poderoso que os praticantes de segundo nível podem fazê-lo a distância, sem ver o paciente, mas eu teria de estudar vinte anos no Japão para chegar a isso.

— Nem tente, sem você isso aqui seria um mau negócio.

— Curar não é um negócio!

— É preciso viver de alguma coisa. Você cobra menos do que seus colegas desta Clínica Holística. Sabe quanto custa uma sessão de acupuntura com Yumiko, por exemplo?

— Não sei e não quero saber.

— Quase o dobro do que custa uma com você. Deixe-me pagá-la melhor — insistiu Miller.

— Preferiria que não me pagasse nada, porque é meu amigo, mas, se não me pagasse, certamente não voltaria. Você não consegue dever um favor a ninguém, o orgulho é o seu pecado.

— Você sentiria minha falta?

— Não, porque continuaríamos nos vendo fora daqui, como sempre, mas você, sim, sentiria minha falta. Admita que meus tratamentos ajudam você. Lembra-se de como estava dolorido quando apareceu aqui pela primeira vez? Na próxima semana vamos fazer uma sessão de ímãs.

— E massagem também, espero. Você tem mãos de anjo.

— Está bem, massagem também. E vista-se de uma vez, homem, que outro paciente está esperando.

— Não acha curioso que quase todos os seus pacientes sejam homens? — perguntou Miller, descendo da mesa.

— Não são todos homens, também tenho mulheres, crianças e um poodle com reumatismo.

• • •

Miller acreditava que o restante da clientela masculina de Indiana era como ele, certamente pagava para ficar perto dela, mais do que por acreditar em seus improváveis métodos terapêuticos. Essa fora sua única razão para ir ao consultório 8 na primeira vez e confessou-a a Indiana na terceira sessão, para evitar mal-entendidos e porque a atração inicial abrira caminho para uma respeitosa simpatia. Ela começou a rir, estava mais ou menos acostumada com isso, e afirmou que em duas ou três semanas, quando ele visse os resultados, mudaria de opinião. "Se você me curar, eu pago; se não, você me paga", disse ele, esperando vê-la em um ambiente mais propício à conversa do que naquele par de quartinhos vigiados pela onisciente Shakti.

Conheceram-se em 2009, em uma das sinuosas trilhas do parque estadual Samuel P. Taylor, entre árvores milenares de 100 metros de altura. Indiana atravessara a baía de São Francisco de ferryboat, com sua bicicleta a bordo, e, uma vez no condado de Marin, pedalara vários quilômetros até aquele parque, treinando para uma corrida por etapas a Los Angeles, da qual pretendia participar dentro de poucas semanas. A princípio, Indiana achava o esporte uma atividade inútil, e manter-se em forma não era sua prioridade, mas naquela ocasião tratava-se de uma campanha contra a AIDS da qual sua filha Amanda resolvera participar e ela não podia permitir que fosse sozinha.

A mulher parara por um momento para beber água de sua garrafa, com um pé no chão, sem descer da bicicleta, quando Ryan passou correndo ao seu lado segurando a guia de Atila. Ela só viu o cachorro quando ele estava praticamente em cima dela, levou um susto e caiu, enredada na bicicleta. Pedindo mil desculpas, Miller a ajudou a se levantar e tentou consertar uma roda torcida, enquanto ela sacudia a poeira, mais interessada em Atila do que em seus próprios arranhões, porque nunca vira um animal tão feio: coberto de cicatrizes, com falhas de pelo no peito, um focinho em que faltavam vários dentes e que exibia dois caninos metálicos de Drácula, e uma orelha mutilada, como se tivesse sido cortada a tesoura. Acariciou sua cabeça com pena e tentou beijar seu nariz, mas Miller a deteve bruscamente.

— Não! Não aproxime o rosto dele. Atila é um cão de guerra — advertiu-a.

— De que raça é?

— Um pastor belga malinês com pedigree. Em bom estado, é mais educado e forte do que um pastor-alemão, com a vantagem de ter o lombo reto e não sofrer dos quartos.

— O que aconteceu com esse pobre animal?

— Sobreviveu à explosão de uma mina — informou Miller, enquanto molhava seu lenço na água fria do rio, onde na semana anterior vira salmões pulando contra a corrente em sua difícil viagem para o local da desova.

Miller entregou o pano molhado a Indiana para que limpasse os arranhões das pernas. Ele usava calça larga de ginástica, um moletom e um colete de aspecto blindado que, conforme explicou, pesava 20 quilos e servia para treinar; quando o tirava para competir, tinha a impressão de que estava flutuando. Sentaram-se para conversar nas grossas raízes de uma árvore, vigiados pelo cão, que acompanhava com atenção cada gesto do homem, como se estivesse esperando uma ordem, e de vez em quando aproximava o nariz da mulher e a farejava discretamente. A tarde estava morna, cheirava a pinho e a húmus, iluminada por raios solares que atravessavam como lanças as copas das árvores, ouviam-se pássaros, zumbidos de mosquitos, o barulho da água pulando entre as pedras do rio e a brisa através das árvores. O cenário ideal para um primeiro encontro em um livro romântico.

Miller havia sido um *navy seal*, as forças especiais que executam as missões mais secretas e perigosas. Pertencera ao Seal Team 6, o mesmo que em maio de 2011 atacaria a residência de Osama Bin Laden no Paquistão. Um de seus antigos companheiros mataria o líder da Al-Qaeda, mas, naturalmente, Miller não sabia que isso aconteceria dali a dois anos e ninguém poderia tê-lo previsto, a não ser Celeste Roko ao estudar os planetas. Aposentara-se em 2007, depois de perder uma perna em combate, mas isso não o impedia de participar de competições de triatlo, como disse a Indiana. Ela, que até aquele momento olhara menos para ele do que para o cachorro, percebeu que uma de suas pernas terminava em um tênis e a outra em uma lâmina curva.

— Esta é uma Flex-Foot Cheetah, que se baseia no mecanismo de propulsão do guepardo, o felino mais rápido do mundo — disse ele, mostrando a prótese.

— Como é presa?

Ele levantou a perna da calça e ela examinou o artefato que estava preso ao cotoco.

— É de fibra de carbono, leve e tão perfeita que quiseram proibir Oscar Pistorius, um sul-africano que teve as duas pernas amputadas, de participar dos Jogos Olímpicos, porque lhe dava vantagem sobre os outros atletas. Este modelo serve para correr. Tenho outras próteses para caminhar e andar de bicicleta — disse o ex-soldado, e acrescentou com certa vaidade que eram a última palavra em tecnologia.

— Dói?

— Às vezes, mas outras coisas doem mais.

— Como o quê?

— Coisas do passado. Mas chega de falar de mim, conte-me algo a seu respeito.

— Não tenho nada tão interessante quanto uma perna biônica e não posso lhe mostrar minha única cicatriz. Quando menina caí sentada em um arame farpado — confessou Indiana.

Indiana e Ryan ficaram conversando no parque, sob a vigilância de Atila. Ela se apresentou, meio a sério e meio de brincadeira, explicando que o oito era seu número de sorte, Peixes seu signo zodiacal, Netuno seu planeta regente, água seu elemento, assim como a translúcida adulária, que aponta o caminho da intuição, e a água-marinha, que guia as visões, abre a mente e sustenta a bondade, suas pedras preciosas de nascença. Não pretendia seduzir Miller, porque estava apaixonada havia quatro anos por um tal de Alan Keller e optara pela fidelidade, mas, se tivesse pretendido, teria dado um jeito de introduzir Shakti, a deusa da beleza, do sexo e da fertilidade, na conversa. A menção desses atributos demolia a cautela de qualquer homem — era heterossexual —, caso seu físico exuberante não fosse o suficiente, mas Indiana omitia outras características de Shakti, mãe divina, energia primordial e sagrado poder feminino, porque tinham um efeito dissuasivo nos varões.

Em geral, Indiana não dava explicações sobre sua atividade de curandeira, porque havia topado com mais de um cínico que a ouvia falar da energia cósmica com ar condescendente, enquanto examinava seu decote. No entanto, como o *navy seal* lhe inspirara confiança, fez uma versão resumida de seus métodos, embora, quando os descrevia, se tornassem pouco convincentes até para ela mesma. Miller achou que eram mais próximos do vodu do que da medicina, mas fingiu um enorme interesse, já que aquela afortunada conjuntura lhe dava um bom pretexto para tornar a vê-la. Mencionou suas câimbras, que o atormentavam à noite e às vezes o petrificavam no meio de uma corrida, e ela lhe receitou uma combinação de massagens terapêuticas e vitamina de banana com kiwi.

Estavam tão entretidos que o sol já começara a se pôr quando ela se deu conta de que iria perder o ferryboat para São Francisco. Ficou de pé em um pulo e se despediu às pressas, mas a caminhonete dele estava na entrada do parque e ele se ofereceu para levá-la, pois moravam na mesma cidade. O veículo tinha um motor exagerado e grossas rodas de caminhão, grade no teto, um suporte para bicicletas e uma almofada de pelúcia cor-de-rosa com pompons para o cão, que nem Miller nem Atila jamais teriam escolhido; era um presente da amante de Miller, Jennifer Yang, em um ataque de humor chinês.

Três dias depois, Miller apareceu na Clínica Holística só para ver a mulher da bicicleta, que não saía da sua cabeça. Indiana não se parecia nada com o objeto habitual de suas fantasias eróticas: ele preferia mulheres pequenas e asiáticas, como Jennifer Yang, a quem poderia ser aplicada uma série de clichês — pele de marfim, cabelos de seda e ossinhos de dar pena — e era, além disso, uma ambiciosa executiva de banco. Indiana, por sua vez, era o protótipo da americana grandalhona, saudável e de ótimas intenções, o que habitualmente o entediava, mas, por algum motivo, achou-a irresistível. Descreveu-a para Pedro Alarcón como "abundante e tentadora", adjetivos apropriados para alimentos com alto teor de gordura, como observou seu amigo. Pouco depois, quando a apresentou a ele, Alarcón disse que Indiana possuía aquela sensualidade mais para cômica das amantes dos gângsteres de Chicago dos filmes dos anos 1960, com seu amplo peito de soprano, madeixas louras e um excesso de curvas e pestanas, mas Miller não recordava nenhuma dessas divas da tela anteriores a seu nascimento.

A Clínica Holística desconcertou Miller. Esperava algo vagamente budista, e se viu diante de um feio edifício de três andares pintado de verde-abacate. Não sabia que fora construído em 1930 e que em sua época de esplendor havia sido uma atração turística por sua arquitetura art déco e seus vitrais inspirados em Klimt, mas perdera toda a sua elegância no terremoto de 1989, quando dois dos vitrais viraram cacos e os dois que sobreviveram foram leiloados pelo melhor lance. Nas janelas instalaram aqueles vidros jateados cor de cocô de galinha que costumam ser usados em fábricas de botões e quartéis, e, em outra das muitas reformas malplanejadas sofridas pelo imóvel, o piso de mármore preto e branco com desenho geométrico fora substituído por um de material plástico, mais fácil de limpar. As colunas decorativas de granito verde, importadas da Índia, assim como a porta dupla de laca preta, foram vendidas a um restaurante tailandês. Só restaram o corrimão de ferro forjado da escada e duas luminárias de época, que, se fossem autênticas Lalique, teriam tido a mesma sorte que a porta e as colunas. O saguão, originalmente amplo e iluminado, perdeu vários metros, e acrescentaram à recepção várias salas, transformando-o em uma biboca mergulhada na penumbra. Miller chegou quando o sol batia diretamente nos vidros amarelados; durante meia hora mágica, o espaço ficava ambarino, as paredes jorravam caramelo líquido e o saguão revivia fugazmente algo de seu antigo aspecto senhorial.

O homem subiu à sala 8 disposto a se submeter a qualquer tratamento, por mais extravagante que fosse, e quase esperava encontrar Indiana vestida de sacerdotisa, mas ela o recebeu de jaleco branco, tamancos brancos e os cabelos presos na nuca com um elástico. De bruxaria, nada. Obrigou-o a preencher um extenso formulário, levou-o ao corredor para vê-lo caminhar de frente e de costas, depois o conduziu à sala de terapia e ordenou que se livrasse da roupa, exceto a cueca, e se deitasse na mesa. Depois de examiná-lo, afirmou que tinha um quadril mais alto do que o outro e a coluna torta, o que não era raro em alguém que só dispunha de uma perna. Disse também que sua energia estava bloqueada na altura do diafragma, havia nós nos ombros e no pescoço, tensão em todos os músculos, rigidez na nuca e um injustificado estado geral de alerta. Em poucas palavras, continuava sendo um *navy seal.*

Indiana lhe garantiu que poderia ajudá-lo com alguns de seus métodos, mas, para que dessem resultado, ele teria de aprender a relaxar; recomendou-lhe que fizesse acupuntura com Yumiko Sato, sua vizinha, duas portas à esquerda no corredor, e, sem lhe pedir permissão, pegou o telefone e marcou uma hora com um mestre de Qigong em Chinatown, a cinco quadras da Clínica Holística. Ele obedeceu para satisfazê-la e teve um par de surpresas agradáveis.

Yumiko Sato era uma pessoa de idade e gênero indefinidos, com o mesmo corte de cabelo militar que ele usava, lentes grossas, dedos delicados de bailarina e uma seriedade sepulcral, que o diagnosticou tomando seu pulso e chegou às mesmas conclusões de Indiana. Então lhe disse que a acupuntura é usada para tratar dores físicas, mas não alivia as da consciência. Miller, espantado, achou que a entendera mal. Aquela frase o deixou intrigado, e vários meses mais tarde, quando adquiriram confiança, se atreveu a lhe perguntar o que quisera dizer; e Yumiko respondeu impassível que só os tolos não têm dor de consciência.

O Qigong com o mestre Xai, um ancião do Laos com expressão beatífica e barriga de *bon-vivant*, foi uma revelação para Miller, a combinação ideal de equilíbrio, respiração, movimento e meditação, exatamente do que seu corpo e sua mente precisavam, e o incorporou a sua rotina diária de exercícios.

As câimbras de Miller não cessaram em três semanas, como Indiana prometera, mas ele lhe mentiu para ir jantar com ela e pagar a conta, porque achou óbvio que a situação financeira da mulher beirava a indigência. O restaurante acolhedor e agitado, a cozinha com sabores do Vietnã e influência francesa, e uma garrafa de *pinot noir Flowers* californiano contribuíram para o início de uma amizade que para ele chegou a ser seu maior tesouro. Sempre vivera entre homens, sua verdadeira família eram os quinze *navy seals* que haviam sido treinados com ele quando tinha 20 anos e o acompanharam no esforço físico, no terror e na exaltação do combate, assim como no tédio das horas de inércia. Não via vários desses camaradas havia anos e outros havia meses, mas continuava em contato com todos; seriam sempre seus irmãos.

Antes de perder a perna, as relações do ex-soldado com as mulheres tinham sido simples, carnais, esporádicas e tão breves que os rostos e os corpos se fundiam em um só, bastante parecido com o de Jennifer Yang. Foram mulheres ocasionais e, se chegou a se apaixonar por alguma delas, a relação durou muito pouco, porque seu estilo de vida, sempre andando de um lado para outro e toureando a morte, não se prestava a relações afetivas e menos ainda a se casar e ter filhos. A sua história fora guerrear contra inimigos, alguns reais e outros inventados, e nisso se fora a juventude.

Na vida civil, Miller se sentia sem jeito e um peixe fora d'água, tinha dificuldade de manter uma conversa trivial, e seus longos silêncios pareciam ofensivos para quem o conhecesse pouco. Em São Francisco, paraíso gay, sobravam belas mulheres, independentes e bem-sucedidas, muito diferentes das que antes encontrava em bares ou rondando os quartéis. Miller podia passar por bonito, dependendo da luz, e sua deficiência, além de lhe dar o ar sofrido de quem se sacrificara pela pátria, era uma boa desculpa para entabular uma conversa. Não lhe faltavam oportunidades para iniciar relações amorosas, mas, quando estava com mulheres inteligentes, que eram as que lhe interessavam, preocupava-se excessivamente com a impressão que lhes causava e terminava irritando-as. Nenhuma jovem da Califórnia queria passar o tempo ouvindo histórias de soldados, por mais épicas que fossem, em vez de ir dançar, salvo Jennifer Yang, herdeira da lendária paciência de seus antepassados do Império Celeste e capaz de fingir que ouvia enquanto pensava em outra coisa. No entanto, com Indiana Jackson ele se sentiu confortável desde o princípio naquele bosque de sequoias e, algumas semanas mais tarde, no jantar do restaurante vietnamita; não teve de espremer o cérebro procurando assuntos para abordar, porque a ela bastou meia taça de vinho para se tornar loquaz.

O tempo passou voando e, quando olharam o relógio, já passava da meia-noite; no restaurante só restavam garçons mexicanos recolhendo as mesas com o ar chateado daqueles que já cumpriram seu turno e querem ir para casa. Naquela noite, três anos atrás, Miller e Indiana tornaram-se grandes amigos.

Apesar de sua incredulidade inicial, depois de três ou quatro meses o ex-soldado teve de admitir que Indiana não era mais uma das piradas da Nova Era; de fato, possuía o dom de curar. As terapias o relaxavam, dormia muito melhor e suas câimbras haviam quase desaparecido, mas o mais valioso daquelas sessões era a paz que lhe causavam: suas mãos lhe transmitiam afeto e sua atenta presença silenciava as vozes do passado.

Indiana, por sua vez, se habituou àquele amigo forte e discreto, que a mantinha saudável fazendo-a correr pelas incontáveis trilhas das colinas e bosques dos arredores de São Francisco e a tirava de apuros financeiros quando ela não se atrevia a recorrer ao pai. Entendiam-se bem e, embora nunca o dissessem, pendia no ar a suspeita de que aquela amizade poderia se transformar em paixão se ela não estivesse amarrada a Alan Keller, seu esquivo amante, e se ele não tivesse se autoimposto expiar seus pecados mediante o recurso extremo de evitar o amor.

No verão em que sua mãe conheceu Ryan Miller, Amanda Martín tinha 14 anos, mas aparentava 10. Era uma criatura magra e sem graça, com óculos e aparelho nos dentes, que cobria o rosto com os cabelos ou o capuz de seu moletom para se proteger do ruído insuportável e da luz desapiedada do mundo, tão diferente de sua opulenta mãe a quem, com frequência, perguntavam se a filha era adotada. Miller a tratou desde o princípio com formalidade e distância, como se fosse um adulto de outro país, digamos de Cingapura. Não se empenhou em lhe facilitar muito as coisas durante a corrida de bicicleta a Los Angeles, mas a ajudou nos treinamentos e preparativos para a viagem, já que tinha experiência em triatlo, e assim conquistou a confiança da garota.

Os três, Indiana, Amanda e ele, saíram às sete da manhã de uma sexta-feira, ao lado de outros dois mil esforçados participantes, com as fitas vermelhas da campanha da AIDS presas no peito, acompanhados por uma procissão de carros e caminhões de voluntários que levavam barracas e todo tipo de provisões. Chegaram a Los Angeles na sexta-feira seguinte, com o traseiro em carne viva, as pernas retesadas e o cérebro livre de pensamentos, como os recém-nascidos. Foram sete dias pedalando por colinas e estradas, com longos trechos de paisagem bucólica e outros de tráfego infernal; fáceis para Ryan Miller, para quem quinze horas na bicicleta passavam voando, e, ao contrário, um século de esforço para a mãe e a filha, que só alcançaram o objetivo porque ele as atiçava como um sargento quando fraquejavam e recarregava suas baterias com bebidas eletrolíticas e biscoitos energéticos.

À noite, os dois mil ciclistas desabavam em acampamentos montados pelos voluntários ao longo da rota, como bandos de aves migratórias no último estado de esgotamento, devoravam cinco mil calorias, faziam revisão em suas bicicletas, tomavam banho nos trailers e esfregavam as panturrilhas e as coxas com bálsamo calmante. Antes de se deitar, Ryan aplicava compressas quentes em Indiana e Amanda e as animava com uma conversa inspiradora sobre as vantagens dos exercícios ao ar livre. "O que isso tem a ver com a AIDS?", perguntou-lhe Indiana no terceiro dia, quando havia pedalado dez horas chorando de cansaço e por todas as dificuldades de sua vida. "Não sei, pergunte a sua filha", foi a resposta honesta de Miller.

A corrida pouco contribuiu para a luta contra a epidemia, mas solidificou a nascente amizade de Miller com Indiana e deu uma coisa impensável a Amanda: um amigo. Em suma, aquela garota com vocação de ermitã tinha três amigos: seu avô Blake, seu futuro namorado Bradley e o *navy seal*, Ryan Miller. Os participantes do *Ripper* não faziam parte da mesma categoria, porque se conheciam apenas através do jogo e a relação entre eles se limitava aos confins do crime.

Terça-feira, 3

Celeste Roko, a célebre astróloga da Califórnia, madrinha de Amanda, profetizara na televisão o banho de sangue de setembro de 2011. Seu programa diário de horóscopo e consultas astrológicas era transmitido cedo, antes da previsão do tempo, e era repetido depois do noticiário vespertino. Roko era uma mulher de 50 e tantos anos, muito bem-vividos graças a retoques de cirurgia plástica, carismática na tela e rabugenta em pessoa, considerada elegante e bonita por seus admiradores. Era parecida com Eva Perón, com alguns quilos a mais. O estúdio da televisão era decorado com uma fotografia ampliada da Ponte Golden Gate em uma falsa janela e um grande mapa do sistema solar com planetas iluminados e movimentados por um controle remoto.

Videntes, astrólogos e outros praticantes das artes ocultas costumam predizer o futuro na véspera de ano-novo, mas Roko não podia esperar três meses para alertar a população de São Francisco a respeito do que estava para desabar em cima dela. O anúncio era de tal importância que despertou o interesse público, circulou como vírus na internet e provocou comentários irônicos na imprensa local e manchetes alarmistas nos tabloides, que especularam a respeito de futuras rebeliões na prisão de San Quentin, guerras entre quadrilhas latinas e negras e outro terremoto apocalíptico na falha de San Andrés. No entanto, Celeste Roko, que dava uma impressão de infalibilidade com sua trajetória de psicanalista junguiana e seu impressionante histórico de prognósticos corretos, afirmou que se tratava de homicídios, coisa que produziu um suspiro coletivo de alívio entre os aficionados da astrologia, por ser a menos truculenta das fatalidades que temiam. Existe uma possibilidade em vinte mil de uma pessoa morrer assassinada no norte da Califórnia, e isso é uma coisa que costuma acontecer com outras pessoas, raramente com a gente.

No próprio dia da profecia, Amanda Martín e seu avô resolveram desafiar Celeste Roko. Estavam saturados da influência que a madrinha exercia na família com o pretexto de saber o futuro. Era uma mulher impetuosa e dotada daquela certeza inabalável que caracteriza as pessoas que recebem mensagens provenientes do universo ou de Deus. Ela nunca conseguiu dirigir o destino de Blake Jackson, que era imune à astrologia, mas conseguia muita coisa com Indiana, que a consultava antes de tomar decisões e se guiava pelos ditames do horóscopo. Em várias ocasiões, as leituras astrais interferiram nos melhores planos de Amanda; os planetas decidiam, por exemplo, que não era o momento propício para ganhar uma patinete, mas, em troca, o era para ter aulas de balé, e ela acabava chorando de humilhação, vestida com um tutu cor-de-rosa.

Quando completou 13 anos, Amanda descobriu que sua madrinha não era infalível. Os planetas ordenaram que ela fosse para uma escola secundária pública, mas sua incrível avó paterna, dona Encarnación Martín, insistiu para que a matriculassem em um colégio católico particular. Por uma vez, Amanda ficou ao lado da madrinha, porque a ideia de uma escola mista era menos aterrorizante do que a de freiras, mas dona Encarnación acabou derrotando Celeste Roko com o cheque da matrícula, sem suspeitar que as freiras eram liberais e feministas, usavam calças compridas, brigavam com o papa e, nas aulas de ciências, ensinavam o uso apropriado de preservativos com a ajuda de uma banana.

Amanda, atiçada por seu cético avô, que raramente ousava enfrentar Celeste cara a cara, duvidava de que houvesse relação entre as estrelas do firmamento e o destino dos seres humanos; a astrologia era tão improvável quanto a magia branca de sua mãe. A profecia deu ao avô e à neta a oportunidade de duvidar dos astros, porque uma coisa é predizer, por exemplo, que a semana é propícia à troca de cartas, e outra coisa é dizer que vai haver um banho de sangue em São Francisco; isso não acontece todos os dias.

Quando Amanda, o avô e os comparsas do *Ripper* transformaram o jogo em um método de investigação criminal, não imaginaram no que estavam se metendo. Vinte dias depois do alerta da astróloga, aconteceu o homicídio de Ed Staton, que poderia ser atribuído ao acaso, mas, como teve características inusuais — o bastão naquele lugar —, Amanda decidiu abrir um arquivo com as informações publicadas nos veículos de comunicação, as que conseguiu arrancar do pai, que conduzia a investigação a portas fechadas, e as que seu avô obteve por seus próprios meios.

• • •

Blake Jackson, farmacêutico de profissão, amante da literatura e escritor frustrado até conseguir dar forma literária aos turbulentos acontecimentos anunciados por Celeste Roko, descreveu a neta Amanda em seu livro como extravagante de aparência, tímida de caráter e magnífica de cérebro, uma forma florida de falar que o destacava entre seus colegas farmacêuticos. A crônica daqueles fatos fatídicos acabou sendo mais extensa do que ele pretendera, embora só abarcasse alguns meses e algum *flashback*, como são chamados. A crítica foi impiedosa com o autor, acusando-o de realismo mágico, estilo literário fora de moda, mas ninguém conseguiu provar que tivesse tergiversado os acontecimentos a favor do esotérico, qualquer um poderia comprová-los no Departamento de Polícia de São Francisco e na imprensa da época.

Em janeiro de 2012, Amanda Martín estava com 17 anos e na última série do secundário; tinha pais divorciados, Indiana Jackson, curandeira, e Bob Martín, inspetor de polícia; uma avó mexicana, dona Encarnación; e um avô viúvo, o citado Blake Jackson. No livro de Jackson também eram mencionadas outras pessoas, que apareciam e desapareciam, sobretudo desapareciam, à medida que o autor avançava na trama. Amanda era filha única e muito mimada, mas o avô acreditava que, assim que se formasse e fosse atirada sem preâmbulos no mundo, esse problema se resolveria sozinho. Era vegetariana porque não cozinhava; quando tivesse de fazê-lo, optaria por uma dieta menos complicada. Era leitora voraz desde muito cedo, com os perigos que esse hábito implica. Os assassinatos aconteceriam de qualquer maneira, mas ela não teria se envolvido com eles se não tivesse lido livros policiais de autores escandinavos com tanto afinco a ponto de desenvolver uma reprovável curiosidade pela maldade em geral e por homicídios premeditados em particular. Seu avô estava longe de concordar com a censura, mas inquietava-o que ela lesse aqueles livros aos 14 anos. Amanda silenciou-o com o argumento de que ele também os lia, e Blake teve de se limitar a preveni-la contra o conteúdo pavoroso, com o previsível resultado de que dobrou seu interesse em devorá-los. O fato de o pai de Amanda, Bob Martín, ser o chefe do Departamento de Homicídios de São Francisco contribuiu para o pernicioso interesse da garota, porque ela ficava sabendo de todas as maldades que aconteciam na cidade, um lugar idílico que não convidava ao crime, mas, se este proliferava em países tão civilizados como a Suécia e a Noruega, não se podia querer que São Francisco, fundada por aventureiros ambiciosos, pregadores polígamos e mulheres de virtude negociável, atraídos pela febre do ouro em meados de 1800, ficasse imune.

A garota estava interna em uma escola de meninas, uma das últimas em um país que optara pela desordem de gêneros, onde pôde sobreviver quatro anos em estado de invisibilidade entre as companheiras, mas não entre as professoras e as poucas religiosas que restavam. Tirava boas notas, mas as irmãs, mulheres santas, nunca chegaram a vê-la estudar e sabiam que passava boa parte da noite acordada diante do computador, entretida em misteriosos jogos e leituras. Evitavam perguntar-lhe o que lia com tanto prazer, porque suspeitavam tratar-se do mesmo que elas saboreavam às escondidas. Isso explicaria o mórbido fascínio da garota por armas, drogas, venenos, autópsias, formas de tortura e meios de desfazer-se de cadáveres.

• • •

Amanda Martín fechou os olhos, inspirou fundo o ar límpido daquela manhã de inverno; pelo aroma ácido dos pinheiros, entendeu que o carro avançava pela avenida do parque e, pelo cheiro de excrementos, que estavam passando diante das cavalariças. Calculou que eram 8h23; dois anos antes, havia desistido de usar relógio e passara a cultivar o hábito de adivinhar a hora, assim como calcular temperaturas e distâncias, e também aprimorara o paladar para identificar ingredientes suspeitos na comida. Catalogava as pessoas através do olfato: Blake, seu avô, cheirava a bondade, uma mistura de paletó de lã e camomila; Bob, seu pai, a firmeza: metal, tabaco e loção de barbear; Bradley, a sensualidade, ou seja, suor e cloro; Ryan Miller cheirava a confiança e lealdade, cheiro de cachorro, o melhor do mundo. E quanto a Indiana, sua mãe, cheirava a magia, porque estava impregnada pelas fragrâncias de seu ofício.

Quando o Ford 95 do avô, com os roncos asmáticos do motor, deixou para trás as cavalariças, Amanda calculou três minutos e dezoito segundos, e abriu os olhos diante da porta da escola. "Chegamos", afirmou Jackson, como se ela não soubesse. O avô, que se mantinha em forma jogando squash, pegou a mochila cheia de livros e subiu ao segundo andar com agilidade, enquanto sua neta o seguia com dificuldade, o violino em uma das mãos e o laptop na outra. O andar estava vazio, o restante das internas chegaria ao anoitecer; as aulas começariam no dia seguinte, depois das férias do Natal e do ano-novo. Outra das manias de Amanda era ser a primeira a chegar em qualquer lugar para reconhecer o terreno antes que aparecessem os inimigos potenciais. Incomodava-a compartilhar seu quarto com outras alunas: a roupa jogada, a bagunça, o cheiro de xampu, de esmalte de unha e de comida rançosa, as conversas intermináveis e os dramas sentimentais repletos de inveja, mexericos e traições dos quais ela estava excluída.

— Papai acha que o homicídio de Ed Staton é uma *vendetta* entre homossexuais — disse Amanda ao avô antes de se despedir.

— Em que baseia a teoria dele?

— No bastão de beisebol enfiado... você sabe onde — recordou ela, enrubescendo diante da lembrança do vídeo que vira na internet.

— Não antecipemos conclusões, Amanda. Ainda existem muitas incógnitas no ar.

— Exatamente. Por exemplo, como o assassino entrou?

— Ed Staton devia fechar as portas e as janelas e ligar o alarme quando terminasse suas atividades na escola. Como nenhuma fechadura foi forçada, supõe-se que o autor do crime se escondeu na escola antes que Staton a tivesse fechado — aventurou Blake Jackson.

— Se o homicídio foi premeditado, o assassino matou Staton antes de ele ir embora, porque não podia saber que iria voltar.

— Talvez não tenha sido premeditado, Amanda. Alguém entrou na escola com a intenção de roubar, e o segurança o surpreendeu no ato.

— De acordo com meu pai, durante os anos que está no Departamento, viu delinquentes que se assustam e reagem com violência, mas nunca viu um que tivesse ficado na cena do crime esperando a oportunidade de ferir a vítima dessa maneira.

— Bob disse mais alguma coisa?

— Você já sabe como é meu pai, tenho que arrancar dele aos trancos as informações. Ele acha que esse assunto não é para uma garota da minha idade. É um troglodita.

— Tem certa razão: isso é um pouco sórdido, Amanda.

— É de domínio público, apareceu na televisão e, se a pessoa tiver estômago, poderá ver na internet o que uma garota filmou com o celular quando descobriram o corpo.

— Ora! Que presença de espírito! Os meninos de hoje veem tanta violência, que nada mais os assusta. Na minha época... — comentou Blake Jackson com um suspiro.

— Esta é a sua época. Você me chateia quando fala como velho. Chegou a averiguar a história do reformatório de meninos, Kabel?

— Tenho de trabalhar, não posso abandonar a farmácia, mas o farei assim que puder.

— Se apresse, ou terei de trocar de ajudante.

— Faça isso, vamos ver quem a aguenta.

— Você me ama, vovô?

— Não.

— Eu tampouco — disse ela, e atirou os braços em seu pescoço.

Blake Jackson mergulhou o nariz na selva de cabelos crespos de sua neta, aspirando seu cheiro de salada — passara a lavá-los com vinagre — e pensou que dentro de poucos meses ela iria para a universidade e ele não estaria por perto para protegê-la; ainda não partira e já sentia sua falta. Recordou, em uma vertiginosa sucessão, as etapas daquela vida curta, a menina arisca e desconfiada, trancada durante horas em uma cabana improvisada com lençóis, onde só entravam o amigo invisível que a acompanhara por vários anos, chamado Salve-o-Atum, sua gata Gina e ele, quando tinha a sorte de ser convidado para tomar chá de mentira em minúsculas xícaras de plástico. "A quem puxou essa pirralha?", perguntara Blake Jackson quando Amanda ganhou dele no xadrez aos 6 anos de idade. Não podia ser a Indiana, que flutuava na estratosfera pregando paz e amor meio século depois dos hippies, e menos ainda a Bob Martín, que naquela época ainda não havia lido um livro completo. "Não se preocupe, muitas crianças são geniais na infância e depois ficam abobalhadas. Sua neta descerá ao nível da idiotice geral quando seus hormônios explodirem", aconselhou-o Celeste Roko, que aparecia em sua casa a qualquer momento sem avisar e a quem Blake temia como a Satanás.

Por uma vez a astróloga se equivocou, porque na adolescência Amanda não ficou abobalhada, e a única mudança perceptível provocada pelos hormônios se deu em sua aparência. Aos 15 anos, ela espichou e atingiu uma estatura normal, começou a usar lentes de contato, abandonou o aparelho nos dentes e surgiu uma garota delgada, de feições delicadas, com os cabelos escuros do pai e a pele translúcida da mãe, sem a menor consciência de que era bonita. Aos 17 anos ainda arrastava os pés, roía as unhas e vestia roupas compradas em brechós, que ela modificava de acordo a inspiração do momento.

Depois de seu avô tê-la deixado, Amanda se sentiu dona do espaço por algumas horas. Faltavam três meses para se formar na escola, onde havia sido feliz, exceto pela bagunça do dormitório, e para ir para o MIT, em Massachusetts, onde estudava Bradley, seu namorado virtual, que havia conversado com ela sobre o Media Lab, paraíso de imaginação e criatividade, exatamente o que ela queria. Ele era o homem perfeito: um esquisitão como ela, com senso de humor e nem um pouco feio, que devia à natação suas costas largas e seu saudável bronzeado, e aos produtos químicos das piscinas seus cabelos verde-limão. Podia passar por australiano. Amanda havia decidido se casar com ele em um futuro distante, mas ainda não lhe dissera nada. Por ora comunicavam-se pela internet para jogar Go, falar de assuntos herméticos e comentar livros.

Bradley era fanático por ficção científica, gênero que deprimia Amanda, porque, em geral, o planeta era coberto de cinzas e as máquinas controlavam a humanidade. Ela, que lera muitos desses livros entre os 8 e os 11 anos, preferia a fantasia, que acontecia em épocas fictícias, quando a tecnologia era mínima e a diferença entre heróis e vilões, extremamente clara; um gênero que Bradley considerava infantil e viciador. Ele tinha inclinação para um pessimismo contundente. Amanda não se atrevia a lhe confessar que havia devorado os quatro volumes de *Crepúsculo* e os três de *Millenium*, porque ele não perdia tempo com vampiros nem com psicopatas.

Os dois trocavam românticos e-mails, salpicados de ironias para evitar breguices, e beijos virtuais, nada muito atrevido. Em dezembro, as freiras haviam expulsado do colégio uma aluna que disponibilizara na internet um vídeo dela mesma se masturbando de pernas arreganhadas e nua; aquilo não chamou nem um pouco a atenção de Bradley, porque duas namoradas de amigos dele tinham colocado em circulação cenas semelhantes. Amanda ficou surpresa com o fato de que sua colega de turma estivesse completamente depilada e não tivesse tomado o cuidado de cobrir o rosto, mas surpreendeu-se mais ainda com a drástica reação das freiras, que tinham reputação de ser bastante liberais.

Para ocupar o tempo até a hora de conversar com Bradley pelo computador, Amanda se dedicou a classificar as informações compiladas por seu avô sobre "o crime do bastão fora de lugar" e outras notícias sangrentas, que colecionava desde que sua madrinha dera o alerta na televisão. Os jogadores de *Ripper* continuavam matutando sobre diversas questões a respeito de Ed Staton, mas ela já estava bolando outro tema para o próximo jogo: os assassinatos de Doris e Michael Constante.

Matheus Pereira, um pintor de origem brasileira, era outro dos apaixonados por Indiana Jackson, mas, em seu caso, tratava-se de amor platônico, porque a arte o consumia até os ossos. Afirmava que a criatividade se alimenta de energia sexual, e, quando teve de escolher entre a pintura ou seduzir Indiana, que não parecia disposta a aventuras, escolheu o primeiro. Além disso, a maconha o mantinha em um estado de permanente placidez que não se prestava a iniciativas sedutoras. Eram bons amigos, encontravam-se quase todos os dias e se protegiam mutuamente quando necessário. Ele costumava ser incomodado pela polícia e por ela, por alguns clientes que se excediam ou pelo inspetor Martín, que se achava no direito de averiguar o que sua ex-mulher andava fazendo.

— Amanda me preocupa; agora está obcecada por crimes — disse Indiana ao artista, enquanto o massageava com essência de eucalipto para lhe aliviar a dor ciática.

— Ela se cansou dos vampiros? — perguntou Matheus.

— Isso foi no ano passado. Agora é mais grave, trata-se de crimes verdadeiros.

— A garota puxou ao pai.

— Não sei o que ela faz, Matheus. Esse é o mal da internet. Qualquer pervertido pode se meter com a minha filha sem que eu fique sabendo.

— Claro que não, Indi. Eles são uns pirralhos que se divertem jogando. No sábado, vi Amanda no Café Rossini; estava tomando o café da manhã com o seu ex-marido. O sujeito tem ojeriza de mim, Indiana.

— Não é verdade. Bob o livrou da prisão em mais de uma ocasião.

— Porque você pediu a ele. Eu estava falando de Amanda. Estivemos conversando um pouco e ela me explicou em que consiste seu jogo, parece que se chama *Ripper*, ou algo assim. Sabia que enfiaram um bastão de beisebol em um dos mortos...?

— Sim, Matheus, eu sei! — interrompeu-o Indiana. — É exatamente a isso que me refiro. Você acha normal o interesse de Amanda por uma coisa tão macabra? Outras meninas da mesma idade vivem pensando em astros de cinema.

Pereira vivia na água-furtada da Clínica Holística, em um anexo sem habite-se, e, para fins práticos, era o zelador do edifício. O sótão, que ele chamava de estúdio, recebia uma luz esplêndida para pintar e cultivar, sem fins lucrativos, pés de maconha destinados ao seu consumo pessoal, que era muito, e ao de seus amigos.

No final da década de 1990, depois de passar por várias mãos, o imóvel fora comprado por um investidor chinês com bom tino comercial, que tivera a ideia de criar um centro de saúde e relaxamento, como outros que prosperam na Califórnia, terra de otimistas. Pintou a parte externa e colocou o letreiro Clínica Holística na fachada, para distingui-lo das peixarias de Chinatown; tudo mais foi feito pelos inquilinos, que foram ocupando os apartamentos do segundo e terceiro andares, todos praticantes de artes e ciências terapêuticas. Os estabelecimentos do primeiro andar, que davam para a rua, eram uma academia de ioga e uma galeria de arte. O primeiro também oferecia aulas de dança tântrica, muito populares; e o segundo, com o inexplicável nome de Lagarta Peluda, exibia obras de artistas locais. Nas noites de sexta e sábado, a galeria era animada por músicos amadores e vinho rascante servido de graça em copos de papel. Quem estivesse procurando drogas ilegais poderia consegui-las na Lagarta Peluda por uma ninharia, sob o nariz da polícia, que tolerava aquele tráfico de formiga desde que fosse discreto. Os dois andares superiores eram ocupados por pequenos consultórios formados por uma sala de espera, onde mal cabiam uma carteira escolar e um par de cadeiras, e outro aposento, destinado às terapias. O acesso aos consultórios do segundo e terceiro andares era dificultado pela falta de elevador, grave inconveniência para alguns pacientes, mas isso tinha a vantagem de afastar os mais doentes, que, de qualquer maneira, não teriam se beneficiado muito da medicina alternativa.

O pintor vivia naquele imóvel havia trinta anos sem que nenhum dos sucessivos proprietários tivesse conseguido desalojá-lo. O investidor chinês nem sequer o tentara, porque lhe convinha que alguém ficasse no edifício depois das horas de trabalho. Em vez de brigar com Matheus Pereira, nomeou-o zelador, entregou-lhe uma duplicata das chaves de todas as salas e lhe ofereceu um salário simbólico para trancar a porta principal à noite, apagar as luzes, servir de contato com os inquilinos e ser chamado em caso de problemas ou emergências.

Os quadros do brasileiro, inspirados no expressionismo alemão, eram exibidos de vez em quando na Lagarta Peluda, sem sucesso de vendas, e decoravam o saguão da entrada do edifício. As angustiantes figuras distorcidas, feitas com pinceladas raivosas, contrastavam com os vestígios de art déco e com a missão da Clínica Holística de proporcionar bem-estar físico e emocional a seus clientes, mas ninguém se atrevia a sugerir que fossem retiradas para não magoar o artista.

— A culpa é do seu ex-marido, Indi. De onde você acha que Amanda tira seu interesse pelos crimes? — disse Matheus ao se despedir.

— Bob está tão preocupado quanto eu com essa nova besteira de Amanda.

— Pior seria se estivesse se drogando...

— Olhe quem fala! — riu ela.

— Por isso mesmo. Sou autoridade no assunto.

— Amanhã, no intervalo entre dois clientes, posso lhe fazer uma massagem de dez minutos — ofereceu ela.

— Você me atendeu de graça durante anos, querida. Vou lhe dar de presente um de meus quadros.

— Não, Matheus! De maneira nenhuma posso aceitar. Tenho certeza de que um dia seus quadros valerão muito dinheiro — disse Indiana, tentando dissimular o pânico na voz.

Quarta-feira, 4

Às dez da noite, Blake Jackson finalizou o romance da vez e foi à cozinha preparar aveia com leite, que lhe trazia recordações da infância e o consolava quando se sentia agoniado com a imbecilidade da raça humana. Alguns livros o afetavam dessa maneira. As tardes das quartas-feiras eram reservadas a suas partidas de squash, mas, naquela semana, o amigo que jogava com ele estava viajando. Sentou-se diante do prato, aspirando o delicado cheiro de mel e canela, e ligou para Amanda do celular, sem receio de acordá-la, porque àquela hora ela devia estar lendo. O aposento de Indiana ficava longe, era impossível que pudesse ouvir a conversa, mas ele falava em sussurros por excesso de precaução. Era preferível que sua filha ignorasse o que ele e a neta estavam fazendo.

— Amanda. É Kabel.

— Conheço sua voz. Desembuche.

— É sobre Ed Staton. Aproveitando a agradável temperatura deste belo dia, fez 22ºC, como no verão...

— Direto ao assunto, Kabel, não disponho da noite inteira para ficar falando do aquecimento global.

— Fui tomar umas cervejas com seu pai e descobri algumas coisas que podem lhe interessar.

— Que coisas?

— O reformatório onde Staton trabalhava antes de vir para São Francisco se chama Boys Camp e fica em pleno deserto do Arizona. Staton passou vários anos lá, até que foi expulso em agosto de 2010, por causa de um escândalo provocado pela morte de um garoto de 15 anos. Não foi o primeiro caso, Amanda, três meninos morreram nos últimos oito anos, mas o reformatório continua funcionando. Em todas as ocasiões, o juiz se limitou a suspender temporariamente sua licença, enquanto fazem a investigação.

— Como esses meninos morreram?

— Por disciplina paramilitar em mãos inexperientes ou sádicas. Negligência, abuso, tortura. Batem nos garotos, obrigam-nos a fazer exercícios até perderem a consciência, racionam a comida e as horas de sono. O menino que morreu tinha pneumonia, ardia em febre e desmaiava, mas o obrigaram a correr com os outros em pleno sol, no calor do Arizona que é como um forno, e, quando caiu no chão, foi chutado. Ficou doente por duas semanas antes de morrer. Depois se descobriu que tinha litros de pus nos pulmões.

— E Ed Staton era um desses sádicos — deduziu Amanda.

— Tinha um longo histórico no Boys Camp. Seu nome aparece em vários relatórios contra o reformatório por abusar de internos, mas só o afastaram em 2010. Pelo visto, ninguém se importa com a sorte desses garotos infelizes. Parece um dramalhão de Charles Dickens.

— *Oliver Twist*. Continue, não enrole.

— Tentaram despedir Ed Staton discretamente, mas não foi possível, porque a morte do garoto causou certa comoção. Apesar disso, a escola Golden Hills, de São Francisco, o contratou. Você não acha estranho? Como é possível que não conhecessem seus antecedentes!

— Devia ter bons contatos.

— Ninguém se deu ao trabalho de averiguar seu passado. O diretor da Golden Hills estava satisfeito com o sujeito porque ele sabia impor disciplina, mas alguns alunos e professores o descrevem como um gorila, um desses seres covardes que se arrastam diante da autoridade, mas, quando têm um pingo de poder, são extremamente cruéis. Infelizmente o mundo está cheio de gente desse tipo. Por fim, o diretor o designou para o turno da noite, querendo evitar problemas. Ed Staton começava a trabalhar às oito da noite e saía às seis da manhã.

— Talvez tenha sido morto por alguém que esteve naquele reformatório e sofreu em suas mãos.

— Seu pai está examinando essa possibilidade, embora continue insistindo na teoria da rixa entre homossexuais. Staton era aficionado em pornografia gay e usava serviços de *scorts*.

— O quê?

— *Scorts*, assim são chamados os homens que se prostituem. Os *scorts* habituais de Staton eram dois jovens porto-riquenhos, seu pai já os interrogou, mas eles têm bons álibis. E, a respeito do alarme da escola, diga ao pessoal do *Ripper* que, normalmente, Ed Staton o ligava à noite, mas dessa vez não o fez. Talvez tenha saído às pressas, pensando em ligá-lo quando voltasse.

— Sei que você está guardando o melhor para o final — disse a neta.

— Eu?

— O que é, Kabel?

— Uma coisa muito curiosa, que também intriga seu pai — disse Blake Jackson. — No ginásio há bolas, luvas e bastões de beisebol, mas o bastão que usaram em Staton não pertencia à escola.

— Já sei o que vai me dizer! O bastão é de uma equipe do Arizona!

— Os Diabos do Arizona, por exemplo? Nesse caso, a conexão com o Boys Camp seria óbvia, Amanda, mas não é.

— De onde é?

— Tem um símbolo da Universidade Estadual do Arkansas.

Segundo Celeste Roko, que havia estudado o mapa astral de todos os seus amigos e parentes, o caráter de Indiana Jackson correspondia a Peixes, seu signo zodiacal. Isso explicava sua propensão ao esoterismo e seu impulso irrefreável de socorrer todas as pessoas infelizes que cruzassem seu caminho, inclusive aquelas que não pediam nem lhe agradeciam por sua ajuda. Carol Underwater era o alvo ideal para a desenfreada compaixão de Indiana.

Conheceram-se em uma manhã de dezembro de 2011. Indiana estava acorrentando sua bicicleta na rua e viu pelo rabo do olho uma mulher apoiada em uma árvore próxima como se fosse desmaiar. Correu para ajudá-la, amparou-a, levou-a em passinhos curtos à Clínica Holística e ajudou-a a subir a escada até o consultório número 8, onde a desconhecida desabou, exausta, em uma das duas frágeis cadeiras da recepção. Quando recuperou o fôlego, disse seu nome e contou que sofria de um câncer agressivo e que a quimioterapia estava sendo pior do que a doença. Comovida, Indiana lhe ofereceu sua maca de massagem para que se deitasse um pouco, mas a outra respondeu com voz vacilante que a cadeira lhe bastava e que, se não fosse muito incômodo, lhe faria bem beber alguma coisa quente. Indiana deixou-a sozinha e saiu correndo para comprar uma tisana, lamentando que em seu pequeno consultório não houvesse um fogareiro para ferver água. Ao voltar, encontrou a mulher bastante recuperada; ela até fizera uma patética tentativa de se arrumar um pouco e pintara os lábios; a boca da cor de tijolo dava um ar grotesco ao seu rosto esverdeado e crispado pela doença; olhos escuros se destacavam na cara de boneca. Tinha 36 anos, segundo disse, mas a peruca de cachos fossilizados a envelhecia dez anos.

Assim teve início uma aliança baseada na desgraça de uma e na vocação samaritana da outra. Em várias oportunidades, Indiana se ofereceu para aplicar seus métodos de fortalecimento do sistema imunológico, mas Carol dava um jeito de adiá-los. A princípio, Indiana suspeitou que talvez ela não pudesse lhe pagar, e se dispôs a atendê-la de graça, como fazia com outros pacientes em dificuldades, mas, diante das repetidas desculpas de Carol, parou de insistir; tinha consciência de que muita gente ainda desconfiava da medicina alternativa. As duas gostavam de sushi, de passear pelo parque e de filmes românticos, e também respeitavam os animais, coisa que em Carol Underwater se traduzia em um rigoroso vegetarianismo, como o de Amanda, enquanto Indiana se limitava a protestar contra o sofrimento de frangos nas granjas e o de ratos nos laboratórios, assim como o uso de peles pela indústria da moda. Uma de suas organizações favoritas era Gente a Favor do Tratamento Ético dos Animais, que no ano anterior encaminhara uma petição ao prefeito de São Francisco para que mudasse o nome de Tenderloin, porque era inadmissível que um bairro da cidade tivesse o nome do contrafilé de um gado maltratado e seria melhor lhe dar o nome de um vegetal. O prefeito não respondeu.

Apesar dos ideais comuns, a amizade parecia forçada, porque Indiana tentava manter certa distância, pois Carol grudava nela como caspa. A mulher se sentia impotente e desamparada, sua vida era um somatório de abandonos e traições, ela se achava chata, desinteressante, sem talento ou habilidade social, e suspeitava que seu marido se casara com ela só para obter o visto americano. Indiana lhe sugerira que revisasse esse roteiro de vítima e o alterasse, porque o primeiro passo para a cura consistia em se livrar da energia negativa e do ressentimento; ela precisava de uma história positiva que a conectasse com a totalidade do universo e a luz divina, mas Carol continuava aferrada a sua desgraça. Indiana temia ser sugada pelo insondável vazio daquela mulher, que se queixava pelo telefone nas piores horas, se instalava em seu consultório e ficava esperando-a durante horas, e lhe dava bombons finos, que deviam lhe custar uma parte significativa de seu cheque da previdência social, e que ela consumia calculando as calorias e sem verdadeiro prazer, porque preferia o chocolate amargo com pimenta, como o que compartilhava com seu namorado, Alan Keller.

Carol não tinha filhos nem parentes, mas contava com duas amigas, que Indiana não conhecia, que a acompanhavam à quimioterapia. Seus assuntos obsessivos eram seu marido, um colombiano deportado por tráfico de drogas, que ela estava tentando trazer de volta para junto dela, e seu câncer. Por ora a enfermidade não lhe provocava dores, mas o veneno injetado em suas veias a estava matando. Tinha uma cor acinzentada, pouca energia e voz fraca, mas Indiana alimentava a esperança de que melhoraria, porque seu cheiro era diferente do de outros pacientes com câncer que ela tratara em seu consultório. Além disso, sua sensibilidade para detectar enfermidades alheias não funcionava com Carol, e isso lhe parecia um bom sinal.

Um dia, conversando amenidades no Café Rossini, Carol confessou que tinha pavor de morrer e esperança de que Indiana a guiasse, uma responsabilidade que esta não se sentia capaz de assumir.

— Você é uma pessoa muito espiritual, Indi — disse Carol.

— Não me assuste! As pessoas supostamente espirituais que conheço fingem devoção e roubam livros esotéricos nas livrarias — riu Indiana.

— Você acredita em reencarnação? — perguntou Carol.

— Acredito na imortalidade da alma.

— Se a história da reencarnação é verdadeira, isso significa que desperdicei esta vida e vou reencarnar como barata.

Indiana lhe emprestou seus livros de cabeceira, uma eclética mistura de sufismo, platonismo, budismo e psicologia moderna, mas se absteve de lhe dizer que havia anos estudava e mal começara a dar os primeiros passos no interminável caminho da superação, faltava-lhe uma eternidade para experimentar a plenitude do Ser e liberar sua alma dos conflitos e dos sofrimentos. Esperava que seu instinto de curandeira não lhe falhasse, que Carol se recuperasse do câncer e que o tempo a alcançasse neste mundo para atingir o estado de iluminação a que aspirava.

Naquela quarta-feira de janeiro, Carol e Indiana haviam ficado de se encontrar, às cinco da tarde, no Café Rossini, aproveitando que um cliente cancelara sua sessão de Reiki e aromaterapia. O encontro fora sugerido por Carol, que adiantara por telefone a sua amiga que começara a fazer radioterapia, depois de passar uma semana de alívio ao concluir a quimioterapia. Ela foi a primeira a chegar, vestida com seu traje étnico usual, que mal dissimulava seu corpo deselegante e sua má postura: calça e túnica de algodão, de estilo vagamente marroquino, tênis, colar e pulseiras de sementes africanas. Danny D'Angelo, um dos garçons, que a atendera várias vezes, recebeu-a com a exuberância que alguns clientes haviam aprendido a temer. O homem se jactava de ser amigo de meio mundo em North Beach, em especial dos clientes do Café Rossini, onde trabalhava havia tantos anos que ninguém mais se lembrava do estabelecimento sem a sua presença.

— Olhe, querida, este turbante que você está usando fica muito melhor do que a peruca — cumprimentou assim Carol Underwater. — Na última vez que você esteve aqui, eu disse a mim mesmo: Danny, você devia aconselhar essa pessoa a tirar a maldita raposa morta da cabeça, mas a verdade é que não me atrevi.

— Estou com câncer — informou ela, ofendida.

— Sim, claro, querida, qualquer um percebe. Mas você ficaria bem calva. Está se usando agora. O que posso lhe servir?

— Um chá de camomila e *biscotti*, mas vou esperar Indiana.

— Indiana é como a porra da Madre Teresa, não é mesmo? Eu lhe devo a vida — disse Danny, pronto para se sentar à mesa e lhe contar algumas histórias de sua querida Indiana Jackson, mas o Café estava cheio e o dono lhe fazia sinais para que se apressasse a servir as outras mesas.

Pela janela, Danny avistou Indiana atravessando a avenida Columbus em direção ao Café e voou para lhe preparar um cappuccino duplo coroado de creme, como ela gostava, para recebê-la na porta com a xícara na mão.

— Saúdem a rainha, plebeus! — disse com voz tonitruante, como sempre fazia, e os clientes, habituados ao ritual, obedeceram. Indiana lhe deu um beijo no rosto e levou seu cappuccino à mesa de Carol.

— Estou com náuseas de novo, Indi, não tenho forças para nada. Não sei o que fazer, a única coisa que quero é me atirar de uma ponte — suspirou Carol.

— De que ponte? — perguntou Danny, que passava levando uma bandeja a outra mesa.

— É maneira de falar, Danny — censurou-o Indiana.

— Estou perguntando, querida, porque, se está pensando em pular da Golden Gate, não recomendo. Colocaram uma grade e câmeras de segurança para desanimar os suicidas. Bipolares e depressivos de todo o mundo vêm pular da porra dessa ponte, ela se tornou atração turística. E todos pulam pelo mesmo lado, na baía. Não se atiram pelo lado do mar porque têm medo dos tubarões.

— Danny! — exclamou Indiana, entregando um guardanapo de papel a Carol para que assoasse o nariz.

O garçom partiu com sua bandeja, mas em poucos minutos já estava de volta, atento à conversa, enquanto Indiana tentava consolar a desafortunada amiga. Ela lhe entregou um medalhão de cerâmica para pendurar no pescoço e três frascos escuros com óleos de niauli, lavanda e menta; explicou-lhe que os óleos essenciais são remédios naturais e a pele os absorve em questão de minutos; são ideais para quem não suporta tomar remédios por via oral. Ela deveria colocar duas gotas de niauli no medalhão e usá-lo todos os dias contra o enjoo, umas gotas de lavanda no travesseiro e esfregar a menta na sola dos pés para levantar o ânimo.

— Você sabia que colocam menta nos testículos dos touros velhos para...?

— Indi! — interrompeu-a Carol. — Não quero nem pensar no que deve ser isso! Pobres touros!

Nesse momento foi aberta a porta de madeira e vidro biselado, antiga e malconservada, como quase tudo no Café Rossini, para dar passagem a Lulu Gardner, que iniciava sua ronda habitual pelo bairro. Todos, menos Carol Underwater, conheciam, aquela velhinha pequena, desdentada, enrugada como uma maçã seca, com a ponta do nariz grudada no queixo, boné e capa de Chapeuzinho Vermelho, que existia desde os tempos já esquecidos dos beatniks e se proclamava fotógrafa oficial da vida em North Beach. A pitoresca anciã afirmava que havia retratado os antigos habitantes do bairro no começo do século XX, quando começara a ficar povoado de imigrantes italianos depois do terremoto de 1906, e, logicamente, alguns personagens inesquecíveis, como Jack Kerouac, que, segundo ela, era um ótimo datilógrafo; Allen Ginsberg, seu poeta e ativista preferido; Joe DiMaggio, o lendário jogador de beisebol que vivera ali nos anos 1950 com sua mulher, Marilyn Monroe; as dançarinas de striptease do Condor Club, que formaram uma cooperativa nos anos 1960; enfim, virtuosos e pecadores, todos protegidos pelo padroeiro da cidade, São Francisco de Assis, de sua capela da rua Vallejo. Lulu andava apoiada em uma bengala tão alta como ela, com uma câmera Polaroid dessas que não se usam mais e um álbum imenso debaixo do braço.

Circulavam todo tipo de rumores sobre Lulu, que ela jamais desmentia: diziam que parecia mendiga, mas tinha milhões escondidos em algum lugar, que sobrevivera em um campo de concentração e que perdera o marido em Pearl Harbor. Só se sabia com certeza que era judia praticante, mas comemorava o Natal. No ano anterior, Lulu havia desaparecido misteriosamente e, depois de três semanas sem vê-la nas ruas do bairro, os vizinhos a deram por morta e resolveram lhe prestar uma homenagem póstuma. Em um lugar proeminente do parque Washington, colocaram uma fotografia ampliada da centenária Lulu Gardner e ao seu redor as pessoas depositaram flores, bonecos de pelúcia, reproduções de fotografias tiradas por ela, poemas emocionados e mensagens. Ao entardecer de um domingo, quando haviam se juntado espontaneamente dúzias de pessoas com velas acesas para lhe dar um reverente último adeus, Lulu Gardner chegou ao parque perguntando quem havia morrido, pronta para retratar os enlutados. Sentindo-se enganados, vários vizinhos não a perdoaram por continuar viva.

A fotógrafa avançou com passinhos de dança, ao ritmo lento do blues do alto-falante, cantarolando e oferecendo seus serviços de mesa em mesa. Aproximou-se de Indiana e Carol, observando-as com olhinhos lacrimosos; antes que as mulheres conseguissem recusar, Danny D'Angelo se colocou entre as duas, agachado para ficar na altura delas, e Lulu Gardner apertou o obturador. Carol Underwater, surpreendida pelo clarão do flash, ficou em pé com tanta violência que sua cadeira caiu.

— Não quero a porra de suas fotos, bruxa velha! — gritou, tentando lhe tomar a câmera. Lulu recuou aterrorizada e Danny

D'Angelo se interpôs para deter Carol. Indiana procurou tranquilizar a amiga, achando estranha aquela reação muito exagerada, enquanto se elevava um murmúrio de desaprovação entre os clientes do estabelecimento, inclusive dos ofendidos pelo assunto da ressurreição. Carol, aflita, desabou em sua cadeira, com o rosto entre as mãos.

— Estou com os nervos à flor da pele — soluçou.

Quinta-feira, 5

Amanda esperou que suas companheiras de quarto se cansassem de comentar o possível divórcio de Tom Cruise e adormecessem, então ligou para o avô.

— São duas da madrugada, Amanda. Você me acordou. A que horas você dorme, menina?

— Durmo na sala de aula. Tem notícias para mim?

— Fui conversar com Henrietta Post — bocejou o avô.

— A vizinha que encontrou os corpos dos Constante? — perguntou a garota.

— A própria.

— E o que estava esperando para me ligar? — censurou-o a neta.

— Que amanhecesse.

— Passaram-se várias semanas desde o assassinato. Não foi em novembro?

— Sim, Amanda, mas não pude ir antes. Não se preocupe, a mulher se lembra de tudo. O susto quase a despachou para o outro mundo, mas não a impediu de gravar na memória até o último detalhe do que viu naquele dia, o mais espantoso de sua vida, segundo me disse.

— Me conte tudo, Kabel.

— Não posso. É muito tarde e sua mãe vai chegar a qualquer momento.

— É quinta-feira, mamãe está com Keller.

— Nem sempre passa a noite inteira com ele. Além disso, preciso dormir. Mas vou lhe mandar minhas anotações sobre a conversa com Henrietta Post e o que arranquei de seu pai.

— Está escrito?

— Algum dia vou escrever um livro — disse o ajudante. — Escrevo o que me parece interessante, nunca se sabe como poderá me servir no futuro.

— Escreva suas memórias, todos os velhos fazem isso — sugeriu a neta.

— Seria uma chatice, porque comigo não aconteceu nada que seja digno de contar, sou o viúvo mais chato do mundo.

— Certo. Me mande as notas dos Constante. Boa-noite, ajudante. Você me ama?

— Não.

— Nem eu.

Minutos mais tarde, Amanda tinha em seu correio eletrônico o relato da visita de Blake à primeira testemunha do homicídio dos Constante.

Em 11 de novembro, por volta das 10h15, Henrietta Post, que mora na mesma rua das vítimas, estava passeando com seu cachorro quando percebeu que a porta da casa dos Constante estava escancarada, uma coisa incomum naquele bairro, onde gangues e traficantes de drogas às vezes causavam problemas. Henrietta Post tocou a campainha para avisar os Constante, que ela conhecia bem, e, como ninguém apareceu, entrou chamando-os.

Percorreu a sala de estar, onde a televisão estava ligada, a copa e a cozinha, depois subiu a escada com dificuldade porque tem 78 anos e sofre do coração. Inquietou-a o silêncio da casa, que sempre estava cheia de vida; em mais de uma ocasião, ela mesma se queixara do barulho.

Não encontrou ninguém nos quartos das crianças, seguiu pelo curto corredor e chegou ao dormitório principal, chamando os donos da casa com o pouco ânimo que lhe restava. Bateu três vezes na porta antes de se atrever a abri-la e enfiar o rosto na fresta. Disse que o aposento estava na penumbra, com as persianas e cortinas fechadas, frio e com o ar carregado, como se não tivesse sido ventilado ao longo de dias. Deu dois passos dentro do quarto, ajustando a vista, e logo recuou murmurando desculpas, porque viu o vulto do casal na cama.

A vizinha ia se retirar discretamente, mas o instinto a advertiu de que havia algo anormal na quietude daquela casa e no fato de os Constante não responderem a seus chamados e estarem dormindo no meio da manhã de um dia de semana. Tornou a entrar no quarto, tateando a parede à procura do interruptor, e acendeu a luz. Doris e Michael Constante estavam deitados de costas, cobertos até o pescoço com um cobertor, rígidos e com os olhos abertos. Henrietta soltou um grito abafado, sentiu uma patada no peito e achou que seu coração havia arrebentado. Não conseguiu reagir até que ouviu os latidos de seu cachorro, então recuou pelo corredor, desceu a escada aos tropeções e avançou se apoiando nos móveis até alcançar o telefone da cozinha.

Ligou para a emergência exatamente às 10h29 e repetiu várias vezes que seus vizinhos estavam mortos, até que a telefonista a interrompeu, lhe fez três ou quatro perguntas pertinentes e recomendou que ficasse onde estava e não tocasse em nada, que imediatamente mandaria auxílio. Sete minutos mais tarde chegaram dois patrulheiros, que estavam na área, e pouco depois uma ambulância e reforços policiais. Os paramédicos não puderam fazer nada pelos Constante, mas levaram Henrietta Post ao hospital com taquicardia e a pressão nas nuvens.

O inspetor chefe, Bob Martín, apareceu por volta das onze da manhã, quando já haviam interditado a rua, acompanhado pela médica-legista, Ingrid Dunn, e um fotógrafo do Departamento de Homicídios. Martín calçou luvas de borracha e subiu com a médica ao quarto dos Constante. Sua primeira impressão ao ver o casal foi de que se tratava de um duplo suicídio, mas devia aguardar o veredicto da doutora Dunn, que observou meticulosamente as partes visíveis dos Constante, sem tocá-los. Martín permitiu que o fotógrafo fizesse seu trabalho, enquanto chegava o restante da equipe de legistas, depois a médica ordenou que subissem as macas e levassem o casal para o necrotério. A cena pertencia à polícia, mas os corpos eram dela.

Doris e Michael, muito respeitados na comunidade, eram membros ativos da Igreja Metodista, e em sua casa eram realizadas, frequentemente, reuniões dos Alcoólicos Anônimos. Uma semana antes da noite fatal, Michael havia comemorado seus 14 anos de abstinência com uma festa em seu quintal com hambúrgueres e salsichas, regados com ponche de frutas. Parece que Michael discutira com um dos convidados, mas nada sério.

Os Constante, que não tinham filhos, haviam obtido em 1991 uma licença de pais temporários de crianças órfãs ou de alto risco, que os tribunais lhes encaminhavam. Havia três crianças de diferentes idades vivendo com eles, mas, na noite de 10 de novembro, quando o crime aconteceu, estavam sozinhos, porque o Serviço de Proteção à Criança as levara a uma excursão de quatro dias no lago Tahoe. A casa estava desarrumada, suja, e a presença de crianças era evidente, a julgar pelas pilhas de roupa por lavar, sapatos e brinquedos espalhados e camas desfeitas. Na geladeira havia pizzas e hambúrgueres congelados, refrigerantes, leite, ovos e também uma garrafa fechada de uma bebida desconhecida.

A autópsia revelou que Doris, de 47 anos, e Michael, de 48, morreram de uma overdose de heroína injetada na veia do pescoço e foram marcados a fogo nas nádegas depois de mortos.

O telefone voltou a acordar Blake Jackson dez minutos depois.

— Ajudante, tenho uma pergunta — disse a neta.

— Amanda, você já está me enchendo! Desisto de ser ajudante! — exclamou o avô.

Um silêncio fúnebre se seguiu a essas palavras.

— Amanda? — inquiriu o avô depois de alguns segundos.

— Sim? — respondeu ela, com voz trêmula.

— Estava brincando. Qual era a sua pergunta?

— Explique-me a história das queimaduras nos traseiros.

— Foram descobertas no necrotério, quando os despiram — disse o avô. — Esqueci de mencionar em minhas notas que no banheiro encontraram seringas usadas com traços de heroína e um pequeno maçarico de butano que certamente foi usado para as queimaduras; nada de impressões digitais.

— Disse que se esqueceu de mencioná-lo? Isso é fundamental!

— Pensei em acrescentar, mas me distraí. Acho que esses objetos foram deixados de propósito, como uma brincadeira, bem visíveis, colocados em uma bandeja e cobertos com um guardanapo branco.

— Obrigada, Kabel.

— Boa-noite, mestra.

— Boa-noite. Não tornarei a ligar. Durma bem.

Era uma daquelas noites com Alan Keller que Indiana ficava esperando como uma noiva, embora já tivessem estabelecido uma rotina de raras surpresas e fizessem amor no ritmo de um velho casal. Quatro anos juntos: já eram um velho casal. Conheciam-se bem, amavam-se sem pressa e passavam o tempo rindo, comendo e conversando. Segundo Keller, faziam amor sem sobressaltos, como um casal de bisavós; segundo Indiana, eram bisavós depravados. Não tinham do que se queixar, porque, depois de experimentarem algumas piruetas habituais na indústria da pornografia, que deixaram Keller com dor nas costas e a ela de mau humor, e de explorarem quase tudo o que uma imaginação saudável podia oferecer sem incluir terceiras pessoas ou animais, haviam reduzido o repertório a quatro opções convencionais. Dentro disso havia algumas variantes, mas poucas, que executavam no Hotel Fairmont uma ou duas vezes por semana, conforme o corpo exigisse.

Enquanto esperavam as ostras e o salmão defumado que haviam pedido ao serviço de quarto, Indiana contou a Alan Keller a tragédia de Carol Underwater e os infelizes comentários de Danny D'Angelo. Keller o conhecia, porque às vezes ficava esperando por Indiana no Café Rossini, e, no ano anterior, Danny vomitara escandalosamente em seu Lexus novo, quando o estava levando — a pedido de Indiana — ao pronto-socorro. Tivera de mandar lavar o carro várias vezes para tirar as manchas e se livrar do mau cheiro.

Na Parada Gay anual, em junho, Danny ficou perdido, não apareceu no trabalho e só se soube dele seis dias depois, quando um telefonema anônimo com sotaque hispânico disse a Indiana que seu amigo estava em péssimas condições, doente e sozinho em seu quarto, e seria bom que fosse socorrê-lo se não quisesse vê-lo morto. Danny morava em um mísero prédio de Tenderloin, bairro selvagem onde até a polícia temia entrar à noite. Desde que existia, atraía vagabundos e delinquentes, e se caracterizava pelas bebidas, drogas, bordéis e boates de má reputação. Era o coração do pecado, como dizia Danny com certa altivez, como se viver ali merecesse uma medalha de honra. O edifício, construído nos anos 1940, fora destinado a marinheiros, mas, com o passar do tempo, se degenerara e virara um refúgio de desassistidos, doentes ou viciados. Em mais de uma ocasião, Indiana estivera ali, levando comida e remédios para seu amigo, que costumava ficar como um farrapo depois dos excessos de alguma farra insalubre.

Assim que recebeu o telefonema, Indiana foi mais uma vez socorrer Danny. Subiu cinco andares por uma escada pichada de palavrões e desenhos obscenos, passando ao lado de várias portas entreabertas, antros de ébrios devorados pela miséria, velhos dementes e garotos que se prostituíam em troca de drogas. O quarto de Danny, escuro e fedendo a vômito e a patchuli ordinário, tinha uma cama em um canto, um guarda-roupa, uma tábua de passar, uma penteadeira, um espelho quebrado e uma coleção de potes de maquiagem. Havia uma dúzia de sapatos de salto alto alinhados e dois cabides, onde estavam pendurados, como se fossem passarinhos desmaiados, seus vestidos cheios de plumas de cantora de cabaré. A luz natural não o iluminava, porque a única janela tinha vinte anos de sujeira grudada nos vidros.

Indiana encontrou Danny atirado na cama, semivestido com a fantasia de criada francesa que usara na Parada Gay, imundo, ardendo em febre e desidratado, com uma combinação de pneumonia e tremenda intoxicação de álcool e drogas. No edifício havia um único banheiro por andar, usado por vinte inquilinos, e a fraqueza do enfermo o impedia de se arrastar até lá. Ele não respondeu quando Indiana tentou levantá-lo para lhe dar água e lavá-lo, tarefa impossível para ela sozinha. Por isso ligou para Alan Keller.

Muito a contragosto, Keller intuiu que Indiana o chamara como último recurso, porque o carro de seu pai se encontrava na oficina e certamente Ryan Miller, o filho da puta, estava viajando. Convinha-lhe o acordo tácito de limitar sua relação com Indiana a encontros prazerosos, mas o ofendia constatar que ela organizara sua existência sem ele. Indiana andava sempre com pouco dinheiro, embora jamais se queixasse, mas, quando ele queria ajudá-la, ela recusava em tom de brincadeira; no entanto, recorria a seu pai e, embora Keller não tivesse provas, poderia jurar que aceitava de Ryan Miller o que recusava dele. "Sou sua amante e não sua manteúda", respondia-lhe Indiana quando ele se oferecia para pagar o aluguel do consultório ou a conta do dentista de Amanda. No aniversário dela, quis lhe comprar um Fusca, amarelo-patinho ou vermelho cor de esmalte, de que ela gostava muito, mas Indiana o rejeitou veementemente com o pretexto ecológico de que lhe bastavam o transporte coletivo e a bicicleta. Tampouco lhe permitiu que lhe desse um cartão de crédito ou lhe abrisse uma conta em um banco, e não gostava que lhe comprasse roupas, porque achava

— e com razão — que ele pretendia refiná-la. Indiana considerava ridícula a cara lingerie de seda que ele lhe dava, mas a vestia para satisfazê-lo, como parte de seus jogos eróticos. Keller sabia que bastava um descuido e ela a dava para Danny, que provavelmente a apreciava como era devido.

Keller admirava a integridade de Indiana, mas o irritava que não precisasse dele; sentia-se diminuído e mesquinho diante daquela mulher mais disposta a dar do que a receber. Ao longo dos anos em que estavam juntos, raramente ela pedira sua ajuda, por isso respondeu imediatamente quando ela ligou para ele do quarto de Danny D'Angelo.

Tenderloin era um território de gangues filipinas, chinesas e vietnamitas, de roubos, assaltos e homicídios, onde Keller estivera poucas vezes, embora se situasse no centro de São Francisco, a poucas quadras dos bancos, corporações, lojas e restaurantes de luxo que ele frequentava. Sua ideia do Tenderloin era antiquada e romântica: 1920, cassinos clandestinos, campeonatos de boxe e bares ilegais, bordéis, bas-fond. Recordava que fora o cenário de um dos livros de Dashiell Hammett, talvez *O falcão maltês*. Não sabia que depois da Guerra do Vietnã se enchera de refugiados asiáticos, devido ao aluguel barato e a proximidade de Chinatown, e que nos apartamentos para uma só pessoa viviam até dez. Ao ver mendigos espalhados pelas calçadas com seus sacos de dormir e carrinhos de supermercado entulhados, homens de aparência estranha espreitando nas esquinas e mulheres imundas, desdentadas, falando sozinhas, compreendeu que não devia deixar o carro na rua e procurou um estacionamento pago.

Teve alguma dificuldade para encontrar o edifício de Danny, porque os números haviam sido apagados pelo desgaste do tempo, e não se atreveu a perguntar. Por fim, deu com o lugar, que era mais sujo e miserável do que esperava. Ao subir ao quinto andar, topou com bêbados, vagabundos e sujeitos com pinta de delinquentes nos umbrais de seus covis ou perambulando pelos corredores e receou ser assaltado ou que piolhos caíssem em sua cabeça. Passou no meio deles depressa, sem encarar ninguém, vencendo o impulso de tapar o nariz, consciente do absurdo que eram seus sapatos italianos de camurça e sua jaqueta inglesa de gabardine naquele ambiente. O trajeto até o apartamento de Danny lhe pareceu perigoso e, quando chegou, o fedor o deteve na porta.

À luz da solitária lâmpada que pendia do teto, viu Indiana inclinada sobre a cama, lavando o rosto do amigo com um pano molhado. "Temos de levá-lo para o hospital, Alan. Precisamos vestir a camisa e a calça nele", ordenou. A boca de Keller se encheu de saliva e ele foi sacudido por uma ânsia de vômito, mas não iria fraquejar como um covarde naquele momento. Evitando se sujar, ajudou Indiana a lavar aquele homem delirante e a vesti-lo. Danny era magro, mas, nas condições em que se encontrava, tornara-se pesado como um cordeiro morto. Os dois o levantaram e meio que o arrastaram ao longo do corredor e pela escada, degrau a degrau, até o andar térreo, diante dos olhares zombeteiros dos inquilinos que encontraram pelo caminho. Na porta do prédio sentaram Danny no chão, ao lado de latas de lixo, sob os cuidados de Indiana, enquanto ele corria duas quadras para buscar o carro. Quando o enfermo vomitou um jato de bílis no assento de seu Lexus dourado, ocorreu a Keller que poderiam ter chamado uma ambulância, mas essa solução não passara pela cabeça de Indiana, porque teria custado mil dólares e Danny não tinha seguro-saúde.

D'Angelo passou uma semana hospitalizado, até que conseguiram controlar a pneumonia, a infecção intestinal e a pressão, e passou outra semana na casa do pai de Indiana, a quem coube o papel de discreto enfermeiro até o outro poder se virar sozinho e voltar para o seu chiqueiro e o seu trabalho. Na época, Blake Jackson o conhecia muito pouco, mas aceitou ir buscá-lo no hospital quando lhe deram alta porque sua filha lhe pediu, e pela mesma razão o hospedou e cuidou dele.

A primeira coisa de Indiana Jackson que atraiu Alan Keller foi sua aparência de sereia saudável, e depois seu temperamento otimista; em resumo, gostava dela porque era o oposto das mulheres magras e ansiosas com as quais normalmente convivia. Jamais teria dito que estava apaixonado, que cafonice, não havia necessidade de dar nome àquele sentimento. Bastava-lhe desfrutar o tempo que compartilhava com ela, sempre previamente combinado, nada de surpresas. Nas sessões semanais com seu psiquiatra, um judeu proveniente de Nova York praticante de zen-budismo como quase todos os psiquiatras da Califórnia, Keller descobrira que a amava muito, o que não era dizer pouco, já que se jactava de estar a salvo da paixão, a qual só apreciava na ópera, onde esse impulso distorcia os destinos do tenor e da soprano. A beleza de Indiana lhe proporcionava um prazer estético mais persistente do que o desejo carnal, seu frescor o comovia a admiração que ela manifestava nele se transformara em uma droga da qual lhe seria difícil prescindir. Mas ele tinha consciência do abismo que os separava: ela pertencia a um ambiente inferior. Seu corpo generoso e sua franca sensualidade, que tanto o compraziam no privado, envergonhavam-no em público. Indiana comia com prazer, embebia o pão no molho, lambia os dedos e repetia a sobremesa, diante do assombro de Keller, habituado a mulheres de sua classe, para as quais a anorexia era uma virtude, e a morte, preferível ao flagelo da obesidade. Os ossos dos ricos ficam expostos. Indiana estava longe de ser gorda, mas os amigos de Keller não apreciariam sua perturbadora beleza de leiteira flamenca nem sua simplicidade, que às vezes beirava a vulgaridade. Por isso evitava levá-la aonde pudessem encontrar algum conhecido e, nas raras oportunidades em que o fazia, por exemplo a um concerto ou ao teatro, comprava para ela uma roupa adequada e pedia que fizesse um coque. Indiana aceitava com a atitude divertida de quem se fantasia, mas pouco depois o discreto vestido preto começava a apertar seu corpo e a mortificar seu estado de espírito.

Um dos melhores presentes de Keller foi enviar toda semana um arranjo floral a seu consultório, uma elegante iquebana de uma floricultura de Japantown, que um jovem alérgico a pólen, de luvas brancas e máscara de cirurgião, entregava pontualmente na Clínica Holística. Outro presente fino foi uma corrente de ouro com uma maçã coberta de pequenos diamantes para substituir a coleira de cachorro que ela costumava usar. Indiana esperava, impaciente, a iquebana das segundas-feiras, deleitava-se com a frugal disposição de um talo retorcido, duas folhas e uma flor solitária; no entanto, só usou a maçã umas duas vezes para agradar a Keller e depois a guardou em seu estojo de veludo no fundo de sua cômoda, porque, na volumosa geografia de seu decote, parecia um animal perdido. Além disso, tinha visto um documentário sobre os diamantes de sangue das terríveis minas da África. A princípio, Keller quis renovar seu guarda-roupa, proporcionar-lhe um estilo aceitável e ensinar-lhe a se comportar, mas Indiana se irritou com ele com o argumento irrefutável de que dava muito trabalho mudar para satisfazer um homem; seria mais prático que ele fosse procurar uma mulher a seu gosto.

Com sua vasta cultura e seu aspecto de aristocrata inglês, Alan Keller era um trunfo na sociedade, o solteiro mais desejado de São Francisco, como o catalogavam suas amigas, porque, além do encanto, atribuíam-lhe fortuna. O montante de seus bens era um mistério, mas vivia muito bem, embora sem excessos, convidava pouco e usava a mesma roupa surrada durante anos, nada de andar na moda ou com a marca de um designer à vista, como os novos-ricos. O dinheiro o incomodava, porque sempre o tivera, e ocupava sua posição social por inércia, graças ao respaldo de sua família, sem se inquietar com o futuro. Não tinha a rudeza empresarial de seu avô, que fizera fortuna nos tempos da lei seca; a flexibilidade moral de seu pai, que a aumentou com negócios duvidosos na Ásia; ou a cobiça visionária de seus irmãos, que a mantinham especulando na Bolsa.

Na suíte do Hotel Fairmont, com cortinas de cetim bege, móveis clássicos de pés torneados, lustres de cristal e elegantes gravuras francesas nas paredes, Alan Keller recordou o desagradável episódio com Danny D'Angelo, que corroborava mais uma vez sua convicção de que seria impossível conviver com Indiana. Não tolerava pessoas de caráter duvidoso, como D'Angelo, a feiura e a pobreza, e também a bondade indiscriminada de Indiana que, vista a certa distância, parecia uma virtude, mas de perto constituía um estorvo. Nessa noite, Keller estava sentado em uma poltrona, ainda vestido, com um cálice de vinho branco na mão, o sauvignon blanc que produzia em sua vinha somente para ele, seus amigos e três restaurantes caros de São Francisco, esperando que a comida chegasse, enquanto Indiana se refrescava na jacuzzi.

De sua poltrona, podia observá-la nua na água, com sua floresta indômita de cabelos crespos e louros presos com um lápis no alto da cabeça e algumas mechas emoldurando o rosto, a pele avermelhada, as faces enrubescidas, os olhos brilhando de prazer, com a expressão maravilhada de uma menina em um carrossel. A primeira coisa que ela fazia quando chegavam ao hotel era preparar a jacuzzi, que, para ele, era o cúmulo da decadência e do luxo. Ele não a acompanhava, porque o calor aumentava sua pressão — tinha que evitar um enfarte — e preferia observá-la instalado confortavelmente na poltrona. Indiana estava lhe contando alguma coisa a respeito de Danny e de uma tal de Carol, uma mulher com câncer que surgira no panorama de suas estranhas amizades, mas o barulho dos redemoinhos da água o impediam de ouvi-la direito. O assunto não lhe interessava nem um pouco, só queria admirá-la refletida no grande espelho biselado atrás da banheira, antecipando o momento em que chegariam as ostras e o salmão, abriria uma segunda garrafa de seu sauvignon blanc e ela sairia da água, como Vênus do mar. Então ele a cobriria com uma toalha, envolvendo-a em seus braços, e beijaria aquela pele jovem, úmida, aquecida; depois dariam início aos jogos do amor, aquela lenta dança conhecida. Isso era o melhor da vida: a antecipação do prazer.

Sábado, 7

Os jogadores de *Ripper*, inclusive Kabel, que era apenas um humilde ajudante sob as ordens de sua ama, sem voz no jogo, haviam combinado de se conectar pelo Skype e na hora exata estavam diante de suas telas, com os dados e naipes regulamentares nas mãos da mestra. Eram oito da noite para Amanda e Kabel, em São Francisco, e para Sherlock Holmes, em Reno; onze da noite para sir Edmond Paddington, em Nova Jersey, e Abatha, em Montreal; e cinco da tarde do dia seguinte para Esmeralda, que vivia no futuro, na Nova Zelândia. A princípio, eles só se comunicavam através de um chat privado na internet, mas, quando começaram a investigar os crimes sugeridos por Amanda Martín, optaram pela videoconferência. Estavam tão familiarizados com os personagens criados por eles que, antes de começar, costumava acontecer uma pausa de espanto quando viam seus rostos. Era difícil reconhecer a espalhafatosa cigana Esmeralda naquele menino em cadeira de rodas, o célebre detetive de Conan Doyle no menino negro com um boné de beisebol, e o coronel das antigas colônias inglesas no esmirrado adolescente com acne e agorafobia trancado em seu quarto. Apenas a garota anoréxica se parecia com Abatha, a vidente, um ser esquelético, mais espírito do que matéria. Os garotos saudaram, um a um, a mestra do jogo e lhe comunicaram suas inquietações sobre a sessão anterior, em que tinham avançado muito pouco no caso de Ed Staton.

— Antes de falar dos Constante, vejamos o que há de novo sobre "o crime do bastão fora de lugar" — sugeriu Amanda. — Segundo meu pai, Ed Staton não se defendeu, não havia sinais de luta nem hematomas no cadáver.

— Isso pode indicar que ele conhecia o assassino — disse Sherlock Holmes.

— Mas não explica que Staton estivesse de joelhos ou sentado quando levou o tiro na cabeça — disse a mestra.

— Como sabemos disso? — perguntou Esmeralda.

— Pelo ângulo de entrada da bala. Foi disparada de muito perto, a uns quarenta centímetros; a bala ficou alojada no crânio, não há orifício de saída. A arma era uma pequena pistola semiautomática.

— É muito comum, compacta, fácil de esconder no bolso ou em uma bolsa de mulher; não é uma arma séria. Um criminoso experiente usa, normalmente, armas bem mais letais do que esta — interveio o coronel Paddington.

— É verdade, mas serviu para eliminar Staton. Depois o assassino o colocou de lado no cavalete de ginástica... e já sabemos o que fez com o bastão de beisebol.

— Não deve ter sido fácil descer a calça dele e colocar o corpo no cavalete. Staton era alto e pesado. Por que fez isso? — perguntou Esmeralda.

— Uma mensagem, uma senha, um aviso — sussurrou Abatha.

— O bastão é uma arma comum. Segundo as estatísticas, é usada com frequência nos casos de violência doméstica — observou o coronel Paddington com seu pretensioso sotaque britânico.

— Por que o assassino levou um bastão em vez de usar algum da escola? — insistiu Esmeralda.

— Ele nem sabia que havia bastões no ginásio e levou o que tinha em casa — sugeriu Abatha.

— Isso indicaria uma conexão do assassino com o Arkansas, ou então se trata de um bastão especial — acrescentou Sherlock.

— Posso falar? — pediu Kabel.

— Vá em frente — disse a mestra do jogo.

— Era um bastão comum de alumínio, de 80 centímetros de comprimento, do tipo usado por estudantes do secundário dos 14 aos 16 anos. Leve, forte e resistente.

— O mistério do bastão de beisebol... — murmurou Abatha. — Intuo que o assassino o escolheu por razões sentimentais.

— Ora! Então nosso homem é sentimental! — brincou sir Edmond Paddington.

— Ninguém pratica sodomia por motivos sentimentais — disse Sherlock Holmes, o único que evitava eufemismos.

— O que você sabe sobre isso? — perguntou-lhe Esmeralda.

— Depende do sentimento — interveio Abatha.

Passaram os 15 minutos seguintes discutindo diversas possibilidades, até que a mestra achou que chegava de Ed Staton, deviam investigar "o duplo crime do maçarico", como o batizara, ocorrido em 10 de novembro do ano anterior. Em seguida, ordenou a seu ajudante que apresentasse os fatos. Kabel leu suas notas e acrescentou os ornamentos necessários para enriquecer o relato, como um bom aspirante a escritor.

Nesse cenário, os garotos começaram a jogar. Todos concordaram que o *Ripper* se tornara uma coisa muito mais interessante do que o jogo original, e não podiam ficar limitados pelas decisões dos dados e dos naipes, que antes determinavam os movimentos. Decidiram tentar, simplesmente, solucionar os casos através da lógica, exceto Abatha, que estava autorizada a usar métodos de vidente. Três dos jogadores se dedicariam a analisar os homicídios, Abatha recorreria aos espíritos, Kabel investigaria e Amanda se encarregaria de coordenar o esforço dos demais e planejar a ação.

Ao contrário de sua neta, que não via Alan Keller com bons olhos, Blake Jackson gostava dele e tinha esperança de que sua aventura amorosa com Indiana levasse ao casamento. Achava que seria ótimo para sua filha um pouco de estabilidade, ela precisava de um homem prudente que cuidasse dela e a protegesse; em outras palavras, de outro pai, porque ele não ia durar para sempre. Keller era apenas nove anos mais novo que ele e certamente tinha algumas manias que iriam se acentuar na velhice, como acontece com todo mundo, mas, comparado com outros homens do passado de Indiana, podia ser considerado um príncipe encantado. Para começar, era o único com quem ele conseguia manter uma conversa fluente sobre livros ou qualquer outro aspecto da cultura; todos os anteriores tinham sido sujeitos atléticos — músculos de touro e cérebro do mesmo animal, começando por Bob Martín. Sua filha não gostava de intelectuais; tinha de agradecer ao céu a aparição de Keller.

Na infância, Amanda costumava perguntar a Blake pelos pais, porque era bastante esperta para engolir a versão açucarada de sua avó Encarnación. A menina tinha cerca de 3 anos quando Indiana e Bob se separaram, não se lembrava da época em que vivera com eles sob o mesmo teto e tinha dificuldade de imaginá-los juntos, apesar da eloquência de dona Encarnación. Aquela avó, que rezava o terço todos os dias, havia quinze anos lamentava o divórcio do filho e ia com regularidade ao santuário de São Judas Tadeu, padroeiro dos casos difíceis, para acender velas e pedir que o casal se reconciliasse.

Blake amava Bob Martín como o filho que nunca tivera. Não conseguia evitar esse sentimento, seu ex-genro o comovia com seus gestos espontâneos de carinho, sua dedicação absoluta a Amanda e sua leal amizade com Indiana; no entanto, não queria que São Judas Tadeu obrasse o milagre da reconciliação. Aquele casal só tinha em comum a filha; separados, davam-se como bons irmãos; juntos, acabariam a porradas. Haviam se conhecido na escola secundária, ela aos 15 e ele aos 20 anos. Bob tinha idade de sobra para ter se graduado, e qualquer outro estudante teria sido expulso aos 18, mas ele era o capitão do time de futebol americano, mimado pelo treinador e um pesadelo para os professores, que o toleravam por ser o melhor atleta que a escola tivera desde sua fundação, em 1956. Bob Martín, bonito e vaidoso, despertava paixões violentas nas meninas, que o assediavam com propostas apaixonadas e ameaças de suicídio, e uma mistura de medo e admiração nos meninos, que comemoravam suas proezas e piadas grosseiras, mas se mantinham a prudente distância, porque em uma mudança de humor Bob poderia derrubá-los com uma bofetada. A popularidade de Indiana era semelhante à do capitão do time de futebol, com sua cara de anjo, corpo de mulher formada e a virtude irresistível de ir pela vida com o coração na mão. Ela era um modelo de inocência e ele tinha a reputação de demônio. Parecia inevitável que se apaixonassem, mas, se alguém esperava que ela exercesse boa influência sobre ele, se deu mal, porque aconteceu exatamente o contrário: Bob continuou sendo o bárbaro de sempre e ela se perdeu no amor, no álcool e na maconha.

Em pouco tempo, Blake Jackson percebeu que a roupa de sua filha estava ficando apertada e que ela andava choramingando. Interrogou-a sem piedade até que ela confessou que não menstruava havia três ou quatro meses, talvez cinco, não tinha certeza, porque seus ciclos eram irregulares e ela nunca dera atenção a isso. Jackson segurou a cabeça com as mãos, desesperado; sua única desculpa por ter ignorado os evidentes sintomas da gravidez de Indiana, assim como fazia vista grossa quando ela chegava em casa cambaleando por causa do álcool e flutuando em uma nuvem de maconha, era a grave doença de Marianne, sua mulher, que monopolizava toda a sua atenção. Pegou a filha pelo braço e a arrastou a uma série de visitas, começando por um ginecologista, que confirmou que a gravidez estava avançada e não era mais possível pensar em aborto; em seguida indo ao diretor da escola; e, finalmente, ao confronto com o sedutor.

A casa dos Martín, no bairro de Misión, surpreendeu Blake Jackson, porque esperava algo muito mais modesto. A filha só lhe havia adiantado que a mãe de Bob trabalhava fazendo tortilhas e ele se preparara para encarar uma família de imigrantes de poucos recursos. Ao saber que Indiana chegaria com o pai, Bob evaporou sem deixar rastros e coube à mãe dele mostrar a cara por ele. Blake se viu diante de uma mulher madura e bonita, toda vestida de preto, mas com as unhas e os lábios pintados de vermelho vivo, que se apresentou como Encarnación, viúva Martín. Por dentro a casa era acolhedora, com móveis sólidos, tapetes gastos, brinquedos espalhados pelo chão, fotografias de família, uma estante com troféus esportivos e dois gatos gordos deitados em um sofá de veludo verde. Em uma cadeira presidencial de espaldar alto e patas de leão estava instalada a avó de Bob, uma dama ereta como uma estaca, toda de preto, como sua filha, com os cabelos grisalhos e um coque tão apertado que de frente parecia careca. Olhou-os de cima a baixo sem responder a sua saudação.

— Estou desolada pelo que meu filho fez, senhor Jackson. Conversei com minha mãe. Não consegui inculcar o senso de responsabilidade em Bob. De que servem estes troféus se não tem decência? — perguntou a viúva, apontando a estante com as taças dos campeonatos de futebol.

O pai aceitou a xícara de café preto que uma empregada trouxe da cozinha e se sentou no sofá repleto de pelos de gatos. A filha ficou em pé, as faces vermelhas, envergonhada, segurando a blusa com as duas mãos para esconder a barriga, enquanto dona Encarnación fazia uma síntese da história da família.

— Minha mãe, aqui presente, que Deus a guarde, foi professora no México, e meu pai, que Deus o perdoe, foi um irresponsável que a abandonou pouco depois de se casarem para tentar a sorte nos Estados Unidos. Ela só recebeu duas cartas, depois ficou meses sem notícias e em seguida eu nasci, Encarnación, às suas ordens. Minha mãe vendeu o pouco que tinha e viajou seguindo os passos de meu pai, comigo nos braços. Percorreu a Califórnia hospedando-se em casas de famílias mexicanas que se apiedaram de nós, até que chegou em São Francisco, onde ficou sabendo que o marido estava preso por ter assassinado um homem em uma briga. Foi visitá-lo na prisão e lhe pediu que se cuidasse, depois arregaçou as mangas e começou a trabalhar. Aqui, como professora, não tinha futuro, mas sabia cozinhar.

Jackson achou que a avó da cadeira solene não entendia inglês, uma vez que a filha se referia a ela em tom de lenda, como se estivesse morta. Dona Encarnación continuou contando que havia crescido agarrada na barra da saia da mãe, trabalhando desde pequena. Quinze anos mais tarde, quando o pai cumpriu a sentença e saiu da prisão — envelhecido, doente e coberto de tatuagens —, foi deportado, como mandava a lei, mas sua mulher não o acompanhou de volta ao México, porque naquela época seu amor havia secado e seu negócio de venda de tacos e outros pratos populares ia muito bem no coração do bairro latino de Misión. Pouco depois, a jovem Encarnación conheceu José Manuel Martín, mexicano de segunda geração, que tinha voz de rouxinol, uma banda de mariachis e cidadania norte-americana. Casaram-se, e ele se incorporou ao negócio de venda de comida de sua sogra. Os Martín tiveram cinco filhos, três restaurantes e uma fábrica de tortilhas antes de sua morte repentina.

— A morte encontrou José Manuel, que Deus o tenha em seu santo seio, cantando rancheiras — concluiu a viúva, acrescentando que suas filhas administravam os negócios dos Martín e os outros filhos exerciam suas profissões, todos eram bons cristãos, apegados à família. Bob, o filho mais novo, era o único que lhe dera problemas, porque tinha apenas 2 anos quando ela enviuvou e ao garoto faltou a mão firme do pai.

— Perdoe-me, senhora — suspirou Blake Jackson. — Na realidade, não sei por que viemos até aqui, pois não há mais nada a fazer, a gravidez da minha filha está muito adiantada.

— Como não há nada a fazer, senhor Jackson? Bob tem de assumir suas responsabilidades! Em nossa família, ninguém anda por aí semeando bastardos, com perdão da palavra, mas não há outra, e é melhor que nos entendamos com clareza. Bob terá de se casar.

— Casar? Mas minha filha só tem 15 anos! — exclamou Jackson, ficando em pé com um pulo.

— Em março vou completar 16 — observou Indiana em um sussurro.

— Fique calada! — gritou o pai, que nunca levantara a voz para ela.

— Minha mãe tem seis bisnetos, que também são meus netos — disse a viúva. — Nós duas ajudamos a criá-los, assim como faremos com a criança que está a caminho, com a graça de Deus.

Na pausa que se seguiu a essa declaração, a bisavó se levantou do trono, avançou até Indiana com passo decidido, examinou-a com expressão severa e lhe perguntou em bom inglês:

— Como você se chama, filha?

— Indi. Indiana Jackson.

— Não conheço esse nome. Há alguma Santa Indiana?

— Não sei. Fui chamada assim porque minha mãe nasceu no estado de Indiana.

— Ah! — exclamou a mulher, perplexa. Aproximou-se e apalpou seu ventre, cuidadosamente. — Isto que você carrega aí dentro é uma menina; dê-lhe um nome católico.

No dia seguinte, Bob Martín se apresentou na velha casa dos Jackson, em Potrero Hill, com terno escuro, gravata de funeral e um raminho de flores agônicas, acompanhado por sua mãe e um de seus irmãos, que o segurava pelo braço com uma garra de carcereiro. Indiana não apareceu, porque chorara a noite inteira e estava em estado lamentável. A essa altura, Blake Jackson já havia se resignado à ideia do casamento, porque não conseguira convencer a filha de que existiam soluções menos definitivas. Recorrera a todos os argumentos corriqueiros, menos ao recurso mesquinho de ameaçar mandar Bob Martín à prisão por estupro de uma menor. Casaram-se discretamente em um cartório, depois de prometerem a dona Encarnación que se casariam na igreja assim que Indiana, criada por pais agnósticos, fosse batizada.

Quatro meses depois, em 30 de maio de 1994, nasceu uma menina, tal como adivinhara a avó de Bob. Após várias horas de um esforço trabalhoso, a criatura emergiu do ventre de sua mãe e caiu nos braços de Blake Jackson, que cortou o cordão umbilical com a tesoura que o médico de plantão lhe entregou. Em seguida, levou a neta, envolta em uma manta rosada e com um gorro enfiado até as sobrancelhas, para apresentá-la aos Martín e aos companheiros de escola, que haviam aparecido em massa com bichinhos de pelúcia e balões. Dona Encarnación começou a chorar como se se tratasse de um enterro: era sua única neta, os outros seis contavam pouco porque eram varões. Havia se preparado durante meses, tinha um berço com lençóis engomados, duas malas com vestidinhos primorosos e um par de argolas de pérolas para colocar nas orelhas da menina assim que sua mãe se distraísse. Os dois irmãos de Bob ficaram horas procurando por ele para que fosse ao nascimento da filha, mas era domingo e o novo pai estava comemorando uma vitória com seu time de futebol, e só o encontraram ao amanhecer.

Assim que Indiana saiu da sala de parto e pôde se sentar em uma cadeira de rodas, seu pai a levou com a recém-nascida ao quarto andar, onde a outra avó agonizava.

— Como vai se chamar? — perguntou Marianne em voz quase inaudível.

— Amanda. Significa "a que deve ser amada".

— Muito bonito. Em que idioma?

— Em sânscrito, mas os Martín acham que é um nome católico — explicou a filha, que desde muito jovem sonhava com a Índia.

Marianne pôde ver sua neta muito poucas vezes antes de morrer. Entre suspiros, deu a Indiana seu último conselho. "Você vai precisar de muita ajuda para criar a menina, Indi. Conte com seu pai e a família Martín, mas não permita que Bob lave as mãos. Amanda precisa de um pai e Bob é um bom garoto, só precisa amadurecer." Tinha razão.

Domingo, 8

Ainda bem que existe a internet, pensou Amanda Martín enquanto se preparava para a festa, porque, se tivesse de perguntar a outras garotas do colégio, iria parecer uma idiota. Tinha ouvido falar de raves, delirantes reuniões clandestinas de jovens, mas não conseguiu imaginá-las até que procurou na rede, onde também descobriu a maneira apropriada de se vestir. Encontrou o necessário no meio de sua roupa, só teve de arrancar as mangas de uma camiseta, encurtar uma saia a tesouradas e comprar um tubo de tinta fluorescente. A ideia de pedir permissão a seu pai era tão despropositada que nem lhe ocorreu, ele jamais permitiria e, se chegasse a ficar sabendo, apareceria com um esquadrão da polícia para acabar com a diversão. Disse ao pai que não precisava levá-la ao colégio, que iria com uma amiga, e ele não notou que ela voltava para o internato com uma fantasia de carnaval, porque essa era a aparência habitual da filha.

Amanda pegou um táxi, que a deixou às seis da tarde na Union Square, onde se dispôs a esperar por um longo tempo. A essa hora já devia estar no internato, mas tomara a precaução de avisar que chegaria na manhã da segunda-feira, e assim evitara que ligassem para seus pais. Havia deixado seu violino no dormitório, mas não conseguiu se livrar da pesada mochila. Ficou quinze minutos observando a atração do momento da praça: um jovem pintado de ouro dos sapatos aos cabelos, imóvel como uma estátua, com quem os turistas posavam para tirar fotografias. Depois foi dar uma volta pela Macy's, entrou em um banheiro e desenhou listras nos braços com a tinta. Lá fora já escurecera. Para passar o tempo, foi a um pequeno restaurante de comida chinesa e às nove voltou à praça, onde restava pouca gente, apenas alguns turistas retardatários e mendigos sazonais que chegavam de regiões mais frias para passar o inverno na Califórnia, acomodando-se para enfrentar a noite em seus sacos de dormir.

Sentou-se debaixo de um poste de luz para jogar xadrez em seu celular, vestindo o cardigã de seu avô, que acalmava seus nervos.

Olhava a hora a cada cinco minutos, perguntando-se, ansiosa, se passariam para buscá-la, como lhe havia prometido Cynthia, uma colega de turma que a martirizara por mais de três anos e de repente, sem explicações, a convidara para ir à festa e além disso lhe oferecera carona para Tiburón, a quarenta minutos de São Francisco. Incrédula, porque era a primeira vez que a convidavam, Amanda aceitou imediatamente.

Se pelo menos Bradley, seu amigo de infância e futuro marido, estivesse com ela, com certeza se sentiria mais segura, pensava. Falara umas duas vezes com ele ao longo do dia, sem mencionar seus planos, temendo que tentasse dissuadi-la. Para Bradley, assim como para seu pai, era melhor contar as coisas depois que tivessem dado errado. Sentia falta do garoto que Bradley fora, mais carinhoso e engraçado do que o sujeito pedante em que se transformara quando começou a se barbear. Quando crianças, brincavam de que estavam casados e usavam outros trabalhosos pretextos para satisfazer uma curiosidade insaciável, mas assim que ele entrou na adolescência, dois anos antes dela, aquela maravilhosa amizade deu uma guinada para pior. No secundário, Bradley se destacou como campeão de natação, conseguiu garotas de anatomia mais interessante e começou a tratá-la como se fosse uma irmã caçula; mas Amanda tinha boa memória, não havia esquecido as brincadeiras secretas no fundo do jardim e estava esperando ir para o MIT em setembro para lembrá-las a Bradley. Entretanto, evitava inquietá-lo com detalhes como aquela festa.

Na geladeira de sua mãe costumava encontrar caramelos e bolos mágicos, presentes do pintor Matheus Pereira, que Indiana esquecia durante meses, até que se cobriam de pelos verdes e iam parar na lata de lixo. Amanda os provara para se equiparar à sua geração, mas não achava graça em andar com a mente vazia, pois eram horas perdidas que seriam melhor empregadas se jogasse *Ripper*; no entanto, naquela tarde de domingo, acocorada no velho cardigã de seu avô embaixo da luz da praça, pensou com nostalgia nos bolos de Pereira, que a teriam ajudado a controlar o pânico.

Às dez e meia, Amanda estava prestes a começar a chorar, certa de que Cynthia a enganara por pura maldade. Quando se espalhasse o boato de seu humilhante plantão, seria motivo de gozação para toda a escola. Não vou chorar, não vou chorar. No instante em que lançava mão do celular para ligar ao avô e lhe pedir que fosse buscá-la, uma caminhonete parou na esquina das ruas Geary e Powell, alguém enfiou meio corpo pela janela e lhe fez sinais.

Com o coração aos pulos, Amanda saiu correndo. Lá dentro estavam três garotos envoltos em uma nuvem de fumaça, muito doidos, inclusive o que dirigia. Um deles cedeu-lhe lugar, indicando que se sentasse ao lado do motorista, um jovem de cabelos pretos, muito bonito em seu estilo gótico. "Olá, sou Clive, o irmão de Cynthia", ele se apresentou, apertando fundo o acelerador antes que ela tivesse tempo de fechar a porta. Amanda se lembrou de que ela o apresentara no concerto de Natal que a orquestra do colégio oferecia às famílias das alunas. Clive chegara com os pais, de terno azul, camisa branca e sapatos engraxados, muito diferente do louco de olheiras arroxeadas e palidez sepulcral que estava ao seu lado naquele momento. Na saída do concerto, Clive a cumprimentara por seu solo de violino com uma formalidade exagerada, brincalhona. "Espero vê-la de novo", disse ele com uma piscadela ao se despedir, e ela achou que ouvira mal, porque até aquele momento nenhum garoto olhara-a duas vezes, que ela soubesse. Deduziu que este devia ser o motivo do estranho convite de Cynthia. Essa nova versão espectral de Clive e sua conduta errática ao volante a inquietaram, mas pelo menos se tratava de alguém conhecido a quem poderia pedir que no dia seguinte a levasse a tempo para o colégio.

Clive ia dando gritos loucos e bebendo de uma garrafinha que passava de mão em mão, mas conseguiu atravessar a ponte Golden Gate e continuar pela rodovia 101 sem bater em nenhum carro nem chamar a atenção da polícia. Em Sausalito, Cynthia e outra garota subiram no carro, acomodaram-se em seus assentos e começaram a beber da mesma garrafinha, sem olhar uma vez sequer para Amanda nem responder a seu cumprimento. Clive passou a bebida a Amanda com uma atitude peremptória e ela não se atreveu a recusá-la. Com a esperança de relaxar um pouco, bebeu um gole daquele líquido, que deixou sua garganta ardendo e os olhos cheios de lágrimas; sentia-se desajeitada e fora de lugar, como sempre lhe acontecia em grupo e, além disso, ridícula, porque nenhuma das outras garotas estava fantasiada como ela. Era tarde para cobrir os braços pintados, porque, antes de subir no carro, havia colocado o cardigã do avô na mochila. Tentou ignorar os cochichos sarcásticos dos assentos traseiros. Clive pegou a saída de Tiburón e dirigiu em zigue-zague pelo longo caminho à margem da baía, depois subiu uma colina e começou a dar voltas procurando o endereço. Quando, por fim, chegaram, Amanda constatou que se tratava de uma residência particular, isolada das casas vizinhas por um muro aparentemente impenetrável, e que havia dezenas de carros e motocicletas na rua. Desceu da caminhonete com os joelhos trêmulos e seguiu Clive por um jardim escuro. Aos pés dos degraus que levavam à porta, embaixo de um arbusto, escondeu sua mochila, mas se aferrou ao celular como se fosse um salva-vidas.

Lá dentro havia dezenas de jovens, alguns dançando ao som da música estridente, outros bebendo e outros mais deitados na escada entre latas de cerveja e garrafas que rodavam pelo chão. Nada de luzes a laser nem cores psicodélicas, somente uma casa sem móveis de nenhuma espécie, com alguns caixotes de embalagem na sala; o ar era denso como farinha, irrespirável de tanta fumaça, e nele flutuava um cheiro repugnante, mistura de tinta, maconha e lixo. Amanda se deteve, aterrorizada, incapaz de se mexer, mas Clive a apertou contra seu corpo e começou a tremer ao ritmo frenético da música, arrastando-a para a sala, onde cada um dançava por conta própria, perdido em seu mundo. Alguém lhe passou um copo de papel com uma bebida de abacaxi e álcool, que ela liquidou em três goles, com a boca seca. Ela começou a se sufocar de medo e claustrofobia, como acontecia na infância, quando se escondia em sua improvisada barraca para escapar dos imensos perigos do mundo, da contundente presença dos seres humanos, dos cheiros opressivos e dos sons trovejantes.

Clive beijou-a no pescoço, procurando sua boca, e ela lhe respondeu com um golpe de celular na cara, que quase quebrou o nariz dele; isso não fez com que parasse de tentar. Desesperada, Amanda se soltou das mãos que se enfiavam pelo decote da camiseta e embaixo de sua minissaia, e tentou abrir caminho. Ela, que só admitia o contato físico com sua família imediata e alguns animais, se viu arrastada, invadida, esmagada por outros corpos e começou a gritar e a gritar, mas a música a todo volume engoliu seus berros. Estava no fundo do mar, sem ar e sem voz, morrendo.

• • •

Amanda, que se orgulhava de saber a hora sem precisar de relógio, não conseguia calcular quanto tempo passara naquela casa. Tampouco soube se voltara a topar com Cynthia e Clive durante aquela noite, nem como conseguira atravessar a multidão e se entrincheirar no meio de vários caixotes sobre os quais tinham instalado o equipamento de som. Ficara ali uma eternidade, encolhida dentro de um deles, dobrada em cem partes, como uma acrobata, tremendo descontroladamente, com as pálpebras cerradas e as mãos nos ouvidos. Não lhe ocorrera fugir para a rua, nem recorrer ao avô nem telefonar para os pais.

Em algum momento a polícia chegou com sirenes escandalosas, cercou a propriedade e invadiu a casa, mas então Amanda estava tão apavorada que foram necessários vários minutos para se dar conta de que o barulho dos jovens e da música fora substituído por ordens, apitos e gritos. Atreveu-se a abrir os olhos e se mexer um pouco entre as tábuas de seu esconderijo; foi quando, então, viu os raios de luz das lanternas e as pernas do pessoal sacudidas pelos policiais. Alguns conseguiram fugir, mas a maioria obedeceu à ordem de sair e se enfileirar na rua, onde foram revistados pelos policiais que procuravam armas ou drogas; depois, eles começaram a interrogá-los, separando os menores de idade. Todos contaram a mesma história: haviam recebido um convite por e-mail ou pelo Facebook de algum amigo, não sabiam a quem pertencia a casa nem que estivesse desocupada e à venda, tampouco puderam explicar como fora aberta.

A garota permaneceu muda em seu esconderijo e ninguém procurou nada nos caixotes, embora dois ou três policiais tivessem percorrido a casa de cima a baixo abrindo portas e fuçando em cada canto para se assegurar de que não restava nenhum retardatário.

Pouco a pouco a calma se restabeleceu lá dentro, as vozes e o barulho chegavam de fora, e então Amanda conseguiu pensar. Em silêncio e sem a presença ameaçadora das pessoas, sentiu que as paredes recuavam e que conseguia respirar. Decidiu esperar que todos partissem para sair do esconderijo, mas nesse momento ouviu a voz autoritária de um oficial dando instruções de fechar a casa e montar guarda até a vinda de um técnico para substituir o alarme.

Hora e meia depois, a polícia prendera os drogados, dispersara os outros, depois de anotar seus dados, e levara os menores de idade para a delegacia, onde teriam de aguardar os pais. Entretanto, um funcionário da empresa de segurança trancou as portas e janelas e reinstalou o alarme e o detector de movimento. Amanda se viu trancada no casarão vazio e escuro, onde persistia o cheiro nauseabundo da festa, sem poder se mexer nem tentar abrir uma das janelas, porque dispararia o alarme. Com a intervenção da polícia, sua situação parecia impossível de ser resolvida: não podia recorrer à mãe, que não tinha carro para ir buscá-la, nem ao pai, que passaria pela vergonha de ter que enfrentar seus colegas por culpa da estupidez da filha, e menos ainda ao avô, que jamais a perdoaria por ter ido àquele lugar sem avisá-lo. Um único nome lhe veio à mente, o da única pessoa que a ajudaria sem fazer perguntas. Discou o número algumas vezes, até que seu celular ficou sem bateria, sem obter outra resposta senão a da secretária eletrônica. Venha me buscar, venha me buscar, venha me buscar. Depois tornou a se acocorar no caixote, gelada de frio, para esperar que amanhecesse, suplicando que alguém viesse libertá-la.

• • •

Entre as duas e as três da madrugada, o celular de Ryan Miller vibrou várias vezes, longe de sua cama, conectado na tomada para recarregar a bateria. Fazia um frio polar em seu loft, um amplo apartamento reformado de uma velha gráfica, com paredes de tijolos, piso de cimento e uma rede de tubos metálicos no teto, mobiliado com o essencial, sem cortinas, tapetes nem calefação. Miller dormia de cueca, coberto com uma manta elétrica e com um travesseiro sobre a cabeça. Às cinco da manhã, Atila, a quem as noites de inverno pareciam intermináveis, pulou na cama para avisá-lo de que estava na hora de dar início aos rituais matutinos.

O homem, habituado à vida militar, se levantou de forma automática, ainda atordoado pelas imagens de um sonho inquietante, e tateou o chão ao lado da cama à procura da prótese, que colocou no escuro. Atila latiu alegremente, empurrando-o com cabeçadas, e ele respondeu à saudação com palmadas no lombo do cachorro, depois acendeu a luz, vestiu um agasalho, calçou meias grossas e foi ao banheiro. Ao sair, encontrou Atila esperando-o com fingida indiferença, mas traído pelo movimento incontrolável da cauda, uma rotina que se repetia, idêntica, todos os dias. "Já vou, companheiro, tenha paciência", disse Miller, enxugando o rosto com uma toalha. Colocou a comida de Atila no prato, enquanto o animal, abandonando qualquer simulação, iniciava a exagerada coreografia com que recebia seu desjejum, mas sem se aproximar do prato até que Miller o autorizasse com um gesto.

Antes de começar os lentos exercícios de Qigong, sua meia hora diária de meditação em movimento, Miller deu uma olhada no telefone, e então percebeu as ligações de Amanda, tantas que nem tentou contá-las. Venha me buscar, estou escondida, veio a polícia, não posso sair, estou trancada, venha me buscar, não diga nada a mamãe, venha me buscar... Ao discar o número da garota e constatar que não havia sinal, seu coração deu um pulo no peito antes de ser invadido pela calma conhecida, a calma aprendida no treinamento militar mais rigoroso do mundo. Concluiu que a filha de Indiana estava em apuros, mas nada mortal: não havia sido raptada nem se encontrava em verdadeiro perigo, embora devesse estar muito assustada, pois não fora capaz de explicar o que acontecera ou onde estava.

Vestiu-se numa fração de segundos e se instalou diante de seus computadores. Dispunha das máquinas e dos programas mais sofisticados, semelhantes aos do Pentágono, que lhe permitiam trabalhar a distância em qualquer lugar. Localizar a área de um celular que havia tocado dezoito vezes foi uma tarefa fácil. Ligou para a delegacia de polícia de Tiburón, deu seu número de identificação, pediu para falar com o chefe e lhe perguntou se haviam tido algum problema naquela noite. O oficial, achando que procurava um dos jovens detidos, falou da festa e mencionou o endereço, tranquilizando-o, porque não era a primeira vez que acontecia algo semelhante e não houvera vandalismo. Tudo estava em ordem, disse, haviam reinstalado o alarme da casa e avisado à imobiliária encarregada da venda para que enviasse o serviço de limpeza. Certamente não haveria acusações contra os jovens, mas essa decisão não cabia à polícia. Miller agradeceu, e um instante depois tinha em sua tela uma vista aérea da casa e o mapa para ir até lá. "Vamos, Atila!", disse ao cachorro, que não podia ouvi-lo, mas, pela atitude do homem, compreendeu que não se tratava de sair para correr pelo bairro; era um chamado à ação.

Enquanto se apressava na direção de sua caminhonete, ligou para Pedro Alarcón, que àquela hora estaria, provavelmente, preparando aulas e bebendo chimarrão. Seu amigo mantinha, intactos, alguns costumes do Uruguai, seu país de origem, como aquela beberagem verde e amarga que Miller achava péssima. Era minucioso nos detalhes: só usava a cuia e a bombilha de prata herdadas de seu pai, erva importada de Montevidéu e água filtrada, a uma temperatura exata.

— Vista-se, vou pegá-lo em onze minutos. Traga o necessário para desarmar um alarme — anunciou Miller.

— Assim tão cedo, cara? De que se trata?

— Arrombamento.

— Que tipo de alarme?

— De uma casa, não deve ser complicado.

— Pelo menos, não vamos roubar um banco — suspirou Alarcón.

Estava escuro e ainda não havia começado o tráfego intenso das segundas-feiras quando Ryan Miller, Pedro Alarcón e Atila atravessaram a ponte Golden Gate. As luzes amareladas iluminavam a estrutura de ferro vermelho, que parecia suspensa no vazio, e de longe chegava o lamento profundo da buzina do farol, guiando as embarcações na névoa. Pouco mais tarde, quando chegaram à zona residencial de Tiburón, o céu começava a clarear, já circulavam alguns carros e esportistas madrugadores saíam para correr. Pensando que naquele bairro elegante os moradores tinham medo de estranhos, o *navy seal* estacionou a caminhonete a uma quadra de distância e fingiu que passeava com o cachorro, enquanto vigiava.

Pedro Alarcón se aproximou da casa com passo firme, como se o dono o tivesse enviado, manipulou com um palito metálico o cadeado do portão, tarefa infantil para aquele Houdini capaz de abrir de olhos fechados uma caixa-forte, e o destrancou em menos de um minuto. Segurança era a especialidade de Ryan Miller; trabalhava para agências militares e governamentais que o contratavam para proteger informações. Sua tarefa consistia em penetrar a mente de alguém que quisesse roubar determinado material, pensar como o inimigo, imaginar as múltiplas possibilidades de fazê-lo e então planejar a maneira de impedi-lo. Ao ver Alarcón com seu palito, pensou que qualquer um com destreza e determinação poderia violar os códigos de segurança mais complicados, era esse o perigo do terrorismo: a astúcia de um único indivíduo camuflado na multidão contra a força titânica da nação mais poderosa do mundo.

Pedro Alarcón era um uruguaio de 59 anos que se exilara de seu país em 1976, durante uma cruenta ditadura militar. Aos 18 havia se unido aos tupamaros, guerrilheiros de esquerda que enfrentavam com armas o governo do Uruguai, convencidos de que só com a violência seria possível mudar o sistema de abuso, corrupção e injustiça imperante. Entre outras formas de luta, explodiam bombas, assaltavam bancos e sequestravam pessoas, até que foram esmagados pelos militares. Muitos morreram lutando, outros foram executados ou acabaram presos e torturados; o restante fugiu do país. Alarcón, que começara a vida adulta armando bombas caseiras e violando fechaduras com os tupamaros, emoldurara um velho cartaz dos anos 1960, amarelado pelo passar do tempo, com uma fotografia dele e de outros três companheiros por cuja captura os militares haviam oferecido recompensa.

Na fotografia aparecia um garoto pálido de barba e cabelos compridos com expressão atônita, muito diferente do homem grisalho, baixo e magro, pura fibra e osso, sábio e imperturbável, com a habilidade manual de um ilusionista, que Miller conhecia.

O uruguaio era professor de Inteligência Artificial da Universidade de Stanford e competia no triatlo com Ryan Miller, vinte anos mais jovem. Afora o interesse por tecnologia e esportes, ambos eram de poucas palavras, por isso se davam bem. Viviam com frugalidade, eram solteiros e, quando alguém lhes perguntava, diziam que estavam muito curtidos para acreditar na beleza do amor e se amarrar a uma única mulher, existindo tantas de boa vontade neste mundo, mas, no fundo, suspeitavam que estavam sozinhos por simples azar. Segundo Indiana Jackson, envelhecer sem um companheiro era de morrer de pena, e eles estavam de acordo, mas jamais admitiriam.

Em poucos minutos, Pedro Alarcón abriu a fechadura da porta principal, descobriu uma maneira de desconectar o alarme e os dois entraram na casa. Miller acendeu a luz do celular e segurou a correia de Atila, que a puxava, ofegando, com os caninos à vista e um grunhido seco preso na garganta, pronto para o combate.

Em um clarão, como tantos que costumavam golpeá-lo nos momentos menos oportunos, Ryan Miller se viu no Afeganistão. Uma parte de seu cérebro conseguia processar o que estava acontecendo com ele: transtorno de estresse pós-traumático, com sua sequela de imagens retrospectivas, terrores noturnos, depressão, ataques de choro ou de fúria. Conseguira superar a tentação de se suicidar, o alcoolismo e as drogas, que quase o destruíram alguns anos antes, mas sabia que os sintomas poderiam voltar a qualquer momento; portanto, não deveria se descuidar, pois agora esses eram os seus inimigos.

Ouviu a voz de seu pai: nenhum homem digno de usar o uniforme choraminga por ter cumprido ordens nem culpa o Exército por seus pesadelos, a guerra é para os fortes e os valentes, se o sangue o assusta, procure outro emprego. Uma parte de seu cérebro repassou as cifras que conhecia de memória, 2,3 milhões de combatentes americanos no Iraque e no Afeganistão na última década, 6.179 mortos e 47 mil feridos, a maioria com sequelas catastróficas, 210 mil veteranos em tratamento pela mesma síndrome que ele padecia, embora esse número não refletisse a epidemia que assolava as Forças Armadas, calculava-se que 700 mil soldados sofriam de problemas mentais ou danos cerebrais. Mas outra parte da mente de Ryan Miller, a parte que não conseguia controlar, estava mergulhada naquela noite em particular, naquela noite no Afeganistão.

O grupo de *navy seals* avança por um terreno deserto e se aproxima de uma aldeia ao pé de altas montanhas. As ordens são de invadir casa por casa, desmantelar um grupo terrorista que opera, supostamente, na região, e fazer prisioneiros para serem interrogados. O objetivo final é o esquivo fantasma de Osama bin Laden. É uma missão noturna para surpreender o inimigo e minimizar o dano colateral: à noite não há mulheres no mercado nem crianças brincando na terra. É também uma missão secreta, que requer rapidez e discrição, a especialidade de seu grupo, treinado para operar no calor insuportável do deserto, no gelo ártico, nas correntes submarinas, nas montanhas mais íngremes, na pestilência da selva. Há lua e a noite é clara, Miller consegue divisar o perfil da aldeia a distância e, ao se aproximar, distingue uma dúzia de casas, um poço e currais. Sobressalta-se com o balido de uma cabra no silêncio espectral da noite, sente um formigamento nas mãos e na nuca, a corrente de adrenalina nas artérias, a tensão de cada músculo, a presença dos outros homens que avançam com ele e são parte dele; dezesseis camaradas e um único coração, enfatizara o instrutor no primeiro treinamento, durante a semana infernal, a famosa *hell week*, em que tiveram de superar os limites dos esforços humanos, o teste definitivo que só 15% dos homens suportaram; esses são os invencíveis.

— Ei, Ryan, o que está acontecendo com você, cara?

A voz vinha de longe e repetiu seu nome duas vezes antes que ele conseguisse voltar daquela aldeia do Afeganistão para a mansão desocupada de Tiburón, Califórnia. Era Pedro Alarcón, que o sacudia. Ryan Miller saiu do transe, engoliu uma baforada de ar, tentando espantar as recordações e se concentrar no presente. Ouviu Pedro chamar Amanda duas vezes sem levantar a voz, para não assustá-la, e então se deu conta de que havia soltado Atila. Procurou-o com o raio de luz e o viu correndo de um lado a outro com o nariz grudado no chão, confuso pela mistura de cheiros. Estava treinado para descobrir explosivos e corpos humanos, tanto vivos como mortos, e, com duas palmadinhas no pescoço, ele lhe indicara que deveria procurar uma pessoa. Miller não o chamou, porque o cachorro era surdo, mas correu para pegar a correia e, com um puxão, Atila se deteve, em estado de alerta, interrogando-o com seus olhos inteligentes. O homem lhe fez um sinal para que ficasse quieto e esperou que ele se acalmasse antes de permitir que continuasse investigando. Seguiu-o de perto, segurando-o com força, porque o cachorro mantinha uma atitude de expectante agressividade, na cozinha, na lavanderia e, finalmente, na sala, enquanto Alarcón esperava na porta principal. Atila o levou rapidamente até os caixotes de embalagem, fuçando entre as tábuas, com os dentes à mostra.

Miller iluminou o interior de um dos caixotes que Atila arranhava e, no fundo, viu uma figura encolhida, e por um instante foram duas criaturas agachadas em um buraco, tiritando, uma menina de 4 ou 5 anos, com um lenço amarrado na cabeça e expressão de terror em seus enormes olhos verdes, abraçada a um bebê. O grunhido de Atila e o puxão da correia devolveram-no à realidade daquele momento, daquele lugar.

Esgotada de tanto chorar, Amanda havia adormecido no interior do caixote, encolhida como um gato para se aquecer um pouco. Atila identificou de imediato o cheiro familiar da menina e se sentou nas patas traseiras, esperando instruções, enquanto Miller a despertava. Ela se endireitou lentamente, espantada e ofuscada pela luz no rosto, sem saber onde estava, e demorou alguns segundos para recordar suas circunstâncias. "Sou eu, Ryan, está tudo bem", sussurrou Miller, ajudando-a a se levantar e sair. Ao reconhecê-lo, ela passou os braços em volta de seu pescoço e apertou o peito contra o amplo peito do homem, que lhe dava palmadinhas de consolo nas costas, murmurando uma série de palavras carinhosas que nunca dissera a ninguém, comovido até a alma, como se não fosse aquela pirralha mimada que o estava molhando com seu pranto, mas outra menina, a de olhos verdes, e seu irmãozinho, as crianças que resgatara do buraco com delicadeza e transportara no colo, para que não vissem nada do que acontecera. Envolveu Amanda em sua jaqueta de couro e, amparando-a, atravessaram o jardim, pegaram a mochila que ela havia deixado no meio dos arbustos e chegaram à caminhonete, onde aguardaram Alarcón fechar a casa.

Amanda estava congestionada de choro e com um resfriado que havia começado dois dias antes e se desencadeou com fúria naquela noite. Miller e Alarcón acharam que ela não estava em condições de ir ao colégio, mas, como ela insistiu, passaram por uma farmácia para comprar remédio, e álcool para tirar a tinta fluorescente de seus braços; então, foram tomar o café da manhã na única cafeteria que encontraram aberta — chão de linóleo, mesas e cadeiras de plástico —, onde havia uma boa calefação e um delicioso cheiro de bacon frito no ar. Os únicos clientes eram quatro homens com macacões e capacetes de operários da construção civil. Fizeram os pedidos a uma garota de cabelos arrepiados com gel, como um porco-espinho, unhas azuis e expressão sonolenta, que parecia ter passado ali a noite inteira.

Enquanto esperavam a comida, Amanda os fez prometer que não diriam uma palavra a ninguém a respeito do que acontecera. Ela, a mestra de *Ripper*, perita em derrotar malfeitores e planejar aventuras perigosas, havia passado a noite dentro de um caixote, engasgada de lágrimas e meleca. Com duas aspirinas, uma xícara de chocolate quente e panquecas besuntadas com mel, a aventura que lhes contou aos borbotões era patética; no entanto, Miller e Alarcón não zombaram dela nem lhe deram conselhos. O primeiro atacou metodicamente seus ovos com salsichas, e o segundo afundou o nariz em sua xícara de café, pobre substituto do chimarrão, para disfarçar o sorriso.

— De onde você é? — perguntou Amanda a Alarcón.

— Daqui.

— Seu sotaque não é daqui.

— É do Uruguai — interveio Miller.

— É um pequeno país da América do Sul — acrescentou Alarcón.

— Neste semestre vou ter de fazer uma dissertação sobre um país de minha escolha para a aula de Justiça Social. Você se importa se eu escolher o seu?

— Seria uma honra, mas é melhor procurar algum da África ou da Ásia, porque no Uruguai nunca acontece nada.

— Por isso mesmo; será fácil. Faz parte do trabalho entrevistar alguém desse país, possivelmente em vídeo. Você pode me ajudar?

Trocaram telefones e e-mails, e combinaram se encontrar no final de fevereiro ou no começo de março para gravar a entrevista. Às sete e meia daquele infeliz amanhecer, os dois homens deixaram a garota diante da porta do colégio. Ao se despedir, ela plantou um beijo tímido na face de cada um, ajeitou a mochila nas costas e partiu cabisbaixa, arrastando os pés.

Segunda-feira, 9

O segredo mais bem-guardado de Alan Keller era sua disfunção erétil, que o atormentava desde a juventude como uma permanente humilhação e o fizera evitar a intimidade com mulheres que o atraíam temendo falhar, e com prostitutas, porque a experiência o deixava deprimido ou enojado. Esmiuçou durante anos com seu psiquiatra o complexo de Édipo, até que os dois ficaram entediados de ficar falando sempre sobre a mesma coisa e passaram para outros assuntos. Para compensar, ele se propôs conhecer a fundo a sensualidade feminina e aprender o que deveriam ter lhe ensinado na escola, se o sistema educacional se ocupasse menos da reprodução da mosca e mais da humana, como dizia. Aprendeu formas de fazer amor sem depender de uma ereção, suprindo com destreza o que lhe faltava de potência. Mais tarde, quando já tinha reputação de sedutor, o Viagra se popularizou e o problema parou de atormentá-lo. Ia completar 51 anos quando Indiana apareceu em sua vida como uma ventania primaveril, disposta a varrer qualquer indício de insegurança. Durante várias semanas saiu com ela sem avançar mais além de beijos lentos, preparando o terreno com elogiável paciência, até que ela se cansou dos preâmbulos, pegou-o pela mão sem qualquer aviso e o levou com determinação para a cama, um somiê com quatro pés sob um absurdo toldo de seda com sininhos.

Indiana vivia em um apartamento que ficava em cima da garagem da casa de seu pai, em uma região de Potrero Hill que nunca chegou a ficar na moda, perto da farmácia onde Blake Jackson ganhava a vida havia 29 anos. Podia ir de bicicleta ao trabalho por um terreno quase plano — havia apenas uma colina no meio —, uma vantagem em São Francisco, cidade de ladeiras. A pé, andando depressa, levava uma hora; de bicicleta, menos de vinte minutos. Seu apartamento tinha duas entradas: uma escada em caracol que levava à casa de Blake e uma porta que dava para a rua, à qual se chegava por uma escada externa, de tábuas gastas e escorregadias no inverno, que seu pai prometia todos os anos substituir. Consistia em dois quartos de bom tamanho, uma varanda, um pequeno banheiro e uma quitinete. Mais do que uma habitação, era um ateliê, que a família chamava de caverna da bruxa, onde, além de sua cama, do banheiro e do fogão, todo o espaço era usado para a arte e os materiais da aromaterapia. No dia em que levou Keller para sua cama, estavam sozinhos, porque Amanda se encontrava no internato e Blake Jackson jogando squash, como nas noites de todas as terças-feiras. Não corriam o risco de que voltasse cedo, pois depois do jogo ia com seu bando de amigos comer carne de porco com repolho e beber cerveja em uma espelunca alemã, até que os expulsavam ao amanhecer.

Depois de cinco minutos naquela cama, Keller, que não tinha com ele a mágica pílula azul, ficou enjoado com a mistura de óleos aromáticos e não conseguiu mais pensar. Entregou-se às mãos daquela mulher jovem e feliz, que obrou o milagre de excitá-lo sem drogas, só com risos e travessuras. Não chegou a hesitar nem temer, acompanhou-a deslumbrado aonde ela quis levá-lo e, no final do passeio, voltou à realidade muito agradecido. E ela, que tivera vários amantes e podia comparar, também ficou agradecida, porque aquele foi o primeiro mais interessado em satisfazê-la do que em se satisfazer. Desde então, era Indiana quem procurava Keller, telefonava para espicaçá-lo com seu desejo e seu humor, que sugeria encontros no Fairmont, celebrava-o e elogiava.

Keller nunca havia detectado falsidade ou manipulação de sua parte. Indiana tinha uma atitude franca, parecia rendida de amor, acesa e alegre. Era fácil amá-la; no entanto, evitava se apegar a ela, considerava-se um transeunte neste mundo, um viajante de passagem que não parava para se aprofundar em nada, exceto a arte, que lhe oferecia permanência. Tivera namoradas, mas nenhum amor sério até que topou com Indiana, a única mulher que conseguira prendê-lo. Estava convencido de que aquele amor durava porque o mantinham separado do resto da existência de ambos. Indiana se contentava com pouco e a ele convinha esse desprendimento, ainda que lhe parecesse suspeito; Keller acreditava que as relações humanas são permutas nas quais o mais esperto sai ganhando. Estavam juntos havia quatro anos e não falavam do futuro e, embora não tivesse a intenção de se casar, o ofendia que ela tampouco pensasse nisso, pois se considerava um bom partido para qualquer mulher, e principalmente uma sem recursos, como Indiana. Havia o problema da diferença de idade entre os dois, mas conhecia vários cinquentões que andavam com mulheres vinte anos mais jovens. A única coisa que Indiana lhe exigiu desde o começo, naquela noite inesquecível sob o toldo da Índia, foi lealdade.

— Você me faz muito feliz, Indi — disse ele em um acesso de sinceridade pouco frequente, animado pelo que acabara de experimentar sem recorrer a pílulas. — Espero que continuemos juntos.

— Como casal?

— Como namorados.

— Ou seja, uma relação exclusiva.

— Você quer dizer monógama? — riu ele.

Era sociável, desfrutava da companhia de pessoas interessantes e refinadas, em especial mulheres, que gravitavam naturalmente em torno dele, porque sabia apreciá-las. Era o convidado indispensável das festas que apareciam nas colunas sociais, conhecia todo mundo, estava a par das fofocas, dos escândalos, da vida das celebridades. Dava-se ares de Casanova para provocar expectativa nas mulheres e inveja nos homens, mas as aventuras sexuais complicavam sua existência e lhe proporcionavam menos prazer do que uma conversa inteligente ou um bom espetáculo. Indiana Jackson acabara de lhe demonstrar que havia exceções.

— Façamos um acordo, Alan. Tem que ser recíproco, assim nenhum dos dois se sentirá enganado — propôs ela, com inesperada seriedade. — Sofri muito com os namoricos e as mentiras do meu ex-marido e não quero voltar a passar por essa experiência.

Ele optou sem vacilar pela monogamia porque não ia cometer a besteira de lhe dizer que isso estava na rabeira de suas prioridades. Ela concordou, mas deixou-o avisado de que se a traísse estaria tudo acabado entre eles.

— E pode ficar tranquilo a meu respeito, porque, quando estou apaixonada, ser fiel é muito fácil — acrescentou.

— Então terei de mantê-la apaixonada — respondeu ele.

Na penumbra do quarto, iluminado apenas por velas, Indiana nua, sentada na cama com as pernas encolhidas e o cabelo alvoroçado, era uma obra de arte que Keller observava com olhos de perito. Pensou em *O rapto das filhas de Leucipo*, de Rubens, que estava na Pinacoteca de Munique — os seios redondos, os mamilos claros, os quadris fartos, covinhas infantis nos cotovelos e nos joelhos —, só que esta mulher tinha os lábios inchados de beijos e a expressão inequívoca do desejo satisfeito. Voluptuosa, decidiu, surpreso com a reação de seu próprio corpo, que respondia com uma prontidão e firmeza que não recordava ter tido antes.

Um mês depois, começou a espioná-la, porque não conseguia acreditar que aquela bela jovem, no ambiente libertino de São Francisco, lhe fosse fiel simplesmente por ter dado a palavra. Os ciúmes deixaram-no tão alterado que contratou um detetive particular, um tal de Samuel Hamilton Jr., com instruções de vigiar Indiana e lhe levar a lista dos homens que a rondavam, inclusive os pacientes de seu consultório. Hamilton era um homenzinho, de aparência inofensiva de um vendedor de eletrodomésticos, mas possuía o mesmo faro de sabujo que tornara célebre seu pai, um repórter de jornal que solucionara vários crimes cometidos em São Francisco nos anos 1960 e fora imortalizado nos livros policiais do escritor William C. Gordon. O filho era uma réplica quase idêntica do pai, gorducho, ruivo, meio calvo, observador, tenaz e paciente na luta contra a delinquência, mas, como vivia à sombra da lenda do velho, não conseguira desenvolver seu potencial e ganhava a vida como podia. Hamilton seguiu Indiana durante um mês sem obter nada de interessante, e Keller ficou satisfeito por um tempo, mas a calma durou pouco e então recorreu de novo ao mesmo detetive, e assim o ciclo de suspeitas se repetia com vergonhosa regularidade. Para sua sorte, Indiana não suspeitava nem um pouco dessas maquinações, embora topasse tão amiúde com Samuel Hamilton nos lugares mais inesperados, que se saudavam ao passar.

Terça-feira, 10

O inspetor-chefe Bob Martín chegou à residência dos Ashton, em Pacific Heights, às nove da manhã. Aos 37 anos, era muito jovem para ocupar o cargo de chefe do Departamento de Homicídios, mas ninguém questionava sua competência. Concluíra o secundário a duras penas, destacando-se apenas nos esportes, e passara uma semana festejando sua graduação com os amigos, sem se lembrar de que era recém-casado e sua mulher dera à luz uma menina. Sua mãe e sua avó colocaram-no para lavar pratos em um dos restaurantes da família, ombro a ombro com os imigrantes mexicanos mais pobres, a metade deles ilegais, para que soubesse o que era ganhar a vida sem um diploma ou uma profissão. Quatro meses sob a tirania das duas matriarcas foram suficientes para espantar sua preguiça; cursou dois anos de estudos superiores e ingressou na Academia de Polícia. Nascera para usar uniforme, portar armas e ter autoridade, aprendeu a ser disciplinado, era incorruptível, corajoso e obstinado, tinha um físico capaz de intimidar qualquer delinquente, e uma lealdade a toda prova ao Departamento e a seus companheiros.

Do carro conversou pelo celular com sua infalível assistente, Petra Horr, que lhe deu as informações básicas sobre a vítima. Richard Ashton era um psiquiatra famoso devido a dois livros publicados nos anos 1990: *Distúrbios sexuais na pré-adolescência* e *Tratamento da sociopatia juvenil*, e, mais recentemente, por sua participação em uma conferência em que expusera os benefícios da hipnose no tratamento de crianças autistas. A conferência circulou como vírus pela internet, porque coincidiu com a notícia de que o autismo aumentara de forma alarmante nos últimos anos, e porque Ashton fizera uma demonstração digna de um Svengali em sua apresentação: para silenciar os murmúrios de dúvida do público e provar que somos suscetíveis à hipnose, pediu aos participantes que cruzassem as mãos atrás da cabeça; momentos depois, dois terços dos assistentes não conseguiram soltar as mãos, por mais que puxassem e se contorcessem, até que Ashton rompeu o transe hipnótico. Bob Martín não se lembrava de ter ouvido o nome daquele homem e menos ainda dos títulos de seus livros. Petra Horr lhe disse que os admiradores de Ashton consideravam-no uma eminência em psiquiatria para crianças e adolescentes, mas seus críticos o acusavam de ser neonazista, de distorcer os fatos para provar suas teorias e de usar métodos ilegais com pacientes deficientes e menores de idade. Acrescentou que o homem aparecia com frequência nos jornais e na televisão, sempre abordando assuntos polêmicos, e lhe mandou um vídeo a que o inspetor assistiu em seu celular.

— Dê uma olhada, chefe, se quiser ver a esposa dele. Ashton se casou em terceiras núpcias com Ayani — disse Petra.

— Quem é ela?

— Ai, chefe! Não me diga que não sabe quem é Ayani! É uma das modelos mais famosas do mundo. Nasceu na Etiópia. É a que denunciou a prática da mutilação genital feminina.

Na pequena tela de seu telefone, Bob Martín reconheceu a mulher lindíssima de pômulos salientes, olhos entorpecidos e pescoço longo, que vira na capa de algumas revistas, e deu um assovio de admiração.

— Pena não tê-la conhecido antes! — exclamou.

— Agora que ficou viúva, pode tentar. Olhando bem, você não está nada mal. Se raspasse esse seu bigode de narcotraficante, até poderia ser considerado bonito.

— Está flertando comigo, senhorita Horr?

— Não se assuste, chefe. Você não é o meu tipo.

O inspetor parou o carro diante da residência de Ashton e desligou o celular. De fora não se via a casa, pois ficava atrás de um muro alto pintado de branco, por cima do qual assomavam as copas das árvores do jardim. Aparentemente, a residência não tinha nada de ostentosa, mas o endereço em Pacific Heights indicava claramente a elevada posição social de seus proprietários. O portão duplo de ferro para os automóveis estava fechado, mas a porta social escancarada. Na rua, Bob Martín viu uma ambulância dos paramédicos e maldisse entre dentes a eficiência daqueles funcionários públicos que muitas vezes eram os primeiros a chegar e entravam às pressas para prestar os primeiros socorros sem esperar pela polícia. Um dos oficiais o conduziu por um jardim denso e malcuidado até a casa, uma monstruosidade de cubos de concreto e vidros sobrepostos de maneira irregular, como se tivessem sido espalhados por um terremoto.

No jardim havia vários policiais e paramédicos aguardando instruções, mas o inspetor só teve olhos para a figura fantástica de uma fada morena que avançava em sua direção, levitando entre véus azuis, a mulher que acabara de ver em seu telefone. Ayani era quase tão alta quanto ele, toda ela vertical, sua pele da cor da madeira de cerejeira, a postura ereta de uma vara de bambu e os movimentos ondulantes de uma girafa, três metáforas que ocorreram imediatamente a Martín, um homem muito pouco dado a arroubos poéticos. Enquanto ele a olhava, embasbacado, percebendo que estava descalça e usava uma túnica de seda branca e azul, ela lhe estendeu sua mão magra de unhas sem esmalte.

— Senhora Ashton, suponho... Sou o inspetor-chefe Bob Martín, do Departamento de Homicídios.

— Pode me chamar de Ayani, inspetor. Fui eu quem chamou a polícia — disse a modelo, notavelmente serena, dadas as circunstâncias.

— Conte-me o que aconteceu, Ayani.

— Richard não dormiu em casa ontem à noite. Hoje cedo fui ao estúdio levar o café e...

— A que horas?

— Deve ter sido entre 8h15 e 8h25.

— Por que seu marido não dormiu em casa?

— Richard ficava muitas noites trabalhando ou lendo em seu estúdio. Era noctívago, eu não me preocupava quando ele não voltava, às vezes eu nem percebia, porque dormimos em quartos separados. Hoje estávamos completando um ano de casamento, e quis lhe fazer uma surpresa, por isso eu mesma levei para ele o café em vez de Galang, como era habitual.

— Quem é Galang?

— O copeiro. Galang mora aqui, é filipino. Também temos uma cozinheira e uma faxineira diarista.

— Preciso falar com os três. Continue, por favor.

— Estava escuro, as cortinas ainda fechadas. Acendi a luz e então o vi... — balbuciou a bela mulher, e sua compostura impecável fraquejou por um momento, mas ela se recompôs imediatamente e indicou a Martín que a seguisse.

O inspetor ordenou aos patrulheiros que pedissem reforços e passassem um cordão de isolamento na casa para impedir a entrada de curiosos e da imprensa, que, sem dúvida, desabaria ali de repente, devido à fama da vítima. Seguiu a modelo, que o levou por um caminho lateral a uma construção adjacente à casa principal, no mesmo estilo ultramoderno. Ayani lhe disse que seu marido recebia ali os pacientes de seu consultório particular; o estúdio tinha uma entrada separada e não havia conexão interna com a casa.

— Vai se resfriar, Ayani, agasalhe-se um pouco e calce os sapatos — disse Bob Martín.

— Fui criada descalça, estou habituada.

— Então me espere aqui fora, por favor. Não tem por que tornar a ver isto.

— Obrigada, inspetor.

Martín viu-a se afastar flutuando pelo jardim e ajeitou a calça, envergonhado de sua inoportuna reação, muito pouco profissional, que, infelizmente, acontecia com frequência. Tirou da cabeça as imagens provocadas por aquela deusa africana e entrou no estúdio, que consistia de dois amplos aposentos. No primeiro, as paredes estavam cobertas por estantes cheias de livros e janelas protegidas por grossas cortinas de linho cru, além de uma poltrona, um sofá de couro marrom e uma mesa antiga de madeira com entalhes. Sobre o carpete bege que cobria toda a parede, viu dois tapetes persas gastos, cuja qualidade era evidente até mesmo para alguém tão pouco familiarizado em decoração como ele. Fez um inventário mental do edredom e do travesseiro que estavam em cima do sofá, deduzindo que ali costumava dormir o psiquiatra, e coçou a cabeça sem entender por que Ashton preferia o estúdio à cama de Ayani. "Se fosse eu...", especulou por um instante, mas em seguida voltou sua atenção ao seu dever de policial.

Em cima da mesa viu uma bandeja com uma cafeteira e uma xícara limpa e deduziu que quando Ayani a deixara ali ainda não vira o marido. Foi à outra peça, na qual se destacava uma grande escrivaninha de mogno. Aliviado, constatou que os bombeiros não tinham invadido o estúdio; bastou-lhes dar uma olhada para avaliar a situação e recuaram, respeitando a cena do crime. Dispunha de alguns minutos antes que a equipe de legistas chegasse em massa. Calçou luvas de borracha e deu início à sua primeira inspeção.

O corpo de Richard Ashton estava de costas no chão, ao lado da escrivaninha, manietado e amordaçado com fita-crepe. Vestia calça cinza, camisa azul-celeste, um cardigã desabotoado de cashmere azul, e estava descalço. Os olhos fora de órbita exibiam uma expressão de absoluto terror, mas não havia sinais de que tivesse lutado pela vida; tudo estava na mais perfeita ordem, exceto um copo d'água derramado sobre a mesa. Alguns papéis e um livro haviam se molhado, a tinta dos documentos ficara um pouco borrada, e Bob Martín os empurrou com cuidado para afastá-los da água. Observou o corpo sem tocá-lo; deveria ser fotografado e examinado por Ingrid Dunn antes que ele pudesse meter a mão. Não encontrou feridas visíveis nem sangue. Deu uma olhada ao redor procurando uma arma, mas, como ainda desconhecia a causa da morte, limitou-se a uma inspeção sumária.

A peculiar capacidade de Indiana de curar por presença e somatizar males alheios se manifestou na infância, e ela teve de carregá-la como uma cruz até lhe dar uso prático. Aprendeu os fundamentos da anatomia, obteve uma licença para fazer fisioterapia e, quatro anos depois, abriu o consultório na Clínica Holística, com a ajuda de seu pai e de seu ex-marido, que pagaram o aluguel nos primeiros tempos, até que conseguiu formar sua clientela. Segundo seu pai, ela possuía um sonar de morcego e adivinhava às cegas a localização e a intensidade do mal-estar de seus pacientes. Com esse sonar, fazia o diagnóstico, escolhia o tratamento e verificava os resultados, mas, para curar, seu bom coração e o bom senso lhe eram mais úteis.

Sua forma de somatizar era caprichosa, manifestava-se de várias maneiras, às vezes acontecia e outras não, mas na sua ausência recorria à intuição, que não falhava quando se tratava da saúde alheia. Bastavam-lhe uma ou duas sessões para determinar se o cliente estava melhorando e, caso contrário, o enviava a algum colega da Clínica Holística especializado em acupuntura, homeopatia, ervas, visualização, reflexologia, hipnose, musicoterapia, dança, nutrição natural, ioga ou outra disciplina das muitas praticadas na Califórnia. Raramente enviava alguém a um médico, porque aqueles que chegavam a ela já haviam testado todos os recursos da medicina tradicional.

Indiana começava ouvindo a história do novo cliente, dando-lhe, assim, a oportunidade de desabafar, e às vezes isso bastava:

um ouvido atento faz milagres. Depois, impunha-lhe as mãos, porque acreditava que as pessoas precisam ser tocadas; havia curado doentes de solidão, de tristeza ou de arrependimento com simples massagens. Quando o mal não é mortal, dizia, o corpo quase sempre se cura sozinho. Seu papel consistia em dar tempo ao corpo e facilitar o processo; sua medicina não era para gente impaciente. Usava uma combinação de procedimentos que ela chamava de terapia integral e que seu pai, Blake Jackson, chamava de bruxaria, termo que podia espantar os clientes, até mesmo em uma cidade tão tolerante como São Francisco. Indiana aliviava os sintomas, negociava com a dor, tentava eliminar a energia negativa e fortalecer o paciente.

Era isso o que fazia naquele momento com Gary Brunswick, que jazia de costas sobre a mesa, coberto com um lençol, com meia dúzias de ímãs poderosos sobre o torso e os olhos fechados. Estava adormecido pelo aroma de vetiver, que convidava ao repouso, e o som quase inaudível de uma gravação de água, brisa e pássaros. Sentia a pressão das palmas de Indiana em seu crânio e calculava com pesar que estavam chegando ao final da sessão. Naquele dia precisava mais do que nunca da influência daquela mulher. A noite anterior havia sido angustiante, acordara com a ressaca de uma imensa bebedeira, embora não bebesse álcool, e chegara ao consultório de Indiana com uma enxaqueca insuportável, que ela conseguira aliviar com seus métodos mágicos. Ela havia visualizado, durante uma hora, uma cascata de poeira sideral descendo de algum ponto distante do cosmo e passando através de suas mãos para cobrir o paciente.

Desde novembro do ano anterior, quando Brunswick fora ao seu consultório pela primeira vez, Indiana havia utilizado diversos métodos, com tão poucos resultados, que começara a ficar desanimada. Ele insistia que os tratamentos o aliviavam, mas ela podia perceber seu mal-estar com a precisão de uma radiografia. Acreditava que a saúde depende do equilíbrio harmônico entre o corpo, a mente e o espírito, e, como não detectava nada de anormal no físico de Brunswick, atribuía seus sintomas à sua mente atormentada e à sua alma prisioneira. O homem lhe garantira que tivera uma infância feliz e uma juventude normal, de modo que podia ser alguma coisa que trazia de vidas passadas. Indiana estava esperando a ocasião de lhe dizer com delicadeza que precisava limpar seu carma. Havia um tibetano especializado nisso.

Brunswick era um sujeito complicado. Indiana soube disso desde o princípio, antes que ele abrisse a boca na primeira sessão, porque sentiu uma coroa de ferro comprimindo seu crânio e um saco de pedras em suas costas: aquele infeliz carregava um peso monumental. Enxaqueca crônica, sentenciou, e ele, surpreso diante do que lhe parecia clarividência, disse que suas dores de cabeça haviam piorado tanto no último ano que o impediam de fazer seu trabalho de geólogo. Essa profissão requeria boa saúde, disse, pois devia se arrastar por cavernas, escalar montanhas e acampar ao ar livre. Tinha 29 anos, rosto agradável, era baixo, usava cabelos muito curtos para dissimular uma calvície prematura e tinha olhos acinzentados atrás de óculos de armação preta, pouco favoráveis. Aparecia no consultório 8 às terças-feiras, sempre com rigorosa pontualidade, e, quando estava muito necessitado, pedia um segundo tratamento na semana.

Costumava levar para Indiana presentes discretos, como flores ou livros de poesia; achava que as mulheres apreciavam poesia rimada que tratasse da natureza — pássaros, nuvens e riachos —

e esse fora o caso de Indiana antes de conhecer Alan Keller, que, em matéria de arte e literatura, era implacável. Seu amante a iniciara na tradição japonesa do haikai e no moderno gendai, mas, em segredo, ela também lia poemas açucarados.

Brunswick usava jeans, botas de grossa sola de borracha e jaqueta de couro com apliques metálicos, uma vestimenta que contrastava com sua vulnerabilidade de coelho. Como fazia com todos os clientes, Indiana tentara conhecê-lo a fundo para descobrir a origem de seu mal-estar, mas o homem era uma página em branco. Não sabia quase nada a seu respeito e esquecia o pouco que descobria assim que ele ia embora.

No final da sessão daquela terça-feira, Indiana lhe deu um frasquinho com essência de gerânio para que recordasse os sonhos.

— Eu não sonho, mas gostaria de sonhar com você — disse Brunswick com seu habitual tom taciturno.

— Todos sonhamos, mas pouca gente dá importância aos sonhos — replicou ela, ignorando sua insinuação. — Existem pessoas, como os aborígenes australianos, para as quais a vida sonhada é tão real quanto a vida desperta. Você já viu as pinturas dos aborígenes? Pintam seus sonhos, são quadros incríveis. Eu tenho uma caderneta na minha mesa de cabeceira e anoto os sonhos mais significativos assim que acordo.

— Para quê?

— Para recordá-los, porque me mostram o caminho, me ajudam em meu trabalho e me esclarecem dúvidas — disse ela.

— Você já sonhou comigo?

— Sonho com todos os meus pacientes. Eu o aconselho a escrever seus sonhos, Gary, e a meditar — disse ela, fingindo de novo que não o ouvira.

No começo, Indiana dedicara duas sessões completas instruindo Brunswick sobre os benefícios da meditação: esvaziar a mente de pensamentos, respirar fundo, levando o ar até a última célula do corpo, e a expirar liberando a tensão. Recomendara-lhe que, quando tivesse uma crise de enxaqueca, procurasse um lugar tranquilo e meditasse durante quinze minutos para relaxar, observando seus sintomas com curiosidade em vez de resistir.

— A dor, como todas as sensações, é uma porta de entrada da alma — disse ela. — Pergunte-se o que está sentindo e o que se nega a sentir. Preste atenção em seu corpo. Se você se concentrar nisso, verá que a dor muda e alguma coisa se abre dentro de você, mas aviso que a mente não lhe dará trégua, tentará distraí-lo com ideias, imagens e recordações, porque está confortável em sua neurose, Gary. É importante que você se dê um tempo para se conhecer, ficar sozinho e calado, sem televisão, celular ou computador. Prometa que vai fazer isso, nem que sejam somente cinco minutos por dia.

Mas, por mais fundo que Brunswick respirasse e por mais intensamente que meditasse, continuava sendo um feixe de nervos.

Indiana se despediu do homem, ouviu suas botas se afastando pelo corredor na direção da escada e desabou na poltrona com um suspiro, extenuada pela energia negativa transmitida por aquele infeliz e por suas insinuações românticas, que começavam a aborrecê-la seriamente. Em seu trabalho, a compaixão era indispensável, mas gostaria muito de poder torcer o pescoço de certos pacientes.

Quarta-feira, 11

O telefone de Blake Jackson registrou meia dúzia de chamadas da neta, feitas quando ele estava correndo feito um louco atrás da bola de squash. Quando a última partida terminou, recuperou o fôlego, tomou banho e se vestiu. Já eram nove da noite e seu amigo só pensava em comida alsaciana e cerveja.

— Amanda? É você?

— Quem seria? Você ligou para o meu celular — replicou sua neta.

— Você me ligou?

— Claro, vovô, por isso está retornando a minha ligação.

— Bem, caramba! Que diabos você quer, pirralha? — explodiu Blake.

— Quero saber a história do psiquiatra.

— Psiquiatra? Ah! O que foi assassinado hoje...

— Hoje apareceu no noticiário, mas foi assassinado anteontem à noite ou de manhã. Averigue tudo o que puder.

— Como?

— Converse com meu pai.

— Por que você não pergunta a ele?

— É o que vou fazer assim que encontrá-lo, mas enquanto isso você pode ir avançando na investigação. Quero que me ligue amanhã para me contar os detalhes.

— Tenho que trabalhar e não posso ficar incomodando seu pai o tempo todo.

— Quer continuar jogando *Ripper* ou não?

— Claro!

O homem estava longe de ser supersticioso, mas suspeitava que o espírito de sua mulher dera um jeito de entregá-lo a Amanda. Antes de morrer, Marianne lhe dissera que sempre velaria por ele e o ajudaria a encontrar consolo na solidão. Ele achou que se referia a uma possível segunda esposa, mas se tratava de Amanda.

Na verdade, não tivera tempo de chorar pela mulher que tanto amara, porque passou os primeiros meses da viuvez ocupado em dar de comer à neta, fazê-la dormir, trocar suas fraldas, banhá-la, niná-la. Nem sequer de noite sentia falta do calor de Marianne na cama, porque a menina sofria de cólicas e gritava a plenos pulmões. Seus gritos desesperados aterrorizavam Indiana, que acabava chorando ao seu lado, enquanto ele passeava de pijama com a criatura no colo recitando tabelas periódicas que havia memorizado na Escola de Farmácia. Naquela época, Indiana era uma menina de 16 anos, inexperiente em seu novo ofício de mãe e deprimida porque estava gorda como uma baleia e seu marido não servia para muita coisa. Quando, por fim, as cólicas de Amanda passaram, veio a crise dos primeiros dentes e depois a catapora, que a cozinhou de febre e cobriu-a de manchas até as sobrancelhas.

O avô sensato se surpreendia perguntando em voz alta ao fantasma de sua mulher o que deveria fazer com aquela criatura, e a resposta chegou encarnada em Elsa Domínguez, uma imigrante guatemalteca enviada por sua consogra, dona Encarnación. Elsa estava cheia de trabalho, mas sentiu pena de Jackson, com sua casa que parecia um chiqueiro, uma filha inútil, um genro ausente e uma neta chorona e malcriada; por isso abandonou outros clientes e se dedicou àquela família. Aparecia em seu velho automóvel, vestida com roupa de ginástica e tênis, de segunda a sexta-feira, durante o período em que Blake Jackson ficava na farmácia e Indiana na escola secundária; impôs ordem e conseguiu transformar o ser alienado que era Amanda em uma menina mais ou menos normal. Conversava com ela em espanhol, obrigava-a a comer tudo o que era colocado no prato, ensinou-a a dar os primeiros passos, depois a cantar, a dançar, a passar o aspirador e a pôr a mesa. Quando

Amanda completou 3 anos e seus pais finalmente se separaram, lhe deu de presente uma gatinha tigrada para que a acompanhasse e fortalecesse sua saúde. Em sua aldeia, as crianças eram criadas com animais e água suja, disse ela, por isso não adoeciam como as americanas, que sucumbiam à primeira bactéria que desabava em cima delas. Sua teoria acabou se mostrando correta, porque Gina, a gata, curou a asma e as cólicas de Amanda.

Sexta-feira, 13

Indiana acabou de atender seu último paciente da semana, um poodle com reumatismo que partia seu coração e ao qual atendia de graça, porque pertencia a uma das professoras do colégio de sua filha, eternamente endividada por causa de um marido viciado em jogo, e às seis e meia fechou o consultório número 8. Encaminhou-se ao Café Rossini, onde a aguardavam o pai e a filha.

Blake Jackson tinha ido pegar sua neta no colégio, como fazia às sextas-feiras. Esperava toda a semana por aquele momento em que teria Amanda presa em seu carro e tentava prolongá-lo dirigindo por onde houvesse mais trânsito. Avô e neta eram companheiros, cúmplices, sócios no crime, como gostavam de dizer. Durante os cinco dias que a menina passava no internato, comunicavam-se quase diariamente e aproveitavam o tempo disponível para jogar xadrez ou *Ripper*. Comentavam por telefone as notícias que ele selecionava para ela, dando ênfase às curiosidades: a zebra de duas cabeças que nascera no zoológico de Pequim, o gordo de Oklahoma que morrera asfixiado por seus próprios peidos, os deficientes mentais que haviam passado vários anos presos em um porão enquanto seus raptores recebiam seu seguro social. Nos últimos meses, só comentavam os crimes locais.

Ao entrar na cafeteria, Indiana constatou com uma careta de desgosto que Blake e Amanda estavam sentados com Gary Brunswick, a quem não esperava encontrar junto com sua família. Em North Beach, onde eram proibidas as cadeias de lojas para evitar a morte lenta do pequeno comércio, tão característico do bairro italiano, era possível tomar um excelente café em uma dúzia de velhos estabelecimentos. Cada morador escolhia o seu e se mantinha fiel a ele; a cafeteria definia quem era quem. Brunswick não vivia em North Beach, mas frequentara tanto o Café Rossini nos últimos meses que já era considerado um cliente habitual. Passava alguns momentos ociosos em uma mesa ao lado da janela, mergulhado em seu computador, sem conversar com ninguém, salvo Danny D'Angelo, que flertava com ele sem pudor só para saborear sua expressão de terror, como confessara a Indiana. Divertia-o que o sujeito se encolhesse de vergonha na cadeira quando ele aproximava os lábios de sua orelha e lhe perguntava em sussurros indecentes o que queria beber.

Danny havia notado que, quando o geólogo estava na cafeteria, Indiana bebia seu *cappuccino* em pé no balcão e se despedia apressada; não queria ofender seu paciente sentando-se a outra mesa e nem sempre tinha tempo para se instalar e ficar conversando com ele. Na verdade, não eram conversas, pareciam mais interrogatórios em que ele lhe fazia perguntas banais e ela respondia com a mente ausente: que em julho completaria 34 anos, que estava divorciada desde os 19 e que seu ex-marido era policial, que uma vez fora a Istambul e que sempre quisera ir à Índia, que sua filha Amanda tocava violino e queria adotar uma gata, porque a dela havia morrido. O homem a ouvia com inusitado interesse e ela bocejava dissimuladamente, pensando que aquele homenzinho vivia atrás de um véu, era uma imagem difusa de uma aquarela desbotada. E ali estava naquele momento, em uma amigável reunião com sua família, jogando xadrez com Amanda sem tabuleiro nem peças.

D'Angelo os apresentara: por um lado, o pai e a filha de Indiana, e, por outro, um de seus pacientes. Gary calculou que o avô e a neta teriam de esperar pelo menos uma hora até que terminasse a sessão de Indiana com o poodle e, como sabia que Amanda gostava de jogos de tabuleiro, porque sua mãe lhe dissera, desafiou-a a jogar uma partida de xadrez. Sentaram-se diante da tela, enquanto Blake cronometrava o tempo no relógio de duas faces, que sempre colocava no bolso quando saía com Amanda. "Esta garota é capaz de jogar com vários adversários simultaneamente", Blake advertiu Brunswick. "Eu também", respondeu ele. E, na verdade, era um jogador muito mais esperto do que seu aspecto tímido permitia supor.

Com os braços cruzados, impaciente, Indiana procurou outra mesa à qual se sentar, mas estavam todas ocupadas. Em um canto viu um homem de aspecto conhecido, embora não conseguisse identificá-lo, mergulhado em um livro de bolso e lhe perguntou se podia compartilhar sua mesa. Atordoado, o sujeito se levantou tão bruscamente que o livro caiu no chão e ela o recolheu, um romance policial de um tal de William C. Gordon, que ela vira entre os muitos livros, bons e péssimos, que seu pai acumulava. O homem, que ficara com a cor de berinjela dos ruivos envergonhados, lhe apontou a outra cadeira.

— Nos vimos antes, não é mesmo? — disse Indiana.

— Não tive o prazer de ser apresentado, mas nos encontramos várias vezes. Sou Samuel Hamilton Jr., às suas ordens — respondeu ele, formalmente.

— Indiana Jackson. Desculpe, não quero interromper sua leitura.

— Não está me interrompendo, absolutamente, senhorita.

— Tem certeza de que não nos conhecemos? — insistiu ela.

— Absoluta.

— O senhor trabalha por aqui?

— Às vezes.

E assim continuaram conversando a respeito de nada, enquanto ela bebia seu café e esperava que seu pai e sua filha se desocupassem, coisa que não demorou mais de dez minutos, porque Amanda jogava com Brunswick contra o relógio. Quando a partida terminou, Indiana ficou surpresa de que aquele calouro tivesse vencido sua filha. "Você me deve uma revanche", disse Amanda a Gary Brunswick ao se despedir, contrafeita, porque estava habituada a ganhar.

O velho restaurante Cuore d'Italia, inaugurado em 1886, devia sua fama à autenticidade de sua cozinha e ao fato de que fora o cenário de uma matança de gângsteres em 1926. A máfia italiana havia se reunido no grande salão para saborear a melhor massa da cidade, beber vinho ilegal e dividir o território da Califórnia em um ambiente de cordialidade, até que um dos bandos puxou metralhadoras e liquidou os rivais. Em poucos minutos, havia mais de vinte chefes do crime estirados no chão e o local, transformado em uma coisa asquerosa. Daquele desagradável incidente só restava a recordação, mas isso bastava para atrair os turistas, que apareciam com mórbida curiosidade para provar a massa e fotografar a sala do crime, até que o local se incendiou e se instalou em outro lugar.

O boato persistente em North Beach era o de que a mulher do dono o borrifara com gasolina e ateara fogo para se vingar de seu marido infiel, mas a companhia de seguros não conseguira provar nada. O novo Cuore d'Italia contava com mobiliário reluzente e preservava o ambiente original, com quadros enormes de paisagens idealizadas da Toscana, jarros de louça pintada e flores de plástico.

Quando Blake, Indiana e Amanda chegaram, Ryan Miller e Pedro Alarcón já os aguardavam. O primeiro os convidara para comemorar um contrato de sua empresa, um bom pretexto para rever Indiana. Estivera em Washington, em reuniões de trabalho com o secretário de Defesa e diretores da CIA discutindo os programas de segurança que estava desenvolvendo com a ajuda de Pedro Alarcón, cujo nome evitava mencionar porque tinha sido guerrilheiro havia 35 anos e, para alguns, que mantinham a mentalidade da guerra fria, guerrilheiro era sinônimo de comunista, enquanto para outros, mais em dia com a história contemporânea, guerrilheiro equivalia a terrorista.

Ao ver Indiana com suas botas absurdas, o jeans desbotado nos joelhos, a jaqueta ordinária e uma blusa apertada que mal continha seus seios, Miller sentiu aquela mistura de desejo e ternura que ela sempre lhe provocava. A mulher estava vindo do trabalho, cansada, com o cabelo preso em um rabo de cavalo e sem maquiagem, mas era tamanha sua alegria de estar viva e de habitar seu corpo que vários homens em outras mesas se viraram instintivamente para admirá-la. Era sua maneira sedutora de caminhar; somente na África as mulheres se movimentavam com aquela desfaçatez, concluiu Miller, irritado ao perceber a primitiva reação mascu lina. Perguntou-se de novo, como já fizera tantas vezes, quantos homens andariam pelo mundo perturbados pela recordação dela, amando-a em segredo, quantos estariam sedentos de seu carinho ou sonhando ser redimidos de suas culpas e dores por seus feitiços de boa bruxa.

Incapaz de continuar carregando sozinho a incerteza, o desalento e os súbitos ataques de esperança do amor silencioso, Miller havia, finalmente, confessado a Pedro Alarcón que estava apaixonado. O amigo recebeu a notícia com uma expressão divertida e lhe perguntou o que estava esperando para conversar com a única pessoa a quem poderia interessar semelhante besteira. Não era uma besteira, desta vez a coisa era séria; nunca sentira nada tão intenso por ninguém, afirmou Miller. Não concordavam que o amor era um risco desnecessário?, insistiu Alarcón. Sim, e por isso estava havia três anos lutando para manter sob controle a atração que sentia por Indiana, mas às vezes a flechada do amor produzia uma ferida incurável. Um longo calafrio sacudiu Pedro Alarcón diante de semelhante declaração, dita em tom solene. Tirou os óculos e limpou-os cuidadosamente com a barra de sua camiseta.

— Você se deitou com ela? — perguntou Pedro.

— Não!

— Esse é o problema.

— Você não entende nada, Pedro. Não estamos falando de sexo, coisa que se consegue em qualquer lugar, mas do amor verdadeiro. Indiana tem um amante, um tal de Keller, estão juntos há vários anos.

— E daí?

— Se eu tentasse conquistá-la, perderia a amiga. Sei que para ela a fidelidade é muito importante, temos conversado a respeito. Ela não é do tipo de mulher que anda com um homem e flerta com outros, essa é uma de suas virtudes.

— Deixe de frescura, Miller. Enquanto ela estiver solteira, você tem licença para caçar. Assim é a vida. Você, por exemplo, não tem direito de propriedade sobre Jennifer Yang. Ao primeiro descuido pode aparecer um sujeito mais esperto e tomá-la de você, que pode fazer a mesma coisa com Keller.

O outro não achou oportuno contar ao amigo que sua relação com Jennifer Yang havia terminado, ao menos era o que esperava, embora ela ainda fosse capaz de lhe preparar alguma surpresa desagradável. Era uma mulher vingativa, único defeito possível de censurar nela, em tudo mais, ela se destacava como a melhor das conquistas do *navy seal*: bonita, inteligente, moderna, sem nenhuma vontade de se casar ou ter filhos, com um bom salário e a obsessão erótica de ser escrava. Inexplicavelmente, aquela jovem executiva do Banco Wells Fargo se excitava com a obediência, a humilhação e o castigo. Jennifer era o sonho de qualquer homem razoável, mas Miller, que tinha gostos simples, tivera tantas dificuldades de se adaptar às regras do jogo, que ela lhe emprestou um livro recente para que se informasse. Tratava-se de um romance com um título sobre a cor bege, ou talvez fosse cinza, não tinha certeza, muito popular entre as mulheres, com o argumento tradicional dos romances românticos mais uma dose de pornografia suave, sobre a relação sadomasoquista de uma virgem inocente de lábios túrgidos e um multimilionário bonito e mandão. Jennifer sublinhara no livro o contrato que especificava as diversas formas de maus-tratos que a virgem — assim que deixasse de sê-lo — devia suportar: açoite, garrote, surras, violação e qualquer outra espécie de penitência que ocorresse a seu amo, desde que não deixasse cicatrizes nem sujasse muito as paredes. Para Miller não ficou claro em troca de que a protagonista se submetia àqueles extremos de violência doméstica, mas Jennifer lhe fez ver o óbvio: sofrendo, a ex-virgem atingia o paroxismo do prazer sem sentir culpa.

Entre Miller e Yang as coisas não funcionaram tão bem como no livro, ele nunca levou a sério seu papel e ela não conseguia chegar ao orgasmo quando ele lhe batia com um jornal enrolado e morrendo de rir. Sua frustração era bastante compreensível, mas que se aferrasse a Ryan Miller com desespero de náufrago não era. Uma semana antes, quando ele lhe pedira que deixassem de se ver por um tempo, eufemismo de uso universal para despachar o amante, Jennifer armou uma cena de tal dramaticidade que Miller se arrependeu de ter-lhe dito aquilo em um elegante salão de chá, onde todo mundo ficou sabendo, inclusive o confeiteiro, que apareceu para ver o que estava acontecendo. Por uma vez não lhe servira de nada o treinamento de *navy seal*. Pagou a conta às pressas e tirou Jennifer do salão sem nenhuma habilidade, aos empurrões e beliscões, enquanto ela resistia em um soluço quebrado. "Sádico!", gritou uma mulher de outra mesa, e Jennifer, que, apesar da gravidade de seu estado emocional, mantinha certa lucidez, lhe respondeu por cima do ombro: "Quem dera que fosse, senhora!"

Ryan Miller conseguiu enfiar Jennifer em um táxi e, antes de sair correndo em sentido contrário, chegou a ouvi-la gritar da janela uma ladainha de maldições e ameaças, entre as quais achou que distinguia o nome de Indiana Jackson. Cabia se perguntar como Jennifer ficara sabendo da existência de Indiana; devia ter sido pelo horóscopo chinês, porque ele nunca a mencionara.

Atila estava esperando os convidados ao lado de Miller e Alarcón na porta do Cuore d'Italia, com sua capa de serviço, que lhe permitia entrar em qualquer lugar. Miller a conseguira na qualidade de ferido em combate, embora não precisasse dos serviços do cão, mas apenas de sua companhia. Indiana achou estranho que sua filha, sempre avessa ao contato físico com qualquer pessoa alheia a sua família imediata, saudasse o *navy seal* e o uruguaio com beijos nas faces e se sentasse à mesa no meio dos dois. Atila aspirou com deleite o cheiro de flores de Indiana, mas se colocou entre a cadeira de Miller e a de Amanda, que coçava distraidamente suas cicatrizes enquanto examinava o cardápio. Era uma das poucas pessoas a quem os caninos de titânio e o aspecto de lobo espancado de Atila não impressionavam.

Indiana, que nunca recuperara sua silhueta de solteira, mas não se preocupava com alguns quilos a mais ou a menos, pediu uma Caesar salad, *gnocchi* com ossobuco e peras carameladas; Blake se limitou a um *linguini* com mariscos; Ryan Miller cuidava de sua dieta e optou por um linguado na brasa; e Pedro Alarcón pelo maior filé do menu, que jamais seria tão bom como o de seu país, enquanto Amanda, para quem qualquer espécie de carne era um pedaço de animal morto e as verduras não passavam de coisas sem graça, pediu três sobremesas, uma Coca-Cola e mais guardanapos de papel para assoar o nariz, porque estava com um resfriado escandaloso.

— Você averiguou o que lhe pedi, Kabel? — perguntou ao avô.

— Mais ou menos, Amanda, mas por que não comemos antes de falar de cadáveres?

— Não vamos falar com a boca cheia, mas entre um prato e outro você pode ir me contando.

— De que se trata? — interrompeu Indiana.

— Do assassinato dos Constante, mamãe — disse Amanda, dando um pedaço de pão por baixo da mesa ao cachorro.

— De quem?

— Já lhe contei mil vezes, mas você nunca me ouve.

— Não dê comida a Atila, Amanda. Ele só come o que lhe dou, para evitar que o envenenem — advertiu-a Miller.

— Quem iria envenená-lo? Não seja paranoico, cara.

— Escute. O governo gastou 26 mil dólares para adestrar Atila, não o estrague. O que esses homicídios têm a ver com você?

— Também me pergunto a mesma coisa. Não sei por que essa pirralha está preocupada com mortos que não conhecemos — suspirou Indiana.

— Kabel e eu estamos investigando por nossa conta o caso de Ed Staton, um sujeito em quem enfiaram um bastão de beisebol por trás...

— Amanda! — interrompeu-a a mãe.

— Qual é o problema? Saiu na internet, não é nenhum segredo. Isso aconteceu em outubro. Também temos o caso dos Constante, o casal que foi assassinado um mês depois de Staton.

— E o de um psiquiatra que foi morto na terça-feira — acrescentou Blake.

— Pelo amor de Deus, papai! Por que você entra na onda dessa garota? Essa mania é perigosa! — exclamou Indiana.

— Não tem nada de perigoso, é uma experiência. Sua filha quer testar por si mesma a eficiência da astrologia — explicou seu pai.

— Não estou sozinha, também tem você, Esmeralda, sir Edmond Paddington, Abatha e Sherlock — corrigiu-o a neta.

— Quem são esses? — perguntou Alarcón, que até então mastigara seu filé com extrema concentração, alheio à conversa da mesa.

— O pessoal do *Ripper*, um jogo de RPG. Eu sou Kabel, o serviçal da mestra do jogo — informou Blake.

— Você não é meu serviçal, é meu ajudante. Você cumpre minhas ordens.

— É o que faz um serviçal, Amanda — esclareceu o avô.

— Contando o homicídio de Ed Staton em outubro, os dos Constante em novembro e o do psiquiatra na terça-feira, são apenas quatro mortos interessantes desde que minha madrinha fez o alerta. Estatisticamente, isso não é um banho de sangue. Precisamos de mais alguns assassinatos — acrescentou Amanda.

— De quantos? — perguntou Alarcón.

— Eu diria que, pelo menos, de quatro ou cinco.

— Não se pode levar a astrologia ao pé da letra, Amanda, é preciso interpretar suas mensagens — disse Indiana.

— Suponho que, para Celeste Roko, a astrologia é uma ferramenta da intuição, como poderia ser o pêndulo para um hipnotizador — sugeriu Alarcón.

— Para minha madrinha não é nenhum pêndulo, é uma ciência exata. Mas se fosse assim, as pessoas nascidas na mesma hora e no mesmo lugar, digamos em um hospital público de Nova York ou de Calcutá, onde podem nascer várias crianças simultaneamente, elas teriam destinos idênticos.

— No mundo existem mistérios, filha. Como vamos negar tudo o que não podemos explicar ou controlar? — rebateu Indiana, molhando seu pão com azeite de oliva.

— Você é muito crédula, mamãe. Acredita na aromaterapia, nos seus ímãs, e até na homeopatia daquele seu amigo ventríloquo.

— Veterinário, não ventríloquo — corrigiu a mãe.

— Bem, o que seja. A homeopatia equivale a dissolver uma aspirina no oceano Pacífico e receitar quinze gotas ao paciente. Kabel, me apresente os fatos. O que sabemos a respeito do psiquiatra?

— Ainda muito pouco, tenho me dedicado aos Constante.

Enquanto Indiana e Ryan Miller cochichavam entre si, Amanda interrogou o avô perante o ouvido atento de Pedro Alarcón, que parecia fascinado com o jogo que a garota descrevia. Entusiasmado, Blake Jackson tirou um bloco de notas de sua pasta e colocou-o sobre a mesa, desculpando-se por não ter avançado como deveria no caso do psiquiatra; o ajudante tinha muito trabalho na farmácia, era temporada de gripe, mas havia reunido quase tudo o que aparecera até aquele momento nos meios de comunicação sobre os Constante e obtivera uma autorização de Bob Martín, que ainda o chamava de sogro e não conseguia lhe dizer não, para examinar os arquivos do Departamento de Polícia, inclusive os documentos que não estavam à disposição do público. Entregou duas páginas a Amanda com a síntese do relatório forense e outra com o que arrancara dos detetives designados para o caso, que conhecia havia muitos anos, porque eram colegas de seu ex-genro.

— Nem Staton nem os Constante se defenderam — disse a neta.

— E o psiquiatra?

— Parece que também não.

— Os Constante tinham sido drogados com Xanax quando lhes injetaram a heroína. É um medicamento usado contra a ansiedade e, dependendo da dose, produz sono, letargia e amnésia — explicou o avô.

— Isso significa que estavam dormindo? — perguntou Amanda.

— É o que seu pai acha — replicou o avô.

— Se o assassino tinha acesso ao Xanax, poderia ser médico, enfermeiro ou até mesmo farmacêutico, como você — disse a menina.

— Não necessariamente. Qualquer pessoa pode conseguir uma receita ou comprá-lo no mercado negro. Todas as vezes que assaltaram minha farmácia foi para roubar esse tipo de medicamento. Além disso, pode-se consegui-lo pela internet. Se é possível comprar um rifle semiautomático ou materiais para preparar uma bomba e recebê-los pelo correio, não há dúvida de que se pode comprar Xanax.

— Há algum suspeito? — perguntou o uruguaio.

— Michael Constante tinha um péssimo caráter. Uma semana antes de morrer teve uma discussão que terminou em pancadaria com Brian Turner, um eletricista que é membro dos Alcoólicos Anônimos. A polícia está de olho em Turner, por seu passado obscuro: vários delitos menores, uma acusação por felonia, três anos de prisão. Tem 32 anos e está desempregado — informou Blake.

— É violento?

— Parece que não. No entanto, agrediu Michel Constante com uma garrafa de refrigerante. Pessoas que estavam por perto conseguiram segurá-lo.

— Sabe-se o motivo da discussão?

— Michael acusou Turner de andar atrás de sua esposa, Doris. Mas é difícil acreditar, porque Doris era quatorze anos mais velha e excepcionalmente feia.

— Há gosto para tudo... — observou Alarcón.

— Foram marcados a fogo depois de mortos — disse Amanda ao uruguaio.

— Como determinaram que foi depois de mortos?

— Pela cor da pele, o tecido vivo reage de uma maneira diferente. Supõe-se que as marcas foram produzidas por um maçarico encontrado no banheiro — explicou Blake Jackson.

— Para que servem esses maçaricos? — perguntou Amanda, dando colheradas em sua terceira sobremesa.

— Para cozinhar. Por exemplo, usaram um para fazer o *crème brûlée* que você está comendo. Serve para queimar o açúcar da superfície. São vendidos em lojas de artigos de cozinha e custam entre 25 e quarenta dólares. Eu nunca usei um desses, claro que sei muito pouco a respeito de cozinhar — comentou o avô. — Acho estranho que os Constante tivessem uma coisa dessas, porque em sua cozinha só havia *junk food*, não imagino aquela gente fazendo *crème brûlée*. O maçarico era praticamente novo.

— Como você sabe? — perguntou a neta.

— A cápsula de butano estava praticamente vazia, mas o metal do maçarico parecia novo. Acho que não pertencia aos Constante.

— O assassino pode tê-lo levado, assim como levou as seringas. Você disse que havia uma garrafa de bebida na geladeira? — perguntou Amanda.

— Sim. Deve ter sido dada de presente aos Constante, mas é preciso ser muito louco para dar uma coisa dessas a um alcoólatra reabilitado — disse Blake.

— Que tipo de bebida?

— Uma espécie de vodca ou de aguardente da Sérvia. Não é vendida aqui, perguntei em vários lugares e ninguém a conhece.

Ao ouvir a menção à Sérvia, Ryan Miller se interessou pela conversa e lhes contou que estivera nos Bálcãs com seu grupo de *navy seals* e podia lhes garantir que aquela bebida era mais tóxica do que a terebintina.

— De que marca era? — perguntou.

— Isso não está no relatório. O que importa a marca?

— Tudo importa, Kabel! Averigue — ordenou Amanda.

— Então, suponho que você precisa das marcas das seringas e do maçarico. E, já que estamos falando disso, também a do papel higiênico — disse Blake.

— Exatamente, ajudante. Fique atento.

Domingo, 15

Alan Keller pertencia a uma família que tinha influência em São Francisco havia mais de um século, primeiro por sua fortuna e depois por tradição e vinculações. Os Keller doavam, tradicionalmente, a cada eleição, somas vultosas ao Partido Democrata, tanto por ideais políticos como para obter vantagem nos contatos, sem os quais seria muito difícil ser alguém na cidade. Alan era o mais jovem dos três filhos de Philip e Flora Keller, um casal de nonagenários que aparecia com regularidade nas colunas sociais, duas múmias meio piradas e decididas a viver para sempre. Seus descendentes, Mark e Lucille, administravam os bens da família à revelia do mais novo, que consideravam o artista da família por ser o único capaz de apreciar a pintura abstrata e a música atonal.

Alan não trabalhara nem um único dia em toda a sua vida, mas estudara história da arte, publicava artigos criteriosos em revistas especializadas e, de vez em quando, assessorava curadores de museus e colecionadores. Tivera amores curtos, nunca se casara, e a ideia de se reproduzir e contribuir para o excesso de população do planeta não o preocupava, porque o número de seus espermatozoides era tão baixo que poderia ser considerado insignificante. Não precisava de uma vasectomia. Em vez de criar filhos, preferia criar cavalos, mas não o fazia porque era um passatempo muito caro, como dissera a Indiana assim que a conhecera, acrescentando que a Orquestra Sinfônica se beneficiaria de sua herança, se restasse alguma coisa depois de sua morte, já que pensava em desfrutar a vida sem dar atenção a gastos. Mas não era bem assim: devia controlar seus gastos, que sempre eram superiores a suas receitas, como insistiam seus irmãos a cada momento.

Sua falta de talento para os negócios era motivo de zombarias dos amigos e censuras da família. Arriscava-se em aventuras comerciais fantasiosas, como um vinhedo em Napa, adquirido por capricho depois de ter sobrevoado em um balão os vinhedos da Borgonha. Era bom degustador, e a vinicultura estava na moda, mas carecia até da noção mais elementar sobre o negócio, de modo que sua insignificante produção mal se destacava no mundinho competitivo dessa indústria e dependia de administradores pouco confiáveis.

Tinha orgulho de sua propriedade, cercada de roseiras, com uma casa estilo fazenda mexicana, onde brilhava sua coleção de obras de arte latino-americanas, desde figuras incaicas de barro e pedra, raras até mesmo no Peru, até duas telas de tamanho mediano de Botero. Tudo mais estava em sua casa de Woodside. Era um colecionador perseverante, capaz de atravessar o mundo para conseguir uma peça única de porcelana francesa ou jade chinês, mas raramente precisava fazê-lo, pois para isso contava com inúmeros fornecedores.

Vivia em uma mansão no campo construída por seu avô quando Woodside ainda era considerado zona rural, muitas décadas antes de ter se transformado no refúgio dos milionários do Vale do Silício que chegou a ser nos anos 1990. O casarão impressionava por fora, mas por dentro era decrépito. Havia quatro décadas que ninguém se preocupava em lhe dar uma mão de tinta ou substituir os encanamentos. Alan Keller queria vendê-lo, porque o terreno era muito valioso, mas seus pais, os verdadeiros donos, se aferravam à propriedade por motivos inexplicáveis, já que nunca a visitavam. Alan desejava que ainda vivessem muito tempo, mas não podia deixar de calcular o quanto melhoraria sua situação se Philip e Flora optassem por descansar em paz. Quando a casa fosse vendida e ele recebesse sua parte, ou quando a herdasse, compraria uma cobertura moderna em São Francisco, mais conveniente para um solteiro da alta sociedade como ele do que aquela velha mansão rural, onde nem sequer podia oferecer um coquetel, temendo que um rato passasse correndo entre os pés dos convidados.

Indiana não conhecia essa residência nem o vinhedo de Napa, porque ele não os mostrara e ela tinha pudor de insinuar que o fizesse. Supunha que, no momento oportuno, ele tomaria a iniciativa. Quando o assunto vinha à tona, Amanda dizia que Keller tinha vergonha de sua mãe, e ela não gostava nem um pouco da perspectiva de ter aquele homem como padrasto. Indiana não lhe dava atenção; sua filha era muito nova e ciumenta para perceber as qualidades de Alan Keller: senso de humor, cultura, refinamento. Não tinha por que lhe dizer que, além de tudo isso, era um bom amante; Amanda ainda achava que seus pais eram assexuados, como as bactérias. A garota admitia que Keller, apesar da idade avançada, era agradável aos olhos; parecia-se com um ator inglês cabeludo e bem-apessoado que fora surpreendido em Los Angeles brincando com uma prostituta dentro de um carro, cujo nome ela sempre esquecia, porque não aparecia nos filmes de vampiros.

Graças a seu amante, Indiana conhecera Istambul e estava aprendendo a apreciar a boa cozinha, a arte, a música e os filmes antigos em preto e branco ou os estrangeiros, que ele precisava lhe explicar porque ela não conseguia ler as legendas. Keller era um companheiro divertido, que não se incomodava quando o confundiam com seu pai, e dava a ela liberdade, tempo e espaço para se dedicar à família e ao trabalho, abria-lhe horizontes, era um amigo maravilhoso nos detalhes, preocupado em enaltecê-la e lhe dar prazer. Outra mulher teria se perguntado por que a excluía de seu círculo social e não a apresentara a nenhum membro do clã dos Keller, mas Indiana, desprovida de qualquer malícia, atribuía aquilo aos 22 anos de diferença de idade entre eles. Achava que Alan, tão respeitado, desejava lhe evitar o aborrecimento de se misturar com pessoas mais velhas e, ao mesmo tempo, se sentia fora de lugar em seu ambiente juvenil. "Quando você tiver 60 anos, Keller será um velho de 82 com marca-passo e Alzheimer", dissera-lhe Amanda, mas ela confiava no futuro: talvez, então, ele estivesse como um pimpolho e fosse ela quem sofreria do coração e padeceria de demência senil. A vida é cheia de ironias, o melhor é aproveitar o que se tem agora, sem pensar em um hipotético amanhã, pensava.

O amor de Alan Keller e Indiana havia transcorrido sem maiores contratempos, distanciado dos dissabores cotidianos e protegido da curiosidade alheia, mas, nos últimos meses, as finanças dele haviam se complicado e sua saúde estava se deteriorando, e isso interferia nas rotinas de sua vida e na placidez de sua relação com Indiana. Ele tinha certo orgulho de sua incompetência para lidar com o dinheiro, porque o diferenciava do restante de sua família, mas não podia continuar ignorando seus péssimos investimentos, os prejuízos que tinha com seu vinhedo, a queda de suas ações e o fato de que seu capital em obras de arte era inferior ao que imaginara. Acabara de descobrir que sua coleção de jades não era tão antiga nem tão valiosa como o haviam feito acreditar. Além disso, em seu check-up anual haviam detectado um possível câncer de próstata, coisa que o mergulhou em um estado de terror durante cinco dias, até que seu urologista o salvou da agonia com novos exames de sangue. O laboratório teve de admitir que havia confundido os resultados anteriores com os de outro paciente. Ao completar 55 anos, as dúvidas de Keller a respeito de sua saúde e virilidade, adormecidas desde que conhecera Indiana e passara a se sentir jovem, voltaram a molestá-lo. Estava deprimido. Faltava em seu passado alguma coisa que pudesse destacar em seu epitáfio. Havia percorrido dois terços do trajeto de sua vida, calculava o tempo que lhe restava até que se transformasse em uma réplica de seu pai, temia a deterioração física e mental.

Acumulara dívidas e era inútil tentar recorrer a seus irmãos, que administravam os fundos familiares como se fossem seus únicos donos e restringiam o acesso a sua parte com o argumento de que ele só sabia gastar. Havia suplicado que vendessem a propriedade de Woodside, aquele dinossauro impossível de manter, e a resposta foi que não fosse mal-agradecido, dispunha da casa de graça. Seu irmão mais velho se oferecera para comprar o vinhedo de Napa para ajudá-lo a sair do sufoco, como dizia, mas Alan sabia que seus motivos estavam longe de ser altruístas; pretendia se apoderar da propriedade por uma ninharia. Não tivera êxito com os bancos, não tinha crédito e não adiantava mais jogar golfe com um gerente para resolver um problema qualquer de forma amigável, como acontecia antes da crise econômica. De repente, sua existência, invejável até há pouco, tinha se complicado, e ele se sentia preso como uma mosca em uma teia de aranha de inconveniências.

Seu psiquiatra diagnosticou uma crise existencial passageira, frequente em homens de sua idade, e receitou testosterona e mais antidepressivos. Com tantas preocupações, havia descuidado de Indiana e agora os ciúmes o acossavam sem lhe dar trégua, coisa que também era normal, segundo o psiquiatra, a quem não confessara que voltara a contratar Samuel Hamilton Jr., o detetive particular.

Não queria perder Indiana. A ideia de ficar sozinho ou começar tudo de novo com outra mulher o desalentava, não tinha idade para encontros românticos, estratégias de conquistas, escaramuças e concessões sexuais, tudo uma chatice. Sua relação com ela era confortável, inclusive tinha a sorte de ser odiado por Amanda, a pirralha malcriada. Isso o eximia de responsabilidade para com ela. Logo Amanda iria para a universidade e sua mãe poderia dedicar mais tempo a ele. No entanto, Indiana andava distraída e distante, já não tomava a iniciativa dos encontros amorosos e nem se mostrava disponível quando ele a desejava. Tampouco exibia a admiração de outrora, vivia contradizendo-o e aproveitava qualquer oportunidade para discutir. Keller não queria uma mulher submissa, isso o teria entediado até a morte, mas também não podia andar pisando em ovos para evitar uma confrontação com sua amante; para as brigas, bastavam-lhe seus empregados e parentes.

A mudança de atitude de Indiana era culpa de Ryan Miller, não havia outra explicação cabível, embora seu detetive particular lhe assegurasse que não existiam motivos concretos para tal acusação. Bastava ver Miller, com seu nariz quebrado e sua pinta de brutamontes, para adivinhar que era perigoso. Imaginava aquele gladiador na cama com Indiana e sentia náuseas. O cotoco da perna seria um empecilho? Quem sabe, talvez pudesse ser uma particularidade favorável: as mulheres são curiosas, excitam-se com as coisas mais estranhas. Não podia revelar suas suspeitas a Indiana, os ciúmes eram indignos de um homem como ele, humilhantes, algo que nem sequer conseguia discutir com seu psiquiatra. Segundo Indiana, o soldado era seu melhor amigo, coisa que por si só era intolerável, porque esse papel cabia a ele, mas tinha certeza de que uma amizade platônica entre um homem como Miller e uma mulher como ela era impossível. Precisava saber o que acontecia quando ficavam sozinhos no consultório número 8, em seus frequentes passeios pelo bosque, ou no loft de Miller, aonde ela não tinha por que ir.

Os informes de Samuel Hamilton Jr. eram muito vagos. Perdera a confiança naquele homem, talvez estivesse protegendo Indiana. Hamilton tivera a desfaçatez de lhe dar conselhos, dissera-lhe que em vez de espionar Indiana tentasse reconquistá-la, como se ele não tivesse pensado nisso. Mas como fazê-lo com Ryan enfiado no meio? Precisava encontrar uma maneira de afastá-lo ou eliminá-lo. Em um momento de fraqueza, insinuara isso ao detetive; certamente ele tinha contatos e, pelo preço adequado, poderia encontrar um gatinho alegre, um desses bandoleiros coreanos, por exemplo, mas Hamilton fora taxativo: "Não conte comigo; se está atrás de um assassino de aluguel, encontre-o você." Resolver o assunto a tiros não passava de uma piada, nada mais distante de sua forma de ser, e, além disso, se se tratasse de tiros, Miller era perigoso. O que faria se tivesse provas irrefutáveis da infidelidade de Indiana? A pergunta era como uma mosca-varejeira zumbindo em seu ouvido, não o deixava em paz.

Precisava reconquistar Indiana, como dissera o detetive. Esse termo arrepiava sua pele, "reconquistá-la", como nas telenovelas, mas, enfim, alguma coisa ele devia fazer, não podia ficar de braços cruzados. Garantiu a seu psiquiatra que poderia seduzi-la, como fizera no começo de sua relação, poderia lhe oferecer muito mais do que aquele amputado, conhecia-a melhor do que ninguém e sabia fazê-la feliz, não fora em vão que havia passado quatro anos refinando seus sentidos e lhe dando o prazer que nenhum homem saberia lhe dar e muito menos um soldado tosco como Miller. O psicanalista ouvia-o sem opinar, e a Keller, seus próprios argumentos, repetidos a cada sessão, soavam cada vez mais vazios.

Às seis da tarde do domingo, em vez de esperar Indiana em uma suíte do Hotel Fairmont para um jantar privado, assistir a um filme e fazer amor, como sempre, Keller resolveu surpreendê-la com uma novidade. Pegou-a na casa do pai e a levou para ver "Os mestres venezianos", no museu De Young — cinquenta quadros emprestados por um museu de Viena. Não quis ver a exposição no meio da multidão e, graças a sua amizade com o diretor do museu, conseguiu uma visita guiada quando o De Young estava fechado. Silencioso e sem visitantes, o moderno edifício parecia um templo futurista de vidro, aço e mármore, com imensos espaços geométricos repletos de luz.

O guia que lhes foi designado era um jovem com uma péssima pele e um discurso decorado; Keller mandou que se calasse usando sua autoridade de historiador da arte. Indiana usava um vestido azul, apertado e curto, que revelava mais do que cobria, o mesmo casacão bege de sempre, que tirou dentro do museu, e suas velhas botas de falsa pele de réptil que Keller tentara em vão substituir por alguma coisa mais apresentável, mas ela insistia em usar porque eram confortáveis. O guia ficou boquiaberto ao saudá-la e não se recuperou pelo resto da visita. Diante de suas perguntas, balbuciava respostas pouco convincentes, perdido nos olhos azuis daquela mulher que achou deslumbrante, tonto com seu aroma pecaminoso de almíscar e flores, excitado por seus cachos dourados, desordenados como se tivesse acabado de sair da cama, e pelo balanço desafiador de seu corpo.

Se não estivesse passando por uma depressão emocional, Keller teria se divertido com uma reação como a do guia, que tivera a oportunidade de testemunhar com certa frequência no passado. Normalmente gostava de andar acompanhado por uma mulher que outros desejavam, mas naquela ocasião não estava com disposição para distrações, porque queria ele mesmo recuperar a admiração de Indiana. Incomodado, interpôs-se entre ela e o guia e, pegando-a pelo braço com mais firmeza do que a necessária, conduziu-a quadro a quadro, falando da época da Alta Renascença e da importância de Veneza, uma república independente que já tinha mil anos de existência como centro comercial e cultural quando aqueles mestres pintaram suas obras, e lhe demonstrou, apontando os detalhes nos quadros, como a descoberta do óleo revolucionara a técnica da pintura. Ela era uma aluna aplicada, disposta a absorver o que ele quisesse lhe ensinar, desde o *Kama*

Sutra até a forma de comer uma alcachofra e com mais motivo os temas da arte.

Uma hora depois, estavam na última sala, diante de uma tela enorme, que Keller queria mostrar a Indiana de uma maneira especial: *Susana e os velhos*, de Tintoretto. O quadro estava exposto sozinho em uma parede e havia um banco onde puderam se instalar e observá-lo com calma, enquanto ele dizia que o tema de Susana havia sido interpretado por vários pintores do Renascimento e do Barroco. Era a pornografia da época: prestava-se para mostrar a nudez feminina e a luxúria masculina. Os homens ricos encomendavam quadros para pendurá-los em seus aposentos e, por uma gorjeta, o pintor aplicava em Susana o rosto da amante do mecenas.

— Segundo a lenda, Susana era uma mulher casada, virtuosa, que foi surpreendida por dois velhos libidinosos quando estava se banhando próximo de uma árvore de seu jardim. Como ela repelira suas insinuações, os velhos a acusaram de ter amores com um jovem. A sentença por adultério feminino era a morte — disse Keller.

— Apenas o feminino? — perguntou Indiana.

— Claro. É uma história bíblica e, portanto, machista, que faz parte do Livro de Daniel da versão grega da Bíblia.

— E o que aconteceu então?

— O juiz interrogou separadamente os anciãos, que não conseguiram entrar em acordo sobre o tipo de árvore sob a qual estava a bela. Um deles disse que se tratava de um cedro e o outro de um carvalho, ou algo assim. Ficou evidenciado que mentiam, e dessa maneira a nobre Susana recuperou sua reputação.

— Espero que os fofoqueiros tenham sido castigados — observou Susana.

— Segundo uma versão da história, foram executados, mas em outra versão só receberam uma reprimenda. Qual você prefere, Indiana?

— Nem tanto nem tão pouco, Alan. Não aprovo a pena de morte, mas é preciso fazer justiça. O que você acharia se fossem presos, multados e obrigados a pedir perdão publicamente a Susana e seu marido?

— Você é muito indulgente. Susana teria sido executada se não tivesse provado sua inocência. O justo seria que aquela dupla de velhotes fogosos recebesse um castigo equivalente — alegou Keller só para ser do contra, pois também não era partidário da pena de morte, salvo em casos muito específicos.

— Olho por olho, dente por dente... Com esse critério, estaríamos todos zarolhos e com dentaduras postiças — replicou ela, de bom humor.

— Enfim, a sorte dos mentirosos não é o que importa, não é verdade? — disse Keller, dirigindo-se pela primeira vez ao guia, que assentiu, mudo. — Os velhos luxuriosos são quase irrelevantes, estão na parte escura da tela. O foco de interesse é Susana, apenas ela. Observe a pele dessa jovem, cálida, suave, iluminada pelo sol da tarde. Preste atenção em seu corpo delicado, em sua postura lânguida. Não se trata de uma donzela, sabemos que é casada, que foi iniciada nos mistérios da sexualidade. Tintoretto consegue o equilíbrio preciso entre a donzela inocente e a mulher sensual, as duas coexistem em Susana nesse momento fugaz, antes que o passar do tempo lhe imprima sua marca. Esse instante é mágico. Olhe-a, rapaz, você não acha que a lascívia dos velhos é justificável?

— Sim, senhor...

— Susana tem certeza de que é atraente, ama seu corpo, é perfeita como um pêssego recém-colhido do galho, cheiroso, colorido, saboroso. A bela não imagina que já teve início o processo de amadurecer, envelhecer e morrer. Preste atenção nos tons dos cabelos, ouro e cobre, na graça das mãos e do pescoço, na expressão abandonada de seu rosto. É óbvio que acabou de fazer amor e está recordando, satisfeita. Seus movimentos são lentos, quer prolongar o prazer do banho, da água fresca e da brisa morna do jardim, acaricia-se, sente o leve tremor de suas coxas, da úmida e palpitante fenda no meio de suas pernas. Percebe o que estou lhe dizendo?

— Sim, senhor.

— Vamos ver, Indiana, com quem se parece a Susana do quadro?

— Não faço a menor ideia — replicou ela, surpresa diante do comportamento do amante.

— E o que você acha, jovem? — perguntou Keller ao guia, com uma expressão de inocência que contrastava com o sarcasmo de seu tom.

As cicatrizes de acne do rapaz brilharam como crateras em seu rosto de adolescente flagrado em falta, e ele cravou os olhos no chão, mas Keller não pretendia deixá-lo escapar.

— Vamos, rapaz, não seja tímido. Examine o quadro e me diga com quem se parece a bela Susana.

— Na realidade, senhor, não saberia lhe dizer — balbuciou o pobre sujeito, pronto para sair correndo.

— Não sabe ou não se atreve a dizer. Susana é muito parecida com a minha amiga Indiana, aqui presente. Olhe para ela. Teria que vê-la tomando banho, nua como Susana... — disse Keller, colocando um braço possessivo nos ombros da amante.

— Alan! — exclamou ela e, afastando-o com um empurrão, saiu da sala com passos rápidos, seguida de perto pelo trêmulo guia.

Keller conseguiu alcançar Indiana na porta do edifício e levou-a ao seu carro, entre súplicas e desculpas, tão desconcertado quanto ela pelo que havia feito. Fora um impulso absurdo e se arrependera assim que dissera aquilo. Não sabia o que havia acontecido, só podia ter sido um ataque de loucura, porque em seu juízo perfeito não cometeria semelhante vulgaridade, tão distante de seu caráter, insistiu ele.

O quadro, foi culpa do quadro, pensou. O contraste entre a juventude e a beleza de Susana e o aspecto repulsivo dos homens que a espiavam acabou lhe provocando calafrios. Viu a si mesmo como um daqueles velhos safados, louco de desejo por uma mulher inatingível que ele não merecia, e sentiu um amargo sabor de bílis na garganta. A pintura não o surpreendeu, vira-a em Viena e reproduzida em seus livros de arte, mas na luz e no silêncio do museu vazio golpeou-o como se tivesse encarado sua própria caveira no espelho. De uma distância de quase quinhentos anos, Tintoretto lhe revelava seus mais obscuros temores: a decadência e a morte.

Ficaram discutindo no estacionamento, vazio àquela hora, até que Keller conseguiu convencer Indiana a irem jantar para conversar com tranquilidade. Acabaram em uma discreta mesa de canto em um de seus restaurantes favoritos, um lugar pequeno, escondido em uma passagem da rua Sacramento, com um cardápio italiano original e uma excelente carta de vinhos. Depois do primeiro cálice de um *dolcetto* piemontês e com o espírito apaziguado, ela o fez ver quão humilhada se sentira no museu, como uma mulher desonesta diante dos olhos do guia.

— Não achava que você fosse capaz de tamanha crueldade, Alan. Ao longo desses anos em que estamos juntos, você nunca me mostrou esse seu lado. Eu me senti punida e acho que o pobre rapaz também.

— Não pense assim, Indi. Como poderia querer castigá-la? Pelo contrário, não sei como premiá-la por tudo o que você me dá. Pensei que ficaria orgulhosa da comparação com a bela Susana.

— Com aquela gorda?

Keller começou a rir, ela foi contagiada e a lamentável cena do museu perdeu de repente a gravidade. Keller reservara para a sobremesa a surpresa que havia preparado: uma viagem de duas semanas à Índia nas condições que ela escolhesse, um sacrifício que ele estava disposto a fazer por amor, apesar de suas recentes dificuldades financeiras e do fato de que a milenar miséria da Índia o assustava. Poderiam se hospedar em algum dos palácios dos marajás, transformados em hotéis de luxo, em camas de pluma e seda, com serventes particulares, ou dormir no chão de um *ashram* entre escorpiões, como ela quisesse, ele ofereceu. O deleite espontâneo de Indiana dissipou seus temores de que o desgosto do museu tivesse arruinado sua surpresa: a mulher o beijou com exagero, diante do olhar divertido do garçom que trazia os pratos. "Está tentando fazer com que eu o perdoe por alguma coisa?", perguntou-lhe Indiana, sem suspeitar quão profético estava sendo esse comentário.

Segunda-feira, 16

Os jogadores de *Ripper* ficaram vários dias sem jogar, porque Abatha estivera em um hospital, amarrada a uma cama, recebendo alimento por uma sonda conectada ao estômago. Sua enfermidade progredia, e, a cada grama de peso que perdia, dava outro passo em direção ao mundo dos espíritos, onde queria habitar. A única coisa que conseguia distraí-la da firme decisão de desaparecer era o *Ripper* e o propósito de solucionar os crimes de São Francisco. Assim que saiu do CTI e foi transferida para um quarto particular, vigiada dia e noite, pediu seu laptop e entrou em contato com seus únicos amigos, quatro adolescentes e um avô que não conhecia pessoalmente. Naquela noite, seis telas em diversos pontos do mundo entraram em contato para o novo jogo, que a mestra denominara de "o crime do eletrocutado".

Amanda começou falando dos resultados da autópsia, que havia encontrado em um envelope no apartamento de seu pai e fotografara com seu celular.

— Ingrid Dunn deu a primeira olhada no corpo de Richard Ashton às 9h10 e estimou que a morte foi produzida entre oito e dez horas antes. Isso significa que deve ter ocorrido perto da meia-noite da segunda-feira, embora alguns minutos a mais ou a menos não tenham importância a essa altura da investigação. Ainda não existem pistas sobre o autor e o motivo do crime. Meu pai designou vários detetives para o caso.

— Vamos rever o que temos — pediu o coronel Paddington.

— Você tem permissão para falar, Kabel. Conte o que sabemos — ordenou Amanda ao avô.

— Richard Ashton morreu eletrocutado por uma *taser*. Na autópsia, encontraram sinais de punção em torno dos quais a pele estava irritada, avermelhada.

— O que é *taser*? — perguntou Esmeralda.

— Uma arma que a polícia usa para dissuadir ou controlar pessoas agressivas ou dissolver motins. Tem o tamanho de uma pistola grande e dispara descargas elétricas através de eletrodos unidos a filamentos condutores — explicou o coronel Paddington, especialista em armas.

— É possível matar com isso?

— Depende de como for usado. Há vários casos em que as pessoas morreram, mas não é frequente. A *taser* ataca o sistema nervoso central com uma poderosa descarga elétrica que paralisa os músculos e nocauteia a vítima, inclusive a uma distância de vários metros. Imaginem o que acontece com várias descargas.

— Também depende da vítima. A *taser* pode matar uma pessoa com insuficiência cardíaca, mas não era o caso de Ashton — acrescentou Amanda.

— Digamos que o primeiro choque elétrico imobilizou Ashton; então, o assassino amarrou suas mãos e tapou sua boca com a fita adesiva, depois lhe aplicou as descargas até matá-lo — especulou Sherlock Holmes.

— A *taser* pode disparar mais de uma descarga? — perguntou Esmeralda.

— É preciso recarregá-la, e isso demora uns vinte segundos — esclareceu Paddington.

— Então usou duas — disse Abatha.

— É isso, Abatha! O assassino tinha mais de uma *taser* e desferiu várias descargas seguidas em Ashton, sem lhe dar tempo de se recuperar, até que seu coração falhou — disse Sherlock Holmes.

— Eletrocutado... uma execução, como a cadeira elétrica — acrescentou Abatha.

— Como se consegue uma *taser*? — perguntou Esmeralda.

— Além do que é usado pela polícia, existe um modelo de uso civil, para autodefesa; mas não é barato, custa em torno de quinhentos dólares — explicou Paddington.

— Segundo as anotações de meu pai, o psiquiatra estava descalço. Acharam seus sapatos embaixo da escrivaninha, mas não as meias — disse Amanda.

— Estava sem meias em pleno inverno? — observou Esmeralda.

— Ayani, sua mulher, anda descalça. Meu pai diz... o inspetor Martín diz que Ayani tem pés de princesa. Bem, isso não nos interessa. O tapete do estúdio estava úmido em um lugar, possivelmente era a água do copo que virou, embora a mancha não estivesse perto da escrivaninha.

— Elementar, caros amigos. A água é um bom condutor de eletricidade. O assassino tirou os sapatos da vítima e molhou suas meias para eletrocutá-lo — deduziu Sherlock.

— Eu vi uma coisa assim em um filme. Não molharam um preso condenado à morte antes de executá-lo na cadeira elétrica e ele foi praticamente cozinhado — disse Amanda.

— Você não deveria ver esse tipo de filme! — exclamou Kabel.

— Era para menores, não tinha sexo.

— Não acho que fosse indispensável molhar os pés de Ashton, mas talvez o assassino não soubesse disso. Depois ele levou as meias para despistar, confundir a polícia e ganhar tempo. Boa estratégia — disse o coronel Paddington.

— Ele não tinha motivos para se incomodar com isso — explicou Amanda. — A polícia vai perder muito tempo examinando pistas. O estúdio de Ashton estava entulhado de móveis, tapetes, cortinas, livros etc. e só era faxinado uma vez por semana. A empregada tinha instruções de não tocar em nenhum papel. Havia tal profusão de marcas, cabelos, escamas de pele, fiapos, que será praticamente impossível determinar quais são relevantes.

— Veremos o que dizem os exames de DNA — disse Abatha.

— Perguntei isso a meu pai — interveio Amanda. — Ele disse que o DNA é examinado em menos de um por cento dos casos, porque se trata de um procedimento caro, complicado, e os recursos do Departamento são limitados. Às vezes, é financiado por uma companhia de seguros ou pelos herdeiros, quando há um bom motivo para fazê-lo.

— Quem é o herdeiro de Ashton? — perguntou Esmeralda.

— Sua mulher, Ayani.

— Não é preciso escavar muito para encontrar o motivo do crime, quase sempre é dinheiro — disse Sherlock Holmes.

— Permissão para falar — pediu Kabel.

— Outorgada.

— Mesmo que encontrem indícios, certamente não servirão para nada se não houver com o que compará-los. Ou seja, é preciso encontrar indícios que correspondam ao DNA de alguém que tenha sido preso e cujo DNA esteja registrado. De qualquer forma, a polícia está investigando todo mundo que esteve no estúdio desde que foi limpo pela última vez antes da morte de Ashton.

— Nossa tarefa para a próxima semana será desenvolver teorias sobre este caso, vocês já sabem: motivo, oportunidade, suspeitos, método. E não se esqueçam de tudo o que ainda falta averiguar sobre Ed Staton e os Constante — disse Amanda ao se despedir.

— Entendido — replicaram em uníssono os outros jogadores.

Galang entrou na sala com o café. Na bandeja levava um bule com uma asa longa de cobre talhado, duas pequenas xícaras e um frasquinho de vidro, semelhante a um vaporizador de perfume.

— Água de rosas? — perguntou Ayani, vertendo um café denso como petróleo nas xícaras.

Bob Martín, que jamais ouvira falar de água de rosas e estava acostumado com bules de meio litro de café aguado, não soube o que responder. Ayani verteu algumas gotas do frasco na xícara e a passou, explicando que Galang aprendera a fazer café árabe como ela gostava: fervia três vezes o café com açúcar e sementes de cardamomo no bule de cobre e esperava que a borra se depositasse no fundo antes de servi-lo. Martín provou aquela beberagem doce e espessa pensando na dose de cafeína que estava jogando no corpo às cinco da tarde e como dormiria mal naquela noite. A senhora Ashton vestia um caftan preto bordado com fios dourados, que a cobria até os pés e só deixava à vista suas mãos elegantes, seu pescoço de gazela e aquele rosto famoso que perturbava sua imaginação desde que a vira. Os cabelos estavam presos em um coque na nuca com dois palitos, e ela usava duas grandes argolas de ouro nas orelhas e uma pulseira de osso no pulso.

— Perdoe-me tornar a incomodá-la, Ayani.

— Pelo contrário, inspetor, é um prazer falar com o senhor — disse ela, sentando-se em uma das poltronas com a xícara na mão.

Bob Martín voltou a admirar seus pés delgados, com anéis de prata em alguns dedos, perfeitos apesar do hábito de andar descalça, que havia notado na primeira vez que a vira no jardim, naquela terça-feira memorável da morte de Ashton, quando ela entrara em sua vida. Entrar não era o verbo apropriado, porque isso ainda não ocorrera; Ayani era uma miragem.

— Eu lhe agradeço por vir à minha casa. Confesso que me senti acossada na delegacia, mas suponho que acontece a mesma coisa com todo mundo. Acho estranho que o senhor esteja trabalhando hoje. Não é feriado?

— É o dia de Martin Luther King, mas para mim não há feriados. Se não se importa, vamos rever alguns pontos do seu depoimento — sugeriu Bob Martín.

— O senhor acha que eu matei Richard.

— Não disse isso. Acabamos de dar início às investigações; seria prematuro fazer conjecturas.

— Seja franco, não é necessário fazer rodeios, inspetor. As suspeitas sempre recaem no cônjuge, e com mais motivo neste caso. Suponho que já sabe que sou a única herdeira de Richard.

Bob Martín já sabia. Petra Horr, sua assistente, para quem não havia segredos, lhe dera muitas informações sobre os Ashton.

Ayani ia completar 40 anos, embora parecesse ter 25, e sua carreira de modelo, que começara quando ainda era muito jovem, tinha terminado. Os estilistas e fotógrafos se cansam do mesmo rosto, mas ela durou mais do que outras porque o público a reconhecia: era negra em uma profissão de brancas, exótica, diferente. Bob achava que aquela mulher continuaria sendo a mais bonita do mundo aos 70 anos. Durante algum tempo, Ayani fora uma das modelos mais bem-pagas, a favorita do mundo da moda, mas deixara de sê-lo cinco ou seis anos atrás. Suas receitas secaram e não tinha economias, porque gastava sem medida e ajudava sua imensa família que vivia em uma aldeia da Etiópia. Antes de se casar com Ashton, fazia malabarismos com cartões de crédito e empréstimos bancários e de amigos para manter as aparências e ter visibilidade. Queria se vestir como antes, quando os estilistas lhe davam roupas, e frequentar discotecas e festas do *jet set*. Ia de limusine aos lugares onde poderia ser fotografada, mas vivia modestamente em um apartamento conjugado na parte menos nobre de Greenwich

Village. Havia conhecido Richard Ashton em uma festa de gala destinada a arrecadar fundos para a campanha contra a mutilação genital feminina, na qual fez o discurso de abertura; esse era seu tema, e ela aproveitava qualquer oportunidade para expor os horrores dessa prática, da qual fora vítima na infância. Ashton, como os demais presentes, ficou comovido com a beleza de Ayani e sua franqueza ao relatar sua própria experiência.

Bob Martín queria saber o que ela vira em Richard Ashton, um homem rude, arrogante, de pernas curtas, barrigudo e com olhos esbugalhados de sapo. O psiquiatra tinha certa fama em seu mundinho profissional, mas isso não poderia ter impressionado aquela mulher que se ombreava com verdadeiras celebridades. Petra Horr achava que não era necessário procurar a quinta pata do gato, o motivo era claro: Richard era tão rico quanto feio.

— Entendi que você e seu marido se conheceram em Nova York, em dezembro de 2010, e se casaram um mês depois. Para ele, era o terceiro casamento, mas, para você, o primeiro. O que a levou a dar esse passo com um homem que mal conhecia? — perguntou Bob Martín.

— Seu cérebro. Era um homem brilhante, inspetor, qualquer um poderá lhe confirmar. Convidou-me para almoçar um dia depois de nos conhecermos e passamos quatro horas absortos na conversa. Queria que escrevêssemos um livro juntos.

— Que espécie de livro?

— Sobre a mutilação genital feminina. Minha parte consistiria em relatar meu caso e entrevistar uma série de vítimas, sobretudo na África. A parte dele seria a análise das consequências físicas e psicológicas dessa prática, que afeta 140 milhões de mulheres no mundo e deixa sequelas para o resto da vida.

— Chegaram a escrevê-lo?

— Não. Estávamos na etapa de planejar o livro e reunir o material quando... quando Richard morreu — disse Ayani.

— Compreendo. Afora o livro, deve ter havido outros aspectos do doutor Ashton que a levaram a se apaixonar — sugeriu Bob Martín.

— Apaixonar? Sejamos realistas, inspetor, eu não sou o tipo de mulher que se deixa arrastar por emoções. O romantismo e a paixão acontecem no cinema, mas não na vida de uma pessoa como eu. Nasci em uma aldeia com choças de barro, passei a infância carregando água e cuidando de cabras. Aos 8 anos uma velha imunda me mutilou, e quase morri de hemorragia e infecção. Aos 10 anos, meu pai começou a procurar um marido para mim entre homens da idade dele. Livrei-me de uma vida de trabalho e miséria, como a de minhas irmãs, porque um fotógrafo americano me descobriu e pagou a meu pai para que me permitisse vir para os Estados Unidos. Sou uma pessoa prática, não tenho ilusões a respeito do mundo, da humanidade e de meu próprio destino e muito menos com o amor. Casei-me com Richard por dinheiro.

A declaração bateu no peito de Bob Martín como uma pedrada. Não queria dar razão a Petra Horr.

— Repito, inspetor. Casei-me com Richard para viver com comodidade e ter segurança.

— Quando o doutor Ashton fez seu testamento?

— Um dia antes do casamento. Por conselho do meu advogado, apresentei essa condição. O contrato estabelece que, com sua morte, eu herdo todos os seus bens, mas apenas cinquenta mil dólares em caso de divórcio. Essa cifra era uma gorjeta para Richard.

O inspetor tinha no bolso a lista de bens de Richard Ashton que Petra lhe entregara: a mansão de Pacific Heights, um apartamento em Paris, um chalé de cinco quartos em uma estação de esqui no Colorado, três automóveis, um iate de 55 pés de comprimento, investimentos de vários milhões de dólares e os direitos autorais de seus livros, que lhe davam uma receita modesta, mas contínua, porque eram textos obrigatórios para os psiquiatras. Além disso, havia um seguro de vida de um milhão de dólares em nome de Ayani. Os filhos dos casamentos anteriores de Richard Ashton receberiam uma cifra simbólica de mil dólares cada um, mas, se entrassem em conflito com as disposições do testamento, não receberiam nada. Logicamente, essa cláusula deixaria de valer se conseguissem provar que Ayani era responsável pela morte de seu pai.

— Em poucas palavras, inspetor, a melhor coisa que poderia me acontecer era enviuvar, mas não matei meu marido. Como sabe, não poderei tocar em um dólar da herança que me cabe antes de o senhor encontrar o assassino — concluiu Ayani.

Sexta-feira, 20

Blake Jackson organizara seus horários na farmácia para ficar livre nas tardes das sextas-feiras e poder pegar sua neta no internato às três, hora em que acabava a semana escolar. Levava-a à sua casa ou à de Bob Martín, de acordo com os turnos estabelecidos, e, como aquele fim de semana cabia a ele, disporiam de dois dias completos de lazer e camaradagem, tempo de sobra para jogar *Ripper*. Viu a garota sair do colégio no meio do tropel de alunas, arrastando seus pertences, com os cabelos despenteados, procurando-o com aquela expressão de ansiedade que sempre o deixava comovido. Quando Amanda era pequena, ele costumava se esconder só para ver o sorriso de enorme alívio da neta ao achá-lo. Não queria nem pensar como seria sua vida quando ela deixasse o ninho. Amanda o beijou e os dois colocaram no porta-malas a mochila, a sacola com roupa suja, os livros e o violino.

— Tenho uma ideia para seu livro — disse a neta.

— Qual?

— Um romance policial. Escolha qualquer um dos crimes que estamos investigando, exagere um pouco, deixe-o bem sangrento, enfie alguma coisa de sexo, muita tortura e perseguições de carro. Eu o ajudo.

— É necessário um herói. Quem seria o detetive?

— Eu — disse Amanda.

Elsa Domínguez, que chegara com um frango ensopado, e Indiana já estavam em casa, esta lavando as toalhas e os lençóis de seu consultório na velha máquina de lavar roupa do pai, em vez de usar a lavanderia automática do porão da Clínica Holística, como faziam os inquilinos dos outros escritórios. Quatro anos antes, quando Amanda havia começado o secundário no internato, Elsa resolvera reduzir suas horas de trabalho e só ia duas vezes por mês fazer a faxina, mas visitava Blake Jackson com frequência. Com discrição, a boa mulher deixava na geladeira recipientes de plástico com seus pratos preferidos, telefonava para lhe lembrar de cortar o cabelo, tirar o lixo e trocar seus lençóis, detalhes que não ocorriam a Indiana nem a Amanda.

Quando Celeste Roko aparecia para visitá-lo, Blake Jackson se trancava no banheiro e ligava para Elsa pedindo socorro, assustado com a possibilidade de ficar sozinho com a pitonisa, porque, pouco depois de ter enviuvado, ela lhe dissera que os mapas astrais de ambos eram particularmente compatíveis e, já que estavam sozinhos e livres, não seria má ideia se juntarem. Nessas ocasiões,

Elsa acudia às pressas, servia chá e se instalava na sala para fazer companhia a Blake até que Celeste se dava por vencida e se retirava batendo a porta.

Elsa estava com 46 anos e aparentava 60, tinha uma dor crônica nas costas, artrite e varizes, mas não perdia o bom humor e vivia cantando hinos religiosos entre dentes. Ninguém nunca a vira sem blusa ou camiseta de manga comprida, porque tinha vergonha das cicatrizes dos cortes que recebera quando soldados mataram seu marido e dois de seus irmãos. Chegara sozinha na Califórnia aos 23 anos, deixando quatro crianças pequenas com parentes em uma aldeia na fronteira com a Guatemala e depois as trouxera uma a uma, trepada à noite no teto de trens, cruzando o México em caminhões e arriscando a vida para atravessar a fronteira por trilhas clandestinas, convencida de que, se a existência como imigrante ilegal era dura, pior seria em seu país. Seu filho mais velho alistara-se no exército com a esperança de fazer carreira e obter a cidadania norte-americana, estava pela terceira vez no Iraque e no Afeganistão, e não via a família havia dois anos, mas, em seus breves contatos telefônicos, dizia que estava muito feliz. Suas duas filhas, Alicia e Noemí, tinham vocação de empresárias e tinham dado um jeito de obter permissão para trabalhar. Elsa tinha certeza de que iriam em frente, e no futuro, se os imigrantes clandestinos fossem anistiados, conseguiriam o visto permanente. As duas jovens dirigiam um grupo ilegal de mulheres latinas, em uniformes cor-de-rosa, que faziam faxina. Elas as transportavam às casas em que trabalhavam em caminhonetes também cor-de-rosa, com o curioso nome de "Gatas borralheiras atômicas" pintado na carroceria.

• • •

Amanda deixou suas coisas no vestíbulo, beijou a mãe e Elsa, que a chamava de "meu anjo" e a mimara como não pudera mimar seus próprios filhos quando eram pequenos. Enquanto Indiana e Elsa dobravam as roupas recém-saídas da secadora, ela começou uma partida de xadrez às cegas da cozinha com seu avô, que estava na sala, diante do tabuleiro.

— Uma camisola de dormir, sutiãs e calcinhas sumiram do meu guarda-roupa — anunciou Indiana.

— Não olhe para mim, mamãe. Eu uso manequim muito menor que o seu. Além disso, não vestiria nem morta alguma coisa com fecho, porque espeta — replicou Amanda.

— Não estou acusando você, mas alguém pegou minha roupa íntima.

— Será que a perdeu... — sugeriu Elsa.

— Onde, Elsa? Só tiro a calcinha na minha casa — respondeu Indiana, embora isso não fosse verdade, mas se as tivesse deixado em um quarto do Fairmont teria se dado conta antes de chegar ao elevador. — Estão faltando um sutiã cor-de-rosa e outro preto, duas calcinhas também cor-de-rosa e minha camisola de dormir fina, não consegui vesti-la uma única vez, estava reservada para uma ocasião importante.

— Que estranho, garota! O seu apartamento fica sempre trancado.

— Alguém entrou nele, tenho certeza. Essa pessoa também mexeu nos meus frascos de aromaterapia, mas acho que não levou nenhum.

— Deixou-os fora de lugar?

— Alinhou-os em ordem alfabética e agora não consigo encontrar nada. Eu tenho a minha própria ordem.

— Ou seja, ele teve tempo de sobra para fuçar suas gavetas, pegar a roupa de que gostou e organizar seus frascos. Levou mais alguma coisa? Você examinou a fechadura da porta, mamãe?

— Acho que não levou mais nada. A fechadura está intacta.

— Quem tem a chave da sua porta?

— Várias pessoas: Elsa, meu pai e você — replicou Indiana.

— E Alan Keller, mas ele não iria roubar a própria lingerie ridícula que lhe dá de presente — sussurrou entre dentes Amanda.

— Alan? Não tem a chave, nunca vem aqui.

Na sala, Blake moveu um cavalo, informou com um grito a sua neta e ela lhe respondeu berrando que daria o xeque-mate em três movimentos.

— Meu pai também tem a chave do seu apartamento — recordou a filha a Indiana.

— Bob? Por que a teria? Eu não tenho a do dele.

— Você lhe deu a chave para que instalasse a televisão, quando foi à Turquia com Keller.

— Mas, Amanda, como pode suspeitar de seu pai, menina, pelo amor de Deus? Seu pai não é nenhum ladrão, é policial — interveio Elsa Domínguez, desconcertada.

A princípio, Indiana concordava com ela, embora tivesse algumas dúvidas, porque Bob Martín era imprevisível. Costumava lhe dar aborrecimentos, sobretudo porque desrespeitava os acordos que faziam sobre Amanda, mas, em geral, tratava-a com o respeito e o carinho de um irmão mais velho. Também lhe fazia comoventes surpresas, como no seu último aniversário, quando mandara entregar uma torta no consultório. Seus colegas da Clínica Holística apareceram com champanhe e copos de papel, encabeçados por Matheus Pereira, para comemorar com ela e compartilhar a torta.

Ao cortá-la com um cortador de papéis, Indiana descobrira uma bolsinha de plástico com cinco notas de cem dólares, soma nada desprezível para seu ex-marido, cuja única receita era seu soldo de policial, e fabulosa para ela. No entanto, aquele mesmo homem que mandara fazer a torta com o tesouro dentro era capaz de se enfiar em seu apartamento sem permissão.

Ao longo dos três anos em que foram casados e conviveram sob o teto de Blake Jackson, Bob a controlara como um maníaco e, depois do divórcio, passara um bom tempo até se resignar a manter certa distância e a respeitar sua privacidade. Havia amadurecido, mas ainda tinha o caráter dominador e agressivo do capitão de equipe que havia sido e que tanto o ajudara em sua carreira no Departamento de Polícia. Quando jovem, tinha ataques de fúria e destroçava o que caísse em suas mãos; durante essas crises, Indiana abraçava a filha e corria para se refugiar na casa de algum vizinho até que chegasse seu pai, para quem ligara com urgência na farmácia. Na presença do sogro, Bob se acalmava imediatamente, uma prova de que, na realidade, não perdia a cabeça por completo. O vínculo entre os dois homens chegou a ser muito forte e se manteve intacto quando Bob e Indiana se divorciaram. Blake continuou tratando-o com a autoridade de um pai benevolente e, por sua vez, Bob era solícito como um bom filho. Iam juntos a partidas de futebol, assistiam a filmes de ação e tomavam alguma coisa no Camelot, o bar preferido dos dois.

Antes de conhecer Ryan Miller, seu marido era a segunda pessoa, depois de seu pai, a quem Indiana recorria em caso de necessidade, certa de que resolveria o problema, embora, de passagem, a sufocasse com conselhos e reprovações. Admirava suas qualidades e gostava muito dele, mas Bob seria capaz de lhe aprontar aquela brincadeira, podia ter roubado sua roupa íntima para demonstrar como seria fácil alguém roubá-la. Havia tempo que insistia na necessidade de trocar a fechadura e instalar um alarme.

— Você lembra que me prometeu uma gata? — perguntou Amanda à mãe, interrompendo suas cismas.

— No final de agosto você irá para a universidade, filha. Quem cuidará da gata quando você for embora?

— O vovô. Já conversamos sobre isso e ele concordou.

— Vai fazer bem a mister Jackson ter um bichinho. Ele vai ficar muito só sem a neta — suspirou Elsa.

Domingo, 22

O apartamento de Bob Martín ficava no 15º andar de um dos edifícios que haviam brotado como cogumelos nos últimos anos ao sul da Market Street. Poucos anos antes, aquela era uma zona portuária insalubre, com armazéns e botequins; agora se estendia ao longo do cais e era um dos bairros mais valorizados da cidade, com restaurantes, galerias de arte, clubes noturnos, hotéis luxuosos e imóveis residenciais, a poucas quadras do distrito financeiro e da Union Square. O inspetor havia comprado o apartamento na planta, antes que o preço atingisse níveis estratosféricos, com uma hipoteca que o manteria endividado até o fim de seus dias. O edifício era uma torre impressionante e, segundo Celeste Roko, um péssimo investimento, porque desabaria no próximo terremoto. No entanto, os planetas não conseguiram lhe dizer quando isso aconteceria. Da janela da sala podia-se admirar a baía salpicada de veleiros e a Bay Bridge.

Amanda, com penas enfiadas nos cabelos, meias amarelas listradas e o eterno cardigã esburacado nos cotovelos de seu avô, comia com o pai em bancos altos diante da bancada de granito preto da cozinha. Uma das ex-namoradas de Martín, paisagista, decorara o apartamento com incômodos móveis ultramodernos e uma selva de plantas, que morreram de melancolia assim que ela fora embora. Sem as plantas, o ambiente era inóspito como um sanatório, exceto o quarto de Amanda, cheio de quinquilharias e com as paredes cobertas com cartazes de bandas e de seus heróis, Tchaikovski, Stephen Hawking e Brian Greene.

— A Polaca virá hoje? — a menina perguntou ao pai. Estava habituada a seus caprichos amorosos, que duravam pouco e não deixavam marca, salvo um desastre de plantas mortas.

— Ela tem nome, se chama Karla, você sabe perfeitamente. Não virá hoje, arrancaram seus dentes de siso.

— Melhor assim. Não estou me referindo aos dentes. O que essa mulher quer de você, papai? Um visto americano?

Bob Martín deu um soco no granito da bancada e soltou uma ladainha sobre o respeito filial, enquanto esfregava a mão machucada. Amanda continuou comendo, imperturbável.

— Você sempre declara guerra a minhas amigas!

— Não exagere, papai... Em geral, eu as tolero mais do que bem, mas esta me dá calafrios, tem risada de hiena e coração de aço. Mas não vamos brigar por isso. Há quanto tempo você está com ela? Há um mês e meio, acho. Em duas semanas, a Polaca terá desaparecido e eu ficarei mais tranquila. Não quero que essa mulher explore você — declarou Amanda.

Bob Martín não conseguiu evitar um sorriso, gostava da filha mais do que de qualquer coisa neste mundo, mais do que de sua própria vida. Desordenou com uma palmada as plumas de índio e se dispôs a lhe servir a sobremesa. Tinha de admirar o bom senso de Amanda em matéria de namoradas transitórias, que havia provado ser bastante mais confiável que o seu próprio. Não iria confessar, mas sua aventura com Karla já chegara ao limite. Tirou sorvete de coco da geladeira e o serviu em duas taças de cristal preto, escolhidas pela paisagista, enquanto a menina enxaguava os dois pratos de pizza.

— Estou esperando, papai.

— O quê?

— Não se faça de bobo. Preciso de detalhes do crime do psiquiatra — exigiu Amanda, afogando seu sorvete em calda de chocolate.

— Richard Ashton. Foi na terça-feira, 10.

— Tem certeza?

— É claro que tenho certeza. Os antecedentes estão na minha escrivaninha, Amanda.

— Mas não é possível determinar a hora exata da morte. Há uma margem de várias horas, de acordo com o que li em um livro sobre cadáveres. Você precisa lê-lo, o título é *Rigidez*, ou algo assim.

— O que você anda lendo, filha?

— Coisas piores do que você imagina, papai. O caso do psiquiatra deve ser importante, porque você se reserva os melhores e não perde tempo com mortos de meia-tigela.

— Se você é assim tão cínica aos 17 anos, prefiro nem imaginar como será aos 30 — comentou o inspetor com um suspiro dramático.

— Fria e calculista, como a Polaca. Continue falando.

Resignado, Bob Martín a levou ao seu computador, mostrou-lhe fotografias da cena do crime e do corpo e entregou-lhe suas anotações com os detalhes da roupa da vítima e o relatório médico, que ela já havia fotografado com o celular em sua visita anterior.

— A esposa o encontrou de manhã. Você precisava vê-la, Amanda, é incrível, a mulher mais bonita que vi em toda a minha vida.

— Ayani, a modelo. Apareceu nos noticiários mais do que a própria vítima. Sua fotografia está em todos os lugares, anda inteiramente vestida de luto como aquelas viúvas antigas, imagine o ridículo — comentou Amanda.

— Não tem nada de ridículo. Talvez esse seja um costume de seu país.

— No lugar dela, eu estaria feliz de ter enviuvado daquele marido horroroso e ficado rica. O que você achou de Ayani? Refiro-me à sua personalidade.

— Além de ser espetacular, tem muito controle sobre suas emoções. Estava bastante tranquila no dia do crime.

— Tranquila ou aliviada? Onde estava na hora em que mataram o marido? — perguntou Amanda, pensando nas informações que os jogadores de *Ripper* estavam lhe exigindo.

— Ingrid Dunn calcula que Ashton estava morto havia oito ou dez horas, mais ou menos, ainda não temos os resultados definitivos da autópsia. Sua mulher estava dormindo na casa.

— Que conveniente...

— O empregado da casa, Galang, me disse que ela toma soníferos e tranquilizantes; imagino que por causa disso ela parecesse impassível no dia seguinte. E devido ao trauma, claro.

— Você não pode ter certeza de que naquela noite Ayani tivesse tomado soníferos.

— Galang levou-lhe uma xícara de chocolate, como sempre, mas não a viu tomá-lo, se é isso o que você está insinuando.

— Ela é a principal suspeita.

— Isso aconteceria em um filme policial. Na vida real, eu me guio pela experiência. Tenho olfato para essas coisas, por isso sou um bom policial. Não existe nenhuma prova contra Ayani, e meu olfato me diz...

— Não permita que o físico da principal suspeita interfira em seu olfato, papai. Mas você tem razão, é preciso estar aberto a novas possibilidades. Se Ayani planejava matar o marido, teria preparado um álibi mais convincente do que as pílulas para dormir.

Quarta-feira, 25

À noite, ao chegar à casa do pai, Indiana olhou a caixa de correspondência e, entre as contas e a propaganda política, encontrou uma luxuosa revista destinada, por assinatura, aos proprietários mais destacados de certos cartões de crédito, que ela vira algumas vezes no consultório de seu dentista. A casa estava em silêncio, era a noite do squash e da espelunca alemã de seu pai. Levou a revista e a correspondência para a cozinha, colocou água para ferver para preparar o chá e se sentou para folheá-la distraidamente. Percebeu que havia uma página marcada com um clipe e deu de cara com o artigo que haveria de transformar as rotinas de sua vida.

Na revista, Alan Keller aparecia em seu vinhedo, fotografado ao lado de seus hóspedes, com uma mulher loura pendurada em seu braço, que a legenda da fotografia identificava como Geneviève van Houte, baronesa belga, representante de vários estilistas europeus. Indiana leu com certa curiosidade até o terceiro parágrafo e ficou sabendo que Geneviève vivia em Paris, mas se especulava que logo estaria morando em São Francisco, transformada em esposa de

Alan Keller. O artigo descrevia a festa, oferecida em homenagem ao diretor da Sinfônica, trazia a opinião de vários convidados sobre o inevitável enlace, que o casal não desmentira, e mencionava a linhagem da Van Houte, cuja família ostentava o baronato desde o século XVII. Na página seguinte viu outras quatro fotografias de Alan Keller com a mesma mulher em diferentes lugares, em um clube de Los Angeles, em um cruzeiro pelo Alasca, em uma festa de gala, e de braços dados em uma rua de Roma.

Atordoada, com uma agitação nas têmporas e as mãos trêmulas, Indiana percebeu que Geneviève estava com o cabelo curto em duas imagens e comprido em outras, e que, no Alasca, Alan Keller estava usando o suéter bege de cashmere de que ela tanto gostava e havia tirado para lhe dar de presente. Como isso acontecera poucas semanas depois de conhecê-lo, a conclusão inevitável era que seu amante e a baronesa compartilhavam uma longa história. Tornou a ler o artigo e a examinar as fotografias, procurando algum sinal que desmentisse os fatos, mas não conseguiu encontrá-lo. Colocou a revista na mesa, em cima do envelope com os folhetos da viagem à Índia, e ficou sentada, com o olhar fixo na máquina de lavar pratos, enquanto a chaleira com água fervendo apitava no fogão.

Não sentia havia quinze anos a dor de uma traição. Casada com Bob Martín, suportara seu comportamento de adolescente atabalhoado, suas latas de cerveja espalhadas pelo chão, seus amigos esparramados diante da televisão e seus ataques violentos, mas só resolveu se divorciar quando se tornou impossível continuar ignorando suas infidelidades. Três anos depois do divórcio, Bob Martín ainda lhe pedia uma segunda oportunidade, mas ela perdera a confiança nele. Nos anos seguintes, teve vários casos amorosos que terminaram sem rancor, porque nenhum outro homem a enganou nem abandonou. Quando o entusiasmo esfriava, ela encontrava uma forma delicada de se afastar. Talvez Alan Keller não fosse o companheiro ideal, como viviam repetindo sua filha, seu ex-marido e Ryan Miller, mas até então não duvidara de sua lealdade, que, para ela, era o fundamento de sua relação. Aquelas duas páginas coloridas de papel acetinado da revista eram a prova de que se equivocara.

Para poder curar outros corpos, Indiana aprendera a conhecer bem o próprio, e, da mesma maneira que se sintonizava intuitivamente com seus pacientes, fazia-o consigo mesma. Alan Keller dizia que ela se relacionava com o mundo através dos sentidos e das emoções, vivia em uma época anterior ao telefone, em um universo mágico, confiando na bondade das pessoas; concordava com Celeste Roko, que afirmava que em uma encarnação anterior Indiana havia sido golfinho e na próxima voltaria ao mar, porque não era feita para a terra firme, faltava-lhe o gene da precaução. A isso somavam-se vários anos em uma trilha espiritual que contribuía para que não ligasse para as coisas materiais e tivesse a mente e o coração livres. Mas nada disso atenuou o golpe de ver Alan Keller e Geneviève van Houte na revista.

Foi ao seu apartamento, ligou a calefação e se deitou na cama sem acender as luzes, prestando atenção em seus sentimentos, respirando atentamente e convocando o *qi*, a energia cósmica que procurava transmitir aos seus pacientes, e o *prana*, a força que sustenta a vida, um dos aspectos de Shakti, sua deidade protetora. Sentia uma garra no peito. Chorou durante um tempo, e, por fim, depois da meia-noite, foi vencida pela fadiga e dormiu inquieta ao longo de algumas horas.

Quinta-feira, 26

Indiana acordou cedo depois de uma noite de sonhos atormentados que ela não conseguia lembrar. Esfregou algumas gotas de néroli, o óleo essencial da flor de laranjeira, nos pulsos, para se acalmar, e desceu à cozinha do pai para preparar um xarope de camomila com mel e colocar gelo nas pálpebras inchadas. Sentia o corpo moído, mas, depois do xarope e de vinte minutos de meditação, sua mente se aclarou e ela conseguiu examinar a situação com certo distanciamento. Convicta de que aquele estado zen duraria pouco, resolveu agir antes que as emoções tornassem a dominá-la e telefonou para Alan Keller para marcar um encontro à uma da tarde em seu banco favorito do parque Presidio, onde costumavam se encontrar. A manhã transcorreu sem dramas, envolvida com seu trabalho, ao meio-dia fechou o consultório, tomou um cappuccino na cafeteria de Danny D'Angelo e foi ao parque de bicicleta. Chegou dez minutos antes e se sentou para aguardar com uma revista no colo. O efeito calmante da camomila e do néroli se dissipara por completo.

Alan Keller surgiu pontualmente, sorrindo diante da novidade de que ela tivesse lhe telefonado, como nos tempos felizes de seu amor, quando a urgência do desejo afastava qualquer resistência. Convencido de que sua tática de surpreendê-la com a viagem à Índia lograra êxito, sentou-se ao seu lado e tratou de abraçá-la, mas ela se afastou e lhe entregou a revista. Keller não precisou abri-la, conhecia o conteúdo, que não o preocupara até aquele instante, porque a possibilidade de que viesse a cair nas mãos de Indiana era mínima.

— Suponho que você não acreditou nestas fofocas, Indi. Achava que você fosse uma mulher inteligente, não me decepcione — disse em tom leve. Era a pior das táticas.

Na meia hora seguinte, ficou tentando convencê-la de que Geneviève van Houte era apenas uma amiga, que haviam se conhecido quando ele fizera o doutorado em História da Arte em Bruxelas e se mantinham em contato por conveniência mútua: ele a introduzia nos círculos fechados da alta sociedade e ela o apoiava e assessorava em seus investimentos, mas nunca haviam considerado a hipótese de se casar, que ideia absurda, aqueles boatos eram ridículos. Em seguida, começou a detalhar seus reveses financeiros, enquanto Indiana o ouvia trancada em um silêncio pétreo, porque sua realidade era medida de dólar em dólar e a dele em centenas de milhares.

No ano anterior, quando passeavam de mãos dadas em Istambul, havia surgido o tema do dinheiro e de como gastá-lo. Ela não havia se sentido tentada por nenhum dos cacarecos bizantinos do bazar e, mais tarde, no mercado de especiarias, cheirara tudo o que estava à vista, mas só comprara alguns gramas de açafrão. Keller, por sua vez, passara a semana regateando tapetes antigos e jarras otomanas, e se lamentando depois pelo preço. Nessa ocasião, Indiana lhe perguntara quanto era o suficiente, quando se dizia basta, para que acumulava mais coisas e como conseguia dinheiro sem trabalhar. "Ninguém fica rico trabalhando", respondeu ele, rindo, e lhe deu uma aula sobre a distribuição da riqueza e de como as leis e as religiões se encarregavam de proteger os bens e os privilégios daqueles que possuíam mais, em detrimento dos pobres, para concluir que o sistema era de uma injustiça imensa, mas, por sorte, ele pertencia ao grupo dos afortunados.

No banco do parque, Indiana recordou aquela conversa, enquanto ele lhe explicava quanto devia em impostos, cartões de crédito e outras coisas, que seus últimos investimentos haviam fracassado e que não conseguiria conter por mais tempo seus credores com promessas e com o prestígio do sobrenome.

— Você não sabe como é desagradável ser rico sem dinheiro — suspirou Keller, à guisa de conclusão.

— Deve ser muito pior do que ser pobre de cabeça. Mas não estamos aqui por isso, e sim por nós. Vejo que você nunca me amou como eu amo você, Alan.

Ela pegou a revista, entregou a Alan o envelope da viagem à Índia, colocou o capacete e partiu em sua bicicleta, deixando para trás seu amante, que ficou surpreso e furioso, admitindo para si mesmo que acabara de dizer uma meia verdade a Indiana: era certo que não pensava em se casar com Geneviève, mas omitira que mantinha com ela uma *amitié amoureuse* havia dezesseis anos.

Keller e a belga se viam pouco, porque ela vivia viajando entre a Europa e várias cidades dos Estados Unidos, mas se encontravam quando coincidia de estarem no mesmo lugar. Geneviève era fina e divertida, podiam passar parte da noite se desafiando mutuamente em jogos intelectuais cujas regras só eles conheciam, salpicados de ironia e maldade, e, quando ela lhe pedia, ele sabia satisfazê-la na cama, sem se cansar, com a ajuda de um par de objetos eróticos que ela sempre carregava em sua mala de viagem. Tinham afinidade e pertenciam àquela classe social sem fronteiras, cujos membros se reconhecem em qualquer lugar do planeta, haviam viajado pelo mundo e se sentiam à vontade usufruindo de um luxo que lhes parecia natural. Os dois eram melômanos apaixonados, a metade da música que ele possuía recebera de presente de Geneviève, e, de vez em quando, se encontravam em Milão, Nova York ou Londres para a temporada lírica. Era notável o contraste entre aquela amiga, que Plácido Domingo e Renée Fleming costumavam convidar pessoalmente para suas apresentações, e Indiana Jackson, que nunca fora a uma ópera até que ele a convidara para ouvir *Tosca*. Naquela ocasião, ela não se impressionara com a música, mas acabara soluçando em seu ombro por causa do melodrama.

Irritado, Keller concluiu que não havia desrespeitado nenhum acordo com Indiana, a sua história com Geneviève não era amor, estava farto de mal-entendidos e de se sentir culpado por ninharias, em boa hora havia terminado aquela relação que já se arrastava havia muito tempo. No entanto, ao vê-la se distanciar na bicicleta, ocorreu-lhe perguntar-se como teria reagido se a situação tivesse sido ao revés e a amizade amorosa fosse de Indiana e Miller. "Vá para o inferno, sua estúpida!", resmungou, sentindo-se grotesco. Não pensava em vê-la nunca mais, que cena de péssimo gosto, aquilo jamais aconteceria com uma mulher como Geneviève. Tirar Indiana da cabeça, esquecê-la, era isso que lhe cabia, e, de fato, já começara a esquecê-la. Enxugou os olhos com o dorso das mãos e começou a andar com passadas impetuosas em direção ao carro.

Passou aquela noite acordado, vagando pelo casarão de Woodside com luvas e um casaco por cima do pijama, porque o fraco calor da calefação era sorvido pelas correntes de ar que, com um assovio inquietante, penetravam pelas frestas das madeiras. Esvaziou a garrafa de seu melhor vinho, enquanto ruminava múltiplas razões para se afastar de Indiana para sempre: o que acontecera provava mais uma vez a falta de critério e a vulgaridade daquela mulher. O que ela pretendia? Que ele abrisse mão de suas amizades e de seu círculo social? Os breves desentendimentos com Geneviève eram insignificantes, só alguém tão pouco viajado como Indiana seria capaz de armar uma confusão por semelhante banalidade. Nem sequer lembrava-se de ter se comprometido a ser-lhe fiel. Quando isso acontecera? Talvez em um momento de falta de lucidez, se o fizera fora por mera formalidade, mais do que uma promessa. Eram incompatíveis, sabia disso desde o começo, e seu erro havia sido alimentar as falsas esperanças de Indiana.

O vinho surtiu um péssimo efeito. Amanheceu com azia e dor de cabeça. Depois de dois analgésicos e uma colherada de leite de magnésia, sentiu-se melhor e fez seu desjejum com café, torradas e geleia inglesa. O ânimo lhe permitiu dar uma olhada sucinta no jornal. Tinha planos para aquele dia e não pretendia alterá-los. Tomou um banho demorado para apagar os efeitos da péssima noite e achou que recuperara sua habitual calma, mas, quando foi fazer a barba, constatou que envelhecera uns dez anos de supetão, e que do espelho o olhava um dos velhos do quadro de Tintoretto. Sentou-se na borda da banheira, nu, e examinou as veias azuis de seus pés, chamando Indiana e amaldiçoando-a.

Sábado, 28

A baía de São Francisco amanheceu coberta pela névoa leitosa que costuma envolvê-la, apagando os contornos do mundo. A neblina descia dos cumes das montanhas, como uma lenta avalanche de algodão, cobrindo o resplendor de alumínio da água. Era um daqueles dias típicos, com uma diferença de vários graus entre os dois extremos da ponte Golden Gate: em São Francisco seria inverno, e quatro quilômetros mais ao norte haveria sol outonal. Para Ryan Miller, a maior vantagem daquele lugar era o bendito clima, que lhe permitia treinar o ano inteiro ao ar livre. Havia participado de quatro competições de Ironman: 3,86 quilômetros nadando, 180,25 quilômetros de bicicleta e 42,2 quilômetros correndo, com uma média ridícula de 14 horas, mas em cada ocasião a imprensa o chamara de "um exemplo de superação", coisa que o enfurecia, pois o cotoco de sua perna era tão comum entre os veteranos de guerra que nem valia a pena mencioná-lo. Pelo menos, suas próteses eram excelentes, e isso lhe dava vantagem sobre outros amputados, que careciam de recursos próprios e precisavam se conformar com próteses comuns. Mancava levemente, e teria conseguido dançar tango se tivesse mais senso rítmico e menos medo de ficar ridículo; nunca fora um bom dançarino. Para ele, um exemplo de superação era Dick Hoyt, um pai que participava do triatlo carregando o filho inválido, já adulto e tão pesado quanto ele. O homem nadava arrastando um bote de borracha com o rapaz dentro, levava-o amarrado na bicicleta em um assento dianteiro e corria empurrando sua cadeira de rodas. Cada vez que Miller o via competir, o teimoso amor daquele pai, que contrastava com a severidade do seu, lhe arrancava lágrimas.

Sua jornada havia começado como sempre, às cinco da manhã com um tempo dedicado ao Qigong. Isso o ancorava para o resto do dia, e quase sempre conseguia reconciliá-lo com sua consciência. Havia lido, em um livro sobre samurais, uma frase que adotara como lema: um guerreiro sem prática espiritual não passa de um assassino. Depois, preparara seu desjejum, uma vitamina verde e espessa com proteínas, fibras e carboidratos suficientes para sobreviver na Antártida, e levara Atila para correr, pois não queria que se acomodasse. O cão já não era tão jovem, estava com 8 anos, mas tinha energia de sobra e, depois de ter servido na guerra, entediava-se com sua aprazível existência em São Francisco. Fora adestrado para defender e atacar, detectar minas e terroristas, dissuadir inimigos, atirar-se de paraquedas, nadar em águas geladas, e outras ocupações que não tinham espaço na sociedade civil. Era surdo e cego de um olho, mas compensava suas limitações com um olfato notável, até mesmo para um cachorro. Entendia-se com Miller por sinais, adivinhava suas intenções e o obedecia quando se tratava de uma ordem que, no seu entendimento, era relevante; caso contrário, refugiava-se em sua surdez e não o atendia.

Depois de correrem durante uma hora, homem e cachorro voltaram resfolegando, e Atila se deitou em um canto, enquanto Miller enfrentava os aparelhos de ginástica, espalhados como esculturas macabras por seu loft, um imenso espaço despojado onde havia uma cama larga, televisão, equipamento de som e uma mesa rústica que ele usava para comer e trabalhar. Em um enorme console ficavam os computadores que o conectavam diretamente com as agências governamentais, às quais vendia seus serviços. Não havia à vista fotografias, diplomas, enfeites... nada pessoal, como se tivesse acabado de chegar e estivesse prestes a partir, mas nas paredes estava pendurada sua coleção de armas, com a qual se entretinha desarmando e limpando-as.

Sua residência ocupava todo o segundo andar de uma antiga gráfica do bairro industrial de São Francisco, um imóvel de cimento e tijolo, inóspito e impossível de aquecer no inverno, mas com espaço suficiente para sua alma inquieta e provido de uma ampla garagem e um elevador industrial, uma jaula de ferro que seria capaz de carregar um tanque, se fosse necessário. Havia escolhido aquele loft pelo tamanho e porque gostava da solidão. Ele era o único inquilino do edifício e, depois das seis da tarde e nos fins de semana, ninguém circulava pelas ruas daquele bairro.

Dia sim, dia não, Miller nadava em uma piscina olímpica, e nos outros, na baía. Naquele sábado, chegou ao Parque Aquático, onde podia estacionar de graça na rua durante quatro horas, e se dirigiu com Atila ao Dolphin Club. Fazia frio, e àquela hora da manhã só estavam correndo algumas pessoas, que surgiam de repente da espessa neblina, como se fossem fantasmas. O cachorro estava de guia e focinheira, por precaução: ainda conseguia correr cinquenta quilômetros por hora, era capaz de destruir um colete à prova de balas com os dentes e, uma vez que fechava as mandíbulas em uma presa, não havia forma de fazer com que a soltasse. Havia custado a Miller um ano adaptá-lo à cidade, mas temia que, se o cão fosse provocado ou surpreendido, ele atacasse, e, se isso ocorresse, teria de recorrer à eutanásia. Assumira esse compromisso quando lhe entregaram Atila, mas a ideia de sacrificar seu camarada de armas e seu melhor amigo era intolerável. Devia-lhe a vida. Quando o feriram em um ataque ocorrido no Iraque, em 2007, destroçando sua perna, conseguiu fazer um torniquete antes de desmaiar, e teria sido morto não fosse a intervenção de Atila, que o arrastou por mais de cem metros sob o fogo intenso de metralhadoras e depois se deitou em cima dele para protegê-lo com seu corpo até a ajuda chegar. No helicóptero de resgate, Miller chamava pelo cachorro e continuou chamando-o no avião que o levou a um hospital americano na Alemanha.

Meses mais tarde, durante o longo sofrimento da reabilitação, Miller descobriu que haviam destinado outro adestrador a Atila, que estava servindo com outra equipe de *navy seals* em uma zona ocupada pela Al-Qaeda. Alguém lhe enviou uma fotografia, na qual ele não reconheceu o cachorro, porque o haviam tosado completamente, exceto por uma linha no lombo, como se fosse moicano, para lhe dar um aspecto mais assustador. Seguiu sua pista, valendo-se de seus irmãos do Seal Team 6, que costumavam lhe mandar notícias, e assim ficou sabendo que, em novembro de 2008, o cão fora ferido.

Atila participara de inumeráveis assaltos e ações de resgate, salvara muitas vidas e estava se transformando em uma lenda entre os *navy seals*. Mas um dia estava em uma caravana com seu adestrador e vários homens quando uma mina explodiu. A explosão destroçou dois veículos e deixou um saldo de dois mortos e cinco feridos, além de Atila. Estava em tão péssimas condições que acharam que havia morrido, mas acabaram recolhendo-o com os demais, porque não se abandona um companheiro de batalha, esse é um princípio sagrado. Atila recebeu atendimento médico e sobreviveu às feridas, embora já não pudesse combater, e foi condecorado; Ryan tinha guardadas em uma caixa uma fotografia da breve cerimônia e a medalha de Atila no meio das dele.

Ao saber que o cachorro havia dado baixa, Miller iniciou o extenuante processo de levá-lo para os Estados Unidos e adotá-lo, superando inúmeros obstáculos burocráticos. No dia em que, por fim, pôde ir buscá-lo na base militar, Atila o reconheceu imediatamente, atirou-se em cima dele, e os dois rolaram pelo chão, brincando como faziam antes.

O Dolphin Club, de natação e remo, fora fundado em 1877 e desde então mantinha uma amistosa rivalidade com o clube vizinho, o South End, na mesma vetusta construção de madeira, separados por um tabique e uma porta sem chave. Ryan fez um sinal mudo para Atila, que deslizou com cuidado e foi se esconder nos vestiários, ao lado de um grande cartaz amarelo que proibia a entrada de cães, enquanto ele subia a escada e chegava ao mirante, uma salinha redonda com duas poltronas desconjuntadas e uma cadeira de balanço. Ali estava Frank Rinaldi, o administrador, que, com 84 anos nas costas, era sempre o primeiro a chegar, instalado na cadeira de balanço para desfrutar o melhor espetáculo da cidade: a Ponte Golden Gate iluminada pela luz do amanhecer.

— Preciso de voluntários para limpar os banheiros. Coloque seu nome na lista, garoto — foram suas boas-vindas.

— Pode deixar. Você vai nadar hoje, Frank?

— O que você acha? Que vou ficar sentado ao lado do aquecedor o resto do dia? — grunhiu o velho.

Frank não era o único octogenário que desafiava as águas geladas da baía. Acabara de morrer um sócio do clube que, aos 96 anos, se enfiava na água, o mesmo que, ao completar 60, nadara desde Alcatraz com grilhões nos pés e arrastando um bote. Rinaldi, como Ryan Miller e Pedro Alarcón, pertencia ao Clube Polar, cujos membros completavam 64 quilômetros a nado durante a temporada de inverno. Cada um anotava sua cota do dia em uma folha quadriculada colada na parede com quatro tachas. Para calcular a distância percorrida, havia um mapa do Parque Aquático e uma corda com nós, método primitivo que ninguém achava necessário substituir. A conta dos quilômetros, como tudo no clube, se baseava na honra, e o sistema funcionava à perfeição havia 135 anos.

No vestiário, Ryan Miller colocou o calção e, antes de descer à praia, fez um carinho no lombo de Atila, que se dispôs a esperá-lo encolhido em seu canto, com o nariz entre as patas dianteiras, tentando passar despercebido. Na praia, encontrou Pedro Alarcón, que se adiantara, mas não queria se molhar, pois estava gripado. Preparara um bote para ir remar, estava agasalhado com um casacão pesado, gorro e cachecol, e levava a cuia de chimarrão em uma das mãos e a garrafa térmica com água quente embaixo do braço. Cumprimentaram-se com um gesto quase imperceptível.

Alarcón empurrou o bote, subiu nele de um salto e desapareceu na neblina, enquanto Miller colocava o gorro laranja e os óculos, livrava-se da prótese, que deixou jogada na areia, certo de que ninguém a tocaria, e se atirava no mar. Sentiu o golpe da água fria como uma súbita surra, mas em seguida a euforia de nadar o elevou ao céu. Em momentos como aquele, sem gravidade, desafiando as correntes traiçoeiras e suportando a temperatura de 8°C, que fazia seus ossos rangerem, impulsionado pelos músculos poderosos dos braços e das costas, voltava a ser o mesmo de antes. Depois de poucas braçadas, parou de sentir frio e se concentrou em sua respiração, na velocidade e na direção, guiando-se pelas boias, que mal distinguia através dos óculos protetores e da névoa.

Os dois homens treinaram durante uma hora e voltaram ao mesmo tempo à praia. Alarcón arrastou o bote a terra e estendeu a prótese a Miller.

— Não estou em boa forma — resmungou este, dirigindo-se ao clube apoiado no ombro do outro e mancando, porque o incomodava o cotoco intumescido.

— As pernas contribuem somente cerca de dez por cento para o impulso na água. Você tem coxas de cavalo, homem. Não as desperdice nadando. No triatlo, você tem de reservá-las para a bicicleta e a corrida.

Foram interrompidos por um assovio de Frank Rinaldi no alto da escada para lhes anunciar que tinham visita. Ao seu lado estava Indiana Jackson com dois copos de papel na mão, o nariz vermelho e os olhos lacrimosos pelo trajeto de bicicleta, seu meio habitual de transporte.

— Eu trouxe para vocês a coisa mais decadente que encontrei: chocolate quente com sal marinho e caramelo, da Ghirardelli — disse ela.

— Aconteceu alguma coisa? — perguntou Ryan, espantado com sua presença no clube, onde ela nunca colocara os pés.

— Nada urgente...

— Então permita que Miller entre na sauna por um momento. Alguns imprudentes morreram de hipotermia nestas águas — disse Rinaldi.

— E outros foram devorados por tubarões — brincou Miller.

— É verdade? — perguntou ela.

Rinaldi lhe disse que não se viam tubarões havia muito tempo, mas, anos atrás, um leão-marinho havia entrado no Parque Aquático. Mordera as pernas de catorze pessoas e perseguira outras dez que, a duras penas, conseguiram se salvar. Os especialistas disseram que ele queria proteger seu harém, mas Rinaldi estava convencido de que o animal tinha dano cerebral provocado por algas tóxicas.

— Quantas vezes já lhe disse que não pode trazer seu cachorro ao clube, Miller?

— Muitas, Frank, e sempre respondo que Atila é um animal de serviço, como os cães dos cegos.

— Gostaria de saber que tipo de serviço ele presta!

— Acalma meus nervos.

— Os sócios do Dolphin se queixam, Miller. Seu cachorro pode morder alguém.

— Como iria morder se usa focinheira, Frank! Além do mais, só ataca quando eu mando.

• • •

Ryan tomou uma ducha quente rápida e se vestiu depressa, surpreso com o fato de Indiana se lembrar de que àquela hora dos sábados ele treinava no clube. Achava que ela vivia distraída. Sua amiga era meio amalucada, não prestava atenção nos detalhes do dia a dia, perdia-se nas ruas, era incapaz de controlar os gastos, não sabia onde deixava o celular e a carteira, mas, inexplicavelmente, conseguia ser pontual e organizada no trabalho. Quando prendia os cabelos com um elástico e vestia a bata branca que usava em seu consultório, ela se transformava na irmã sensata da outra mulher, a de cabelos selvagens e roupa justa. Ryan Miller amava as duas: a amiga distraída e meio pirada que alegrava sua existência e a quem queria proteger, a mesma que dançava embriagada pelo ritmo e pela *piña colada* em um clube latino, aonde os levava o pintor brasileiro, enquanto ele a observava de uma cadeira; e a outra, a curandeira sóbria e séria que aliviava suas dores musculares, a feiticeira das essências mágicas, ímãs para orientar as forças do universo, os cristais, os pêndulos e as velas. Nenhuma das duas suspeitava do amor que ele sentia, como uma planta trepadeira que a cada dia ia envolvendo-o.

Fez um sinal a Atila para que permanecesse em seu canto e foi ao mirante ao encontro de Indiana, que o aguardava sozinha porque Alarcón e Rinaldi já tinham ido embora. Instalaram-se nas velhas poltronas diante das janelas, acompanhados pelo alvoroço das gaivotas, observando a paisagem leitosa e as pontas altas das torres da ponte assomando entre a névoa, que começava a se dissipar.

— A que devo o prazer da sua visita? — perguntou Ryan, esforçando-se para beber um chocolate quase frio, com o creme embolotado, que ela lhe trouxera.

— Suponho que você já sabe que a minha relação com Alan terminou.

— Não me diga! O que aconteceu? — perguntou Miller, sem dissimular a satisfação.

— E você ainda me pergunta? Você foi o motivo. Mandou aquela revista para mim. Eu tinha tanta certeza do amor de Alan... Como pude me equivocar tanto com ele? Quando vi as fotos, foi como se tivessem me dado um soco, Ryan. Por que você fez isso?

— Eu não lhe mandei nada, Indi, mas, se isso serviu para você se livrar daquele velhote, parabéns.

— Não é velho, tem 55 anos e está ótimo. Mas não me importo, ele não faz mais parte da minha vida — anunciou ela, assoando o nariz com um lenço de papel.

— Conte-me o que aconteceu.

— Primeiro jure que não foi você quem me mandou a revista.

— Parece que você não me conhece! — exclamou Miller, irritado. — Eu não ajo com subterfúgios, faço tudo às claras. Jamais lhe dei motivos para suspeitar da minha honradez, Indiana.

— É verdade, Ryan. Desculpe, estou muito confusa. Encontrei isto na minha caixa de correspondência — disse ela, entregando-lhe duas páginas dobradas ao meio, que ele leu rapidamente e devolveu.

— A Van Houte se parece com você — foi o comentário desatinado que lhe ocorreu.

— Somos idênticas! Só que ela tem vinte anos a mais, pesa menos dez quilos e se veste de Chanel — replicou ela.

— Você é muito mais bonita.

— Não suporto a deslealdade, Ryan. É mais forte do que eu.

— Há um segundo você me acusava de traí-la.

— Pelo contrário, achei que você havia me enviado o artigo por lealdade, para me fazer um favor, para abrir meus olhos.

— Seria um covarde se não lhe dissesse na cara, Indiana.

— Sim, claro. Preciso saber quem fez isso, Ryan. Não chegou pelo correio, o envelope estava sem selo. Alguém se deu ao trabalho de colocá-lo na caixa de correspondência.

— É possível que tenha sido algum dos seus admiradores, Indi, e o fez com a melhor das intenções: para que você soubesse que tipo de sujeito é Alan Keller.

— Essa pessoa deixou a revista na minha casa, não na clínica, sabe onde moro e tem informações sobre a minha vida particular. Já lhe contei que sumiram algumas peças da minha roupa íntima? Tenho certeza de que alguém entrou no meu apartamento, talvez tenha entrado mais de uma vez, não tenho como saber. É fácil subir ao meu apartamento sem ser visto da rua, porque a escada fica na lateral da casa, disfarçada por um pinheiro frondoso. Amanda contou a Bob, e você sabe como ele é possessivo, chegou sem avisar acompanhado de um serralheiro e trocou as fechaduras das portas da casa do meu pai e do meu apartamento. Desde então não desapareceu mais nada, mas, às vezes, tenho a sensação de que alguém esteve lá dentro, não consigo explicar, a presença ficou no ar, como um fantasma. Acho que alguém está me vigiando, Ryan...

Segunda-feira, 30

Ao longo dos três anos em que Denise West frequentava a Clínica Holística, ela se transformara na paciente mais querida de vários terapeutas. Dedicava as tardes das segundas-feiras, mesmo que estivesse chovendo, à sua saúde e à arte; tinha consulta de Reiki com Indiana Jackson, de acupuntura com Yumiko Sato, David McKee lhe ministrava suas doces pílulas de homeopatia e, para concluir uma tarde feliz, tinha aula de pintura com Matheus Pereira. Ela nunca faltava, embora tivesse de viajar uma hora e meia no mesmo caminhão barulhento em que levava os produtos de sua pequena granja para as feiras livres. Saía cedo, porque era um desafio estacionar o caminhão em North Beach, e sempre ofertava alguma delícia de sua horta aos médicos da alma, como os chamava: limões, alfaces, ramos de narcisos, ovos frescos.

Denise tinha 60 anos e afirmava que estava viva graças à Clínica Holística, onde haviam lhe devolvido a saúde e o otimismo depois de um acidente em que tivera seis ossos quebrados e traumatismo craniano. Na Clínica, descarregava suas frustrações políticas e sociais — era anarquista — e recebia energia positiva suficiente para se manter combativa pelo resto da semana. Seus médicos da alma tinham um imenso carinho por ela, inclusive Matheus Pereira, embora o estilo pictórico de Denise o deixasse nervoso. Os quadros de Pereira eram telas enormes com seres torturados e pinceladas de cores primárias, enquanto ela pintava franguinhos e cordeiros, temas que só se justificavam porque vivia da agricultura e da criação de animais, já que não tinham nada a ver com seu temperamento de amazona. Apesar das diferenças de estilo, as aulas transcorriam com bom humor por parte de ambos. Denise pagava rigorosamente 50 dólares por aula, que Pereira aceitava com sentimento de culpa, já que as únicas coisas que ela aprendera em três anos tinham sido preparar telas e limpar pincéis. No Natal, ela distribuía suas obras de arte entre os amigos, inclusive seus médicos da alma; Indiana possuía uma coleção de frangos e cordeiros na garagem do pai, e Yumiko recebia o presente com ambas as mãos e fazia profundas reverências, de acordo com a etiqueta de seu país, embora logo sumisse discretamente com ele. David McKee era o único que apreciava aqueles óleos e os pendurava em seu consultório, porque era veterinário de profissão, embora seus acertos homeopáticos fossem tão notáveis a ponto de toda a sua clientela ser humana, com exceção do poodle reumático, que também era paciente de Indiana.

Denise West fora levada pela primeira vez à Clínica Holística por Ryan Miller e Pedro Alarcón, que a entregaram a Indiana com a esperança de que pudesse ajudá-la. Denise e Alarcón eram grandes amigos: tinham sido amantes por um curto tempo, mas nenhum dos dois mencionava o fato e ambos fingiam ter esquecido. Os ossos de Denise haviam se calcificado após várias cirurgias complicadas, mas ela ficara com os joelhos e os quadris fracos e a sensação ingrata de ter uma lança cravada na coluna, inconveniências que não limitavam suas atividades e que ela suportava com doses de aspirinas e goles de genebra. Vivia cansada por falta de sono e com raiva do mundo, até que o esforço combinado dos médicos da alma e a distração da pintura a óleo fizeram o milagre de lhe devolver a alegria que anos antes seduzira Pedro Alarcón.

Ao término da sessão daquela segunda-feira com Indiana, Denise desceu da maca com um suspiro feliz, vestiu a calça de veludo, a camisa de lenhador e as botas masculinas que sempre usava, e esperou Ryan Miller, que seria atendido depois dela por Indiana. Graças aos tratamentos holísticos, conseguia ir ao segundo andar, apoiada no corrimão art déco, mas nunca subia pela escada de navio que levava à água-furtada, de modo que a aula de pintura era ministrada na sala número 3, desocupada havia vários anos. O investidor chinês, dono do imóvel, não conseguira alugá-la, porque ali dois inquilinos haviam se suicidado: o primeiro se enforcara discretamente e o outro estourara a cabeça com um tiro de pistola, com o consequente escândalo de sangue e miolos. Mais de um praticante de medicina alternativa se interessara por aquele local, que era bem-localizado e contava com o respaldo da respeitada Clínica Holística, mas desistira ao saber da história. Em North Beach comentava-se que a sala número 3 era assombrada pelos suicidas, mas Pereira, que morava no edifício, nunca tinha visto nada de sobrenatural.

Frequentemente Ryan Miller, que se encontrava com Indiana às segundas-feiras, passava depois da sessão para pegar Denise na aula de pintura e acompanhá-la ao caminhão. Ele também tinha a sorte de ganhar as pinturas de animais domésticos no Natal, mas elas acabavam em um leilão anual de um abrigo para mulheres vítimas de abuso, onde eram devidamente apreciadas.

Miller saiu do consultório de Indiana em paz com o mundo e consigo mesmo, levando a imagem dela e a sensação viva de suas mãos no corpo. No corredor, cruzou com Carol Underwater, com quem topara várias vezes na clínica.

— Como está, senhora? — perguntou por cortesia, antecipando a resposta, que era sempre a mesma.

— Com câncer, mas ainda viva, como está vendo.

Depois da sessão com Miller, a serenidade que invadira Indiana em seu trabalho, quando estava absorta na intenção de curar, se esfumou, e ela voltou a mergulhar na tristeza de seu romance frustrado e no vago temor de se sentir observada, do qual não conseguia se livrar. Poucas horas depois de ter se separado de seu amante no parque, sua irritação desaparecera e ela começara a lamentar por tê-lo perdido; nunca chorara tanto por amor. Perguntava-se como não percebera os indícios de que algo não ia bem. Alan vivia com a alma ausente, estava preocupado e deprimido, haviam se afastado. Em vez de perguntar, optara por lhe dar tempo e espaço, sem suspeitar que a causa fosse outra mulher. Recolheu os lençóis e toalhas, arrumou seu pequeno consultório e fez algumas anotações sobre o estado de saúde de Denise West e Ryan Miller, tal como fazia com cada paciente.

Naquele dia, coube a Carol Underwater consolar Indiana, uma novidade naquela amizade, já que Carol adotara o papel da vítima. Ela ficara sabendo da história no domingo, quando telefonara para Indiana, convidando-a para ir ao cinema, e percebera que a amiga estava angustiada e por isso a obrigara a desabafar. Indiana a viu entrar com um cesto, e, comovida com a bondade daquela mulher que poderia morrer em pouco tempo e tinha motivos mais sérios do que os dela para se desesperar, se arrependeu das múltiplas ocasiões em que perdera a paciência com ela. Viu-a sentada na cadeira da recepção, com sua saia pesada, sobretudo marrom, lenço na cabeça e o cesto nos joelhos, e decidiu que, quando Carol terminasse de fazer a radioterapia e se sentisse melhor, a levaria a seus brechós preferidos e lhe compraria alguma coisa mais jovial e feminina. Considerava-se uma especialista em matéria de roupa usada, seu olho havia se afiado e costumava descobrir inestimáveis tesouros no meio de trapos inúteis, como suas botas de cobra, o *must* da elegância, que podia usar sem escrúpulos, porque nenhum réptil havia sido esfolado; eram de plástico, feitas em Taiwan.

— Estou com pena de você, Indi, mas logo verá que o que aconteceu foi uma bênção. Você merece um homem muito melhor do que Alan Keller — disse Carol.

Sua voz era vacilante e entrecortada, falava em sussurros espasmódicos, como se o ar lhe faltasse ou suas ideias se confundissem, a voz das louras burras do cinema antigo no corpo de uma camponesa dos Bálcãs, como a descrevera Alan Keller assim que a conheceu, na única oportunidade em que os três se encontraram no Café Rossini. Indiana, que tinha de se esforçar para ouvi-la, mal conseguia dissimular a irritação que lhe causava aquela forma de falar, a qual atribuía à doença, talvez as cordas vocais de Carol tivessem sido afetadas.

— Estou falando sério, Indiana, Keller não era para você.

— No amor, ninguém pensa em conveniência, Carol. Alan e eu passamos quatro anos juntos e fomos felizes, pelo menos é o que eu achava.

— É muito tempo. Quando pensavam em se casar?

— Nunca falamos disso.

— Que estranho! Os dois são livres.

— Não tínhamos pressa. Eu queria esperar Amanda ir para a universidade.

— Por quê? Sua filha não se dava bem com ele?

— Amanda não se dá bem com ninguém que esteja comigo ou com o pai dela, é ciumenta.

— Não chore, Indiana. Logo haverá uma fila de pretendentes na sua porta, e espero que dessa vez você seja mais seletiva. Keller é coisa do passado, como se estivesse morto, não pense mais nele. Olhe, trouxe um presente para Amanda, me diga o que você acha.

Carol colocou o cesto sobre a escrivaninha e levantou o pano que o cobria. Lá dentro, em um ninho improvisado com um cachecol de lã, dormia um pequeno animal.

— É uma gatinha — disse ela.

— Carol! — exclamou Indiana.

— Você me disse que sua filha queria uma gata...

— Que presente maravilhoso! Amanda vai ficar feliz.

— Não me custou nada, ganhei da Sociedade Protetora dos Animais. Tem seis semanas, é saudável e já lhe deram as vacinas. Não incomoda nem um pouco. Posso entregá-la pessoalmente à sua filha? Gostaria de conhecê-la.

Terça-feira, 31

O inspetor-chefe estava em sua sala, sentado na cadeira ergonômica, um presente extravagante de seus subalternos quando completara quinze anos no Departamento de Polícia, os pés em cima da escrivaninha e as mãos na nuca. Petra Horr entrou sem bater, como sempre, com um saco de papel e um café. Antes de conhecê-la, Bob Martín achava que aquele nome tão sonoro não combinava com aquela mulherzinha de aspecto infantil, mas depois mudou de opinião. Petra tinha 30 anos, era baixinha e magra, o rosto em forma de coração, testa ampla e queixo pontiagudo, a pele sardenta e o cabelo curto, eriçado com gel e tingido de preto na raiz, laranja no meio e amarelo nas pontas, como um gorro de pele de raposa. De longe, parecia uma menina e de perto também, mas, assim que abria a boca, a impressão de fragilidade desaparecia. Ela colocou o saco sobre a escrivaninha e entregou o copo de café a Martín.

— Há quantas horas você está sem colocar nada no bucho, chefe? Vai ter hipoglicemia. Sanduíche de frango orgânico e pão integral. Muito saudável. Coma.

— Estou pensando.

— Que novidade! Em quem?

— No caso do psiquiatra.

— Ou seja, em Ayani — suspirou Petra, teatralmente. — E já que falou na peça, chefe, aviso que tem uma visita.

— Ela? — perguntou o inspetor, tirando os pés da escrivaninha e ajeitando a camisa.

— Não. Um jovem muito metido. O garçom dos Ashton.

— Galang. Mande-o entrar.

— Não. Primeiro coma isso, o gigolô pode esperar.

— Gigolô? — repetiu o inspetor, dando uma mordida no sanduíche.

— Ai, chefe, como você é inocente! — exclamou Petra e saiu.

Dez minutos depois, Galang estava sentado diante do inspetor, com a escrivaninha entre eles. Bob Martín o interrogara duas vezes na casa dos Ashton, onde o jovem filipino usava calça preta e camisa branca de mangas compridas, um uniforme discreto que contribuía, juntamente com sua expressão impenetrável e sua atitude discreta de felino, para torná-lo invisível. No entanto, o homem que se apresentara no Departamento de Polícia não tinha nada de invisível: esbelto, atlético, com os cabelos pretos presos em um rabo de cavalo curto na nuca, como um toureiro, mãos cuidadas e sorriso fácil de dentes muito brancos. Tirou o impermeável azul-marinho e, ao ver o forro, com o clássico desenho escocês preto e bege, Bob Martín reconheceu a marca Burberry, que ele jamais poderia comprar com seu salário. Perguntou-se quanto ganharia aquele homem ou se alguém comprava roupas para ele. Galang, com seu porte elegante e seu rosto exótico, poderia posar para um anúncio de perfume masculino, uma fragrância sensual e misteriosa, pensou, mas Petra o corrigiria: para isso posaria nu e sem fazer a barba.

Martín repassou mentalmente as informações disponíveis: Galang Tolosa, 34 anos, nascido nas Filipinas, imigrara para os Estados Unidos em 1995, um ano de estudos superiores, trabalhara em um Club Med, em academias de ginástica e em um Instituto de Programação Corporal Consciente. Perguntara a Petra que caralho era aquilo e ela lhe explicara que, em teoria, tratava-se de massagem com atenção e intenção positiva, que supostamente produzia alterações benéficas nos tecidos do corpo. Bruxaria, como a de Indiana, concluiu Bob, cuja ideia de massagem era um salão sórdido com garotas asiáticas de shortinhos curtos, os seios expostos e luvas de borracha.

— Desculpe-me tomar seu tempo, inspetor. Estava passando por aqui e pensei em vir conversar com o senhor — disse o filipino, sorrindo.

— A respeito de quê?

— Vou ser muito franco, inspetor. Tenho visto de residente e estou tentando obter cidadania norte-americana, não posso me ver envolvido em um caso policial. Estou preocupado com o fato de que a história do doutor Ashton possa me trazer problemas.

— Está se referindo ao homicídio do doutor Ashton? Faz bem em se preocupar, jovem. Você estava na casa, tinha acesso ao estúdio, conhecia os hábitos da vítima, não tem álibi e, se fuçarmos um pouco, certamente encontraremos um motivo. Quer acrescentar alguma coisa às suas declarações anteriores? — O tom amável do policial contrastava com a ameaça implícita em suas palavras.

— Sim... Bem, isso que o senhor acaba de mencionar: o motivo. O doutor Ashton era um homem difícil, e eu tive algumas discussões com ele — balbuciou Galang. O sorriso desaparecera.

— Explique-se.

— O doutor tratava mal as pessoas, sobretudo quando bebia. Sua primeira esposa e também a segunda o acusaram de maus-tratos nas audiências de divórcio, o senhor pode checar, inspetor.

— Alguma vez ele agiu com violência contra você?

— Sim, três vezes, mas foi porque tentei proteger a senhora.

O inspetor controlou sua curiosidade e esperou que o outro continuasse no devido tempo, observando sua expressão facial, seus gestos, seus tiques quase imperceptíveis. Estava habituado às mentiras e às meias verdades, havia se resignado à ideia de que quase todo mundo mente, alguns por vaidade, para se apresentar sob uma ótica favorável, outros por medo e a maioria, simplesmente por hábito. Em qualquer interrogatório policial as pessoas ficam nervosas, mesmo quando são inocentes, e a ele cabia interpretar as respostas, descobrir a falsidade, adivinhar as omissões. Sabia por experiência que pessoas ansiosas por agradar, como Galang, não suportam uma pausa incômoda e, quando se lhes dá rédea, falam mais do que devem.

Não esperou muito: trinta segundos depois, o filipino soltou um discurso que talvez tivesse preparado, mas em que ele se enredou em sua urgência de parecer convincente. Havia conhecido Ayani em Nova York havia uma década, disse; eram amigos quando ela estava no auge da carreira; mais que amigos, eram como irmãos; se ajudavam, se viam quase todos os dias. Com a crise econômica, começou a faltar trabalho aos dois e, no final de 2010, quando ela conhecera Ashton, sua situação era praticamente desesperadora.

Assim que Ashton e Ayani se casaram, ela o trouxera para São Francisco como mordomo, um emprego muito abaixo de suas qualificações, mas ele queria se afastar de Nova York, onde tinha algumas confusões de dinheiro e de outros tipos. Seu salário era baixo, mas Ayani o compensava passando-lhe dinheiro pelas costas do marido. Para ele, fora muito duro ver sua amiga sofrer. Ashton a tratava como rainha em público e como lixo em particular. A princípio, ele a torturava psicologicamente, nisso era insuperável, e depois também a surrava. Várias vezes vira Ayani com escoriações, que ela tentava esconder com maquiagem. Galang procurava ajudá-la, mas, apesar da confiança mútua, ela se negava a mencionar esse aspecto de seu casamento, tinha vergonha, como se a violência do marido fosse culpa dela.

— Brigavam muito, inspetor — concluiu.

— Por que brigavam?

— Por coisas sem importância: porque ele não gostara de um prato de comida, porque ela telefonava para a família na Etiópia, porque o doutor Ashton ficava com raiva que a reconhecessem em todos os lugares e a ele não. Por um lado, queria se exibir andando de braços dados com Ayani, e por outro pretendia mantê-la trancada. Enfim, por essas coisas.

— E também por sua causa, senhor Tolosa?

A pergunta pegou Galang de surpresa. Ele abriu a boca para negar, pensou melhor e assentiu em silêncio, angustiado, esfregando a testa com a mão. Richard Ashton não tolerava sua amizade com Ayani, disse, suspeitava que ela lhe comprava coisas e lhe dava dinheiro, sabia que ele guardava os segredos dela, desde os gastos e as saídas até as amizades que Ashton lhe proibia. O psiquiatra colocava os dois à prova, humilhando-o diante de Ayani e maltratando-a até que ele não aguentava mais e o enfrentava.

— Olhe, inspetor, confesso que, às vezes, meu sangue fervia, eu mal conseguia me controlar para não derrubá-lo com um soco. Não sei quantas vezes tive de ficar no meio para afastá-lo da mulher, tinha que empurrá-lo e agarrá-lo, como se fosse uma criança malcriada. Certa vez, tive que trancá-lo no banheiro até ele se acalmar, porque perseguiu a senhora com uma faca de cozinha.

— Quando foi isso?

— No mês passado. Recentemente, a situação tinha melhorado; passavam por um bom momento, estavam em paz e voltaram a falar do livro que pensavam escrever. Ayani... A senhora Ashton estava feliz.

— Algo mais?

— Isso é tudo, inspetor. Queria lhe explicar a situação antes que as empregadas da casa lhe contassem à maneira delas. Suponho que isto me torna suspeito, mas precisa acreditar em mim, eu não tive nada a ver com a morte do doutor Ashton.

— Tem uma arma?

– Não, senhor. Não saberia usá-la

— E saberia usar um bisturi?

— Um bisturi? Não, claro que não.

Quando Galang Tolosa saiu da sala, o inspetor chamou a assistente.

— O que você acha do que ouviu atrás da porta, Petra?

— Que a senhora Ashton tinha motivos de sobra para se livrar do marido e o garçom para ajudá-la.

— Acha que Ayani é o tipo de mulher capaz de eletrocutar o marido com uma *taser*?

— Não. Ela teria colocado uma víbora etíope na cama. Mas acho que Galang Tolosa esqueceu de mencionar um detalhe.

— Qual?

— Que ele e Ayani são amantes. Um momento, chefe, não me interrompa! A relação desses dois tem muitos matizes, eles são cúmplices e confidentes, ela o protege e ele deve ser o único homem que a conhece até a última fibra e é capaz de lhe dar prazer sexual.

— Jesus! Que perversões passam pela sua cabeça, mulher!

— Na minha passam poucas, mas Galang deve ter um amplo repertório. Se quiser, posso lhe explicar exatamente que tipo de mutilação genital Ayani sofreu aos 8 anos: ablação dos lábios e do clitóris. Não é um segredo, ela mesma contou. Posso conseguir um vídeo, para que veja o que fazem com as meninas, com um canivete dentado ou uma lâmina de barbear enferrujada, sem anestesia.

— Não, Petra, não é necessário — suspirou Bob Martín.

FEVEREIRO

Quinta-feira, 2

Às muitas obrigações de Blake Jackson somou-se Salve-o-Atum, a gata com que Carol Underwater presenteou a sua neta e que dava bastante trabalho, mas ele tinha de admitir que o animalzinho era uma boa companhia, tal como previra Elsa Domínguez. Amanda escolheu o nome em homenagem a Salve-o-Atum, seu amigo invisível de infância, e ninguém achou contraditório que a gata se alimentasse de atum em lata. Blake telefonava todas as noites para o internato e fazia um informe completo a Amanda.

— Como está Salve-o-Atum, vovô? Sinto muita falta dela — disse Amanda.

— Está destruindo o estofado dos móveis com as unhas.

— Não faz mal porque os móveis estão muito velhos. Como anda o seu livro?

— Nada ainda. Estou dando tratos à bola com a sua ideia do romance policial.

— Hoje estive pensando a respeito — respondeu a neta. — Estamos estudando o auto sacramental. Você sabe o que é isso?

— Não tenho a menor ideia.

— Eram dramas morais em forma teatral da Idade Média, como alegorias didáticas em que se representava a luta entre o bem e o mal. O bem sempre vencia, mas o mais interessante era o mal, porque sem vício, pecado e maldade o auto sacramental não atraía o público.

— O que isso tem a ver com o meu livro?

— A fórmula do romance policial é parecida. O mal é encarnado por um criminoso que desafia a Justiça e sai perdendo, é castigado e o bem triunfa, e assim fica todo mundo feliz. Entende?

— Mais ou menos.

— Preste atenção. Se você seguir a fórmula, não terá como se perder. Depois lhe darei outros conselhos, agora temos de começar com o *Ripper*. Está pronto?

— Pronto. Até logo — disse o avô e desligou.

Minutos mais tarde, todos os jogadores estavam diante de seus computadores, e a mestra do jogo deu início à sessão.

— Vamos deixar para depois os casos de Staton e dos Constante, e nos concentremos em Richard Ashton. Kabel tem algumas notícias para a gente. Você tem permissão para falar, ajudante.

— Na noite de sua morte, talharam no peito de Richard Ashton uma suástica, a cruz gamada, um símbolo que foi encontrado em muitas culturas através dos tempos, desde os astecas até os celtas e os budistas, mas que, sobretudo, identifica os nazistas.

— Sabemos disso, Kabel — interrompeu-o a neta.

— Li isso no informe de Ingrid Dunn. O pai de Amanda, ou seja, o inspetor Martín, me deu uma autorização por escrito para examinar os arquivos do Departamento de Homicídios relativos aos casos dos Constante e de Ed Staton e, com a mesma carta, pedi o arquivo de Richard Ashton, e me emprestaram. Segundo Ingrid Dunn, a suástica foi talhada com um bisturi número 11 de lâmina triangular e ponta afiada. Ele é muito comum e fácil de conseguir, costuma ser usado para cortes de precisão e ângulos retos. A suástica estava tão bem desenhada que, provavelmente, o autor usou um molde.

— Eu não vi nada disso nos jornais — disse sir Edmond Paddington.

— O inspetor segurou a informação, ela é um ás na manga, pode servir para identificar o assassino e ainda não convém divulgá-la. Quando levantaram o corpo, não viram a suástica, porque Ashton estava usando camiseta, camisa e cardigã; descobriram-na quando o despiram no necrotério.

— Não havia sangue na roupa? — perguntou Esmeralda.

— O corte era relativamente superficial e foi feito um bom tempo depois da morte. Cadáveres não sangram.

— Onde fizeram exatamente a suástica?

— Na foto está em cima, sobre o esterno — disse Amanda.

— O assassino precisou tirar o cardigã e a camisa, de outra maneira não poderia suspender a camiseta até o pescoço e talhar o símbolo na parte superior do peito. Depois teve de vesti-lo — disse Sherlock Holmes.

— A suástica é uma mensagem — disse Abatha.

— Quem conhecia seus hábitos e sabia que Ashton dormia no estúdio? — perguntou Esmeralda.

— Apenas a mulher dele e o mordomo — explicou Amanda.

— Ayani não talharia uma suástica no marido, por mais morto que estivesse — opinou Abatha.

— Por que não? Pode tê-la feito para despistar. É o que eu faria — rebateu-a Esmeralda.

— Você é cigana, é capaz de qualquer coisa. Mas uma dama jamais cometeria um ato tão repugnante, e, além disso, não teria força para mover o corpo dessa forma. Tem de ter sido o mordomo — afirmou Paddington, fiel ao caráter machista de seu personagem.

Todos começaram a rir diante da solução clássica — o mordomo — e então pensaram na possibilidade de um crime ideológico, pois Ashton tinha fama de nazista. Sherlock Holmes lembrou a semelhança com Jack, o Estripador, que mutilava suas vítimas com um bisturi.

— Uma das teorias sobre o célebre assassino de Londres é que tinha conhecimentos médicos — recordou.

— Eu não iria por esse caminho. Não é necessário um médico para talhar um símbolo simples com um molde e um bisturi. É muito fácil, até uma mulher pode fazer uma coisa dessas — disse sir Edmond Paddington.

— Não sei... me vem uma imagem à mente, é como uma visão ou um pressentimento... Acho que os três casos que estamos investigando estão relacionados de alguma maneira — disse Abatha, que, de tanto jejuar, sofria de alucinações.

Seu tempo estava acabando, e Amanda encerrou a sessão com instruções de procurar possíveis conexões entre os casos, como Abatha sugerira. Talvez não se tratasse de um simples banho de sangue, como previra Celeste Roko, mas de uma coisa muito mais interessante: um serial killer.

Sábado, 4

Bob Martín não tinha horário e, às vezes, trabalhava dois dias seguidos sem dormir. Para ele não existiam feriados nem férias, mas dava um jeito para ficar com a filha o maior tempo possível nos fins de semana que lhe cabiam. Em semanas alternadas, seu ex-sogro deixava a menina em seu apartamento ou em seu trabalho nas noites de sexta-feira, depois de ela ter jantado com a mãe, e a recolhia no domingo para levá-la ao internato, caso ele não pudesse fazê-lo. Desde seu divórcio, quinze anos atrás, havia levado tantas vezes a filha à cena de algum crime por não ter com quem deixá-la, que toda a polícia de São Francisco a conhecia. A coisa mais próxima de uma amiga que a menina tinha era Petra Horr, de quem arrancava as informações policiais que ele tentava lhe ocultar. Segundo Indiana, ele era o culpado pelo mórbido interesse da menina pelo crime, mas Bob achava que se tratava de uma vocação inata; Amanda acabaria sendo advogada, investigadora, policial, ou, na pior das hipóteses, delinquente. Triunfaria em ambos os lados da lei. Naquele sábado, permitira que ela dormisse até tarde, enquanto ele iria à academia de ginástica e daria uma passada em seu escritório; ao meio-dia, pegou-a para levá-la para almoçar em seu restaurante preferido, o Café Rossini, onde se fartava de carboidratos e açúcar. Esse era outro ponto de controvérsia com Indiana.

Amanda o esperava vestida com um sarongue enrolado no corpo de forma pouco tradicional e chinelos. Como ele a fez ver que estava chovendo, ela vestiu um cachecol e um gorro boliviano de lã que tapava suas orelhas com duas tranças multicoloridas. A garota acomodou Salve-o-Atum em uma bolsa da Guatemala, presente de Elsa Domínguez, onde habitualmente transportava a gata. O animalzinho era de uma discrição admirável: acocorado na bolsa, podia passar horas sem miar em lugares que lhe eram vedados. No Café Rossini, todos, menos o dono, conheciam o conteúdo da bolsa, mas Danny D'Angelo os advertira de que, se denunciassem

Salve-o-Atum, teriam de se ver com ele. O garçom os recebeu com seu habitual exagero e não precisou perguntar o que iam comer, porque era sempre a mesma coisa: omelete de queijo e café para o inspetor, seleção de doces e uma xícara grande de chocolate quente com uma montanha de creme para a filha. Trouxe os pedidos e se desculpou por não poder conversar com eles por um tempo; o lugar estava cheio e havia gente na rua esperando mesa, como acontecia nos fins de semana.

— Vovô viu o laudo da autópsia de Richard Ashton, papai. Você não me falou da suástica. Sabe de mais alguma coisa que não tenha me contado?

— Para sua tranquilidade, filha, a beleza de Ayani não interferiu no meu olfato de policial, como você temia. Ayani encabeça a lista de suspeitos. Já a interrogamos a fundo e também os empregados da casa. A novidade é que apareceram as meias perdidas.

— Não me diga!

— Sim, da forma mais estranha. Preste atenção: a senhora Ashton recebeu pelo correio um pacote com um livro e as meias do marido. O pacote passou por muitas mãos no correio, mas o conteúdo não tem impressões digitais, foi manipulado com luvas ou então limparam-no meticulosamente.

— Que tipo de livro?

— Um romance, *O lobo da estepe*, do autor suíço-alemão Hermann Hesse, um clássico publicado em 1928, antes do nazismo. Um dos psicólogos do Departamento o está examinando à procura de algum código, que deve existir. Se não, para que o enviariam a Ayani?

— Você acha que uma única pessoa pode ter cometido os três crimes?

— A quais está se referindo?

— Aos únicos interessantes que temos nas mãos, papai: Staton, os Constante e Ashton.

— O que está dizendo, garota! Não têm nada em comum.

— Os três aconteceram em São Francisco.

— Isso não quer dizer nada. Os serial killers escolhem sempre o mesmo tipo de vítima, em geral têm motivação sexual e repetem seu método. Nestes crimes, as vítimas são muito diferentes, o modus operandi varia e a arma usada tampouco é a mesma. Coloquei todo o Departamento para investigá-los.

— Separadamente? Alguém deveria vê-los em conjunto.

— Esse alguém sou eu. Mas esses casos não estão relacionados, Amanda.

— Ouça o que estou dizendo e não perca de vista a possibilidade de um serial killer, papai. Esse tipo de crime é muito raro.

— Nisso você tem razão. A maioria dos crimes que nos cabe resolver são disputas entre quadrilhas, brigas, drogas. O último serial killer que apareceu por aqui foi Joseph Nasso, acusado de matar mulheres entre 1977 e 1994. Tem 78 anos e será julgado no condado de Marin.

— Sim, tenho tudo isso no meu arquivo. Nasso não quis advogado, vai se defender sozinho. Não se arrepende do que fez, tem orgulho — disse Amanda. — Se esses homicídios foram cometidos pela mesma pessoa, também acho que está orgulhosa e deixou sinais ou pistas para marcar seu território.

— É o que diz o manual? — brincou o inspetor.

— Espere, está aqui comigo — disse ela, lendo as informações que encontrou em seu celular. — Ouça: em geral, nos Estados Unidos, os serial killers são homens brancos, entre 25 e 35 anos, embora também haja homens de outras raças, de classe média ou baixa; eles agem sozinhos, procuram gratificação psicológica, sofreram negligência ou abuso sexual e emocional na infância, tiveram problemas com a lei, como roubo ou vandalismo. São piromaníacos e sádicos, torturam animais. Têm baixa autoestima, carecem por completo de empatia por suas vítimas, ou seja, são psicopatas. Às vezes, são loucos que sofrem de alucinações, acreditam que Deus ou o Diabo os mandou eliminar homossexuais, prostitutas ou pessoas de outra raça ou religião. A motivação sexual, a qual você se referiu, inclui tortura e mutilação das vítimas, pois isso lhes dá prazer. Por exemplo, Jeffrey Dahmer pretendia transformar os cadáveres dos gays masculinos e dos garotos que assassinava em zumbis, perfurava seus crânios e jogava ácido, inclusive praticava canibalismo para...

— Chega, Amanda! — exclamou Bob Martín, lívido.

— Só mais uma coisa, papai...

— Não! Já sei tudo isso, estudamos o caso na Academia, mas isso não lhe diz respeito.

— Por favor, me ouça. Há uma coisa que não me convence. A maioria dos serial killers tem baixo coeficiente intelectual e pouca educação. Eu acho que neste caso o sujeito é brilhante.

— Também poderia ser uma mulher, embora isso não seja frequente — disse Bob Martín.

— Perfeito, poderia ser a minha madrinha.

— Celeste? — perguntou o pai, surpreso.

— Para cumprir sua promessa e provar que os astros não se enganam — argumentou a menina, com uma piscadela.

O inspetor-chefe esperava que a obsessão de sua filha pelo crime passasse logo, como havia acontecido com dragões, calabouços e vampiros. Era o que afirmava a psicóloga Florence Levy, que atendera Amanda na infância e que ele acabara de consultar por telefone. Segundo ela, tratava-se apenas de outra manifestação da curiosidade insaciável da menina, outro de seus jogos intelectuais. Como pai, preocupava-o aquele novo passatempo de Amanda, mas, como detetive, ele compreendia melhor do que ninguém o fascínio pelo crime e pela justiça.

Indiana afirmava que não há "bom" nem "mau"; a maldade é uma distorção da bondade natural, uma manifestação da alma enferma. Para ela, o sistema jurídico era uma forma de vingança coletiva com a qual a sociedade castigava os transgressores, encarcerava-os e atirava longe a chave, sem tentar redimi-los, embora admitisse de má vontade que existiam alguns criminosos incuráveis que deveriam ficar trancafiados para evitar que fizessem mal a outras pessoas. A ingenuidade de sua ex-mulher o exasperava. Em teoria, não deveria se importar com as besteiras que pudesse pensar, mas ela plantava suas ideias absurdas na cabeça de Amanda e não a protegia como deveria, nem sequer tomava as precauções mínimas de qualquer mãe normal. Indiana continuava a mesma menina romântica que se apaixonara por ele aos 15 anos. Quando Amanda nasceu, os dois eram um casal de pirralhos, mas desde então ele havia amadurecido, adquirido experiência, ficado curtido, transformara-se em um homem admirável em alguns aspectos, como dizia Petra Horr quando bebia mais de duas cervejas; no entanto, Indiana continuava estacionada na eterna puberdade.

Na minha profissão, cabe a mim ver muitos horrores, pensava; que ilusão posso ter a respeito dos seres humanos, se são capazes de cometer as piores atrocidades? Há pouca gente decente na porra deste mundo, com razão os cárceres estão superlotados, embora seja verdade que a carne da prisão é constituída de pobres, drogados, alcoólatras e delinquentes sem importância, enquanto os mafiosos, os especuladores, os políticos corruptos e, enfim, a fina flor do crime em grande escala raramente são pegos. Para que vou me enganar? Mas assim mesmo devo fazer meu trabalho; certos delitos me tiram do sério, me dão vontade de fazer justiça com as próprias mãos: pedofilia, prostituição infantil, tráfico humano, para não falar da violência doméstica. Quantas mulheres já vi assassinadas por amantes ou maridos? Quantas crianças espancadas, violentadas, abandonadas? E cada vez há menos segurança nas ruas de São Francisco. As prisões são o negócio privado mais lucrativo da Califórnia e, no entanto, os delitos só aumentam. Para Indiana, isso é a prova definitiva de que o sistema não funciona, mas qual é a alternativa? Sem lei e sem ordem reinaria o terror na sociedade. Medo. A raiz da violência é o medo. Suponho que existam alguns seres que alcançaram um estado superior de consciência, como o Dalai-Lama, e nada temem, mas eu não conheço nenhum e acho que viver sem medo é estúpido, o cúmulo da imprudência. Não digo que o Dalai-Lama seja estúpido, é claro, esse santo monge tem suas razões para andar sempre sorrindo, mas eu, como pai e policial, estou plenamente consciente da violência, da perversidade e do vício, e devo preparar minha filha para isso. Como fazê-lo sem destruir sua inocência?

Bem, sendo realistas, concluiu. De que inocência estou falando? Aos 17 anos, Amanda estuda com detalhes assassinatos horrendos, como se estivesse planejando cometê-los.

Domingo, 5

Ryan Miller foi pegar Indiana em sua casa, em Potrero Hill, às nove da manhã, como haviam combinado, sem levar em conta a desalentadora previsão do tempo da televisão, com o plano otimista de levar as bicicletas e passar o dia pedalando pelos bosques e colinas do oeste de Marin. A água da baía estava encrespada, o céu cor de chumbo, e soprava um vento gelado capaz de desanimar qualquer pessoa menos cabeça-dura e apaixonada do que Miller. Dispunha-se a conquistar Indiana com a firme determinação que antes lhe servira na guerra, mas tinha de avançar aos poucos. Não era coisa de se lançar ao ataque, porque poderia assustá-la e até perder a extraordinária amizade que haviam forjado. Devia lhe dar tempo para se recuperar de Keller, embora não pensasse em lhe dar muito, porque já tinha sido muito paciente e, como dizia Pedro Alarcón, poderia aparecer outro mais esperto e arrebatá-la. Melhor nem imaginar essa possibilidade, porque teria de matá-lo, pensava com certa euforia, lamentado que as regras do combate não fossem aplicáveis nessa circunstância. Como seria mais fácil dar conta do rival sem cerimônia! Sentia que estivera presente na vida de Indiana durante uma eternidade, embora fossem somente três anos, e que a conhecia melhor do que a si mesmo. Agora se apresentava uma oportunidade, mas ela não estava pronta para um novo amor, parecia deprimida. Continuava trabalhando como sempre, e mesmo ele, que se considerava o menos perceptivo de seus pacientes, incapaz de apreciar as sutilezas do Reiki ou dos ímãs, se dava conta de que lhe faltava a energia de antes.

Indiana o esperava com um café recém-preparado, que beberam em pé na cozinha. Tinha pouca vontade de sair sob a ameaça de tempestade, mas sentiu pena de decepcionar Miller, que passara toda a semana falando daquela excursão, e Atila, instalado ao lado da porta em atitude de expectativa. Lavou as xícaras, deixou um bilhete para o pai, avisando que voltaria no começo da noite e queria ver Amanda antes que a levasse para o internato, vestiu um casaco e ajudou Miller a colocar sua bicicleta na caminhonete. Depois se instalou na cabine entre ele e Atila, que jamais cedia seu lugar ao lado da janela.

O vento silvava entre os cabos da ponte, sacudindo os poucos veículos que circulavam àquela hora. Não se viam os veleiros habituais dos domingos nem os turistas que vinham de longe para atravessar a pé a Golden Gate. A esperança de que no outro lado o tempo estivesse aberto, como costumava acontecer, se esfumou rapidamente, mas Miller não levou em consideração a sugestão de Indiana de que adiassem o passeio, seguiu pela autoestrada 101 até a avenida Sir Francis Drake e por ela até o parque estadual Samuel P. Taylor, onde haviam se conhecido.

Nesses quarenta e tantos minutos, a tempestade desabou com fúria implacável, as nuvens escuras se carregaram de eletricidade e, à luz branca dos relâmpagos, as árvores dobradas pelo vento pareciam espectros. Tiveram de parar duas vezes, porque a catarata de chuva impedia que se visse mais além do para-brisa, mas, assim que amainava um pouco, Miller seguia em frente, driblando curvas escorregadias e galhos arrancados pela raiz, com o risco de eles se acidentarem ou morrerem calcinados por um raio. Por fim, derrotado pela natureza, ele desligou o motor em um acostamento da estrada, escondeu o rosto entre os braços cruzados sobre o volante e maldisse sua sorte em linguagem de soldado, enquanto Atila observava o desastre de sua almofada cor-de-rosa com tamanha expressão de desamparo que Indiana começou a rir. Logo Miller foi contagiado e os dois riram juntos da situação grotesca, cada vez mais descontrolados, até que correram lágrimas pelos seus rostos, diante do desconcerto do cão, que não achava a menor graça de estar preso no veículo em vez de correndo pelo bosque.

Depois, quando cada um ficou a sós com a recordação do amor recém-vivido, não sabia a que atribuí-lo, se ao rugido da tempestade sacudindo o mundo, ao alívio do riso compartilhado ou à proximidade na cabine da caminhonete, ou se fora inevitável porque os dois estavam prontos. O gesto foi simultâneo, olharam-se, descobrindo-se, sem subterfúgios, como nunca tinham feito antes, e ela viu o amor nos olhos dele, um sentimento tão sincero que lhe despertou o desejo reprimido e sublimado havia anos.

Indiana conhecia aquele homem melhor do que ninguém, o comprimento e a largura de seu corpo, desde a cabeça até seu único pé, a pele avermelhada e brilhante do cotoco, as coxas firmes marcadas por cicatrizes, a cintura pouco flexível, a linha da coluna, vértebra a vértebra, os músculos formidáveis das costas, o peito e os braços, as mãos elegantes, dedo a dedo, o pescoço firme como madeira, a nuca sempre tensa, as orelhas sensíveis que não tocava na massagem para lhe evitar o rubor ou uma ereção; distinguia às cegas seu cheiro de sabonete e suor, a textura de seus cabelos cortados rente, a vibração de sua voz; gostava de seus gestos particulares, da forma de dirigir com uma única mão, de brincar com Atila como um garoto, de usar os talheres à mesa, de tirar a camiseta, de ajustar a prótese; sabia que chorava no cinema com filmes sentimentais, que seu sorvete favorito era o de pistache, que quando ela estava presente nunca olhava para outras mulheres, que sentia falta de sua vida de soldado, tinha a alma dolorida e nunca, nunca se queixava. Em incontáveis sessões de terapia havia percorrido palmo a palmo o corpo daquele homem, aparentemente mais jovem do que era habitual aos 40 anos, admirando sua rude virilidade e sua força contida que às vezes, distraidamente, comparava com Alan Keller. Seu amante, magro e bonito, com seu refinamento, sensibilidade e ironia, era o oposto de Ryan Miller. Mas naquele momento, na cabine da caminhonete, Keller não existia, não existira jamais, a única coisa real para Indiana era seu desejo veemente por aquele homem que de repente era um desconhecido.

Naquele longo olhar se disseram tudo o que era necessário dizer. Cercando-a com um braço, Miller a atraiu, ela levantou o rosto e se beijaram sem hesitar, como se não fosse a primeira vez, com uma paixão que o sacudia havia três anos e ela não pensava em tornar a sentir, porque havia se acomodado no amor maduro de Alan Keller. Nos prolongados jogos eróticos com seu antigo amante, que substituía com drogas, objetos e destreza o que lhe faltava em vigor, ela obtinha prazer e se divertia, mas não experimentava a cálida urgência com que naquele momento se aferrava a Ryan Miller, apertando-o com as duas mãos, beijando-o até perder o fôlego, surpresa com a suavidade de seus lábios e o sabor de sua saliva e a intimidade de sua língua, apressada, tratando de tirar o casaco, a bata, a blusa, sem se desprender do beijo e montar em cima dele na cabine estreita, com o volante no meio. Talvez tivesse conseguido, se Atila não os interrompesse com um longo uivo de cão escandalizado. Tinham se esquecido dele por completo. Isso lhes trouxe um sopro de sensatez e conseguiram se afastar por alguns instantes para decidir o que fazer com aquela indócil testemunha, e, como não podiam colocá-lo para fora por causa da tempestade, optaram pela solução mais lógica: procurar um hotel.

Enquanto Miller dirigia às cegas na chuva a uma velocidade imprudente, Indiana o acariciava e lhe dava beijos onde caíssem, diante do olhar ofendido de Atila. As primeiras luzes que avistaram foram a do pretensioso hotelzinho aonde haviam ido em outros domingos para saborear as melhores torradas francesas com creme fresco da região. Como não esperavam clientes naquele clima, destinaram-lhes o melhor quarto, um delírio de papel de parede florido, móveis de pés torneados e cortinas com franjas, com uma cama larga capaz de resistir aos embates do amor. Atila teve de esperar várias horas na caminhonete, até Miller se lembrar de sua existência.

Terça-feira, 7

Às 20h15, a juíza Rachel Rosen estacionou seu Volvo na garagem do edifício onde morava, tirou do porta-malas sua pesada pasta com os documentos que pretendia estudar naquela noite e a sacola do mercado com o jantar e o almoço do dia seguinte, um pedaço de salmão, brócolis, dois tomates e um abacate. Fora criada em um ambiente de austeridade e, para ela, qualquer gasto desnecessário constituía um insulto à memória dos pais, sobreviventes de um campo de concentração na Polônia, que chegaram à América sem nada e, com muito esforço, alcançaram uma boa situação financeira. Comprava o suficiente para o dia e não desperdiçava nada. As sobras do jantar serviam para o dia seguinte, levava-as em vasilhas plásticas para o Juizado de Menores, onde almoçava sozinha em sua sala. Não vivia mal, mas se permitia poucos luxos e economizava como uma gralha com a esperança de se aposentar aos 65 anos e viver de rendas. Herdara os móveis da família e as modestas joias da mãe, sem mais valor do que o sentimental, e era dona de sua água-furtada, de ações da Johnson & Johnson, da Apple e da Chevron, e de uma conta de poupança, da qual planejava gastar até o último centavo antes de morrer, porque não queria que seu filho e sua nora recebessem os benefícios de seu trabalho; não mereciam.

Rachel Rosen saiu apressada daquela garagem fedorenta e povoada de sombras, o lugar menos seguro do edifício; ouvira histórias de assaltos em lugares como aquele, assaltos a mulheres sozinhas, mulheres velhas, como ela. Fazia tempo que se sentia vulnerável e ameaçada; não era mais a pessoa forte e decidida de antes, a que fazia tremer os bandidos mais impiedosos, respeitada pela polícia e por seus colegas. Agora, essa mesma gente cochichava pelas suas costas, dera-lhe um apelido, chamavam-na de a Carniceira, ou algo assim, claro que ninguém se atrevia a lhe dizer isso na cara. Estava cansada; ou melhor, vivia cansada, já nem sequer conseguia correr, mal dava uma volta no parque caminhando; chegara o momento de se aposentar, faltavam somente dois meses para gozar o merecido descanso.

Subiu de elevador diretamente ao seu apartamento, sem passar pela portaria ou recolher a correspondência, porque o porteiro ia embora às sete da noite e trancava tudo com chave. Demorou dois minutos para abrir os ferrolhos da porta e, ao entrar, percebeu que havia se esquecido de ligar o alarme ao sair, um imperdoável descuido que jamais tivera antes. Quis atribuí-lo ao excesso de trabalho das últimas semanas; andava distraída e havia saído às pressas de manhã porque estava atrasada, mas tinha uma sensação persistente e irritante de que vinha perdendo a memória. Em seguida, foi assaltada pela preocupação de que alguém havia entrado; também ouvira dizer que nenhum alarme é seguro, que agora existiam dispositivos eletrônicos capazes de desarmá-los.

Rachel Rosen gostava muito pouco de sua casa; a ideia de comprar aquele apartamento de pé-direito alto, antigo e inóspito, havia sido de seu marido; nunca chegaram a reformá-lo, como certa vez haviam sonhado, e ele ficou tal como estava trinta anos antes, com um hálito frio de mausoléu. Planejava vendê-lo assim que se aposentasse e mudar para algum lugar ensolarado, onde não precisasse de calefação, como a Flórida. Agoniada pelo longo dia lidando com advogados e delinquentes, acendeu a luz do vestíbulo, deixou a pasta na mesa da sala de jantar, avançou tateando pelo corredor escuro e chegou à cozinha, onde deixou a sacola do supermercado sobre a bancada e foi ao seu quarto tirar a roupa de trabalho e vestir alguma coisa mais confortável. Quinze minutos depois, voltou à cozinha para preparar o jantar, de pijama, roupão de flanela e pantufas forradas de pele de cordeiro. Não chegou a esvaziar a sacola.

Primeiro, sentiu-o às suas costas, uma presença discreta, como uma recordação má, e não se mexeu, esperando, com a mesma sensação de pavor que a assaltava quando descia do carro na garagem. Esforçou-se para controlar a imaginação, não queria acabar como sua mãe, que passara seus últimos anos trancada a chave em seu apartamento, sem sair para nada, convencida de que os agentes da Gestapo a esperavam do outro lado da porta. Os velhos ficam medrosos, mas eu não sou como a minha mãe, pensou. Achou que ouvia o roçar de algo como papel ou plástico e se virou para a porta da cozinha. Uma silhueta se recortava no umbral, uma vaga forma humana, inflada, sem rosto, lenta e desajeitada como um astronauta na Lua. Soltou um grito rouco e terrível, nascido no ventre, que subiu pelo seu peito como uma labareda; viu a espantosa criatura avançar. O segundo grito ficou preso na boca e ela perdeu o ar.

Rachel Rosen recuou um passo, tropeçou na mesa e caiu de lado, protegendo a cabeça com os braços. Ficou no chão, murmurando súplicas, que não lhe fizessem mal, oferecendo entregar o dinheiro e as coisas de valor que tinha em casa, arrastando-se embaixo da mesa, onde se encolheu tremendo, negociando e chorando durante os três eternos minutos em que teve consciência. Não sentira a agulhada na coxa.

Sexta-feira, 10

Era pouco comum para o inspetor Bob Martín estar na cama às sete e meia da manhã de uma sexta-feira, pois sua jornada habitual começava ao amanhecer. Estava deitado com os braços atrás da cabeça, contemplando a tênue luz do dia que penetrava pela persiana branca de seu quarto e lutando contra a vontade de fumar. Abandonara o cigarro havia sete meses, usava um adesivo de nicotina e pequenas agulhas que Yumiko Sato espetava em suas orelhas, mas o desejo de fumar continuava presente, era quase irresistível. Ayani lhe recomendara, em um de seus encontros, que não eram mais interrogatórios e sim conversas, que tentasse a hipnose, um dos recursos da psicologia que contribuíra para a fama de seu marido, mas a ideia não lhe agradava. Achava que a hipnose se prestava a abusos, como naquele filme em que um mágico hipnotiza Woody Allen e o obriga a roubar joias.

Acabara de fazer amor com Karla pela terceira vez em cinco horas, o que não era exatamente um recorde, porque, no total, havia lhe custado 23 minutos, e agora, enquanto ela preparava o café na cozinha, ele pensava na senhora Ashton, na fragrância doce de sua pele, que adivinhava porque nunca estivera perto o bastante para poder cheirá-la, em seu pescoço longo, seus olhos cor de mel de pálpebras adormecidas, sua voz pausada e profunda, como o caudal de um rio ou o motor da máquina de secar. Passara-se um mês desde a morte de Ashton, e ele continuava inventando pretextos para ver a viúva quase todos os dias, o que provocava comentários sarcásticos de Petra Horr. Sua assistente estava perdendo o respeito por ele. Isso era resultado de ter-lhe dado muita confiança, precisava colocá-la em seu lugar.

Trocando carícias com Karla na escuridão, sonhava que o fazia com Ayani; as duas mulheres eram altas e magras, de ossos largos e pômulos pronunciados, mas o feitiço virava migalha assim que Karla abria a boca para soltar uma ladainha de obscenidades com sotaque polonês, que a princípio o excitavam e logo começaram a aborrecê-lo. Ayani fazia amor em silêncio, ele tinha certeza, ou talvez ronronasse como Salve-o-Atum, mas nada de porcarias em etíope. Não queria pensar em Ayani com Galang, como sugerira Petra, e muito menos na mutilação que aquela mulher sofrera na infância. Nunca vira uma criatura tão extraordinária como Ayani. O aroma de café chegou ao seu nariz no momento em que o telefone tocou.

— Bob, sou eu, Blake. Você pode vir a minha casa? É urgente.

— Aconteceu alguma coisa com Amanda? Com Indiana? — gritou o inspetor, pulando da cama.

— Não, mas é grave.

— Fui!

Blake Jackson, tão pouco alarmista, devia ter um motivo muito sério para chamá-lo. Em dois minutos, jogou água no rosto, vestiu a primeira coisa que encontrou e correu para o carro, sem se despedir de Karla, que ficou nua na cozinha com as duas canecas de café nas mãos.

Ao chegar a Potrero Hill, encontrou a caminhonete cor-de-rosa das Cinderelas Atômicas estacionada na porta de seu ex-sogro, que estava na cozinha com Elsa Domínguez e suas duas filhas, Noemí e Alicia. Eram jovens, bonitas de rosto, quadradas de corpo e cheias de vigor, sem nada da ingenuidade e da doçura da mãe. Haviam começado a fazer faxina na escola secundária, depois das aulas, para contribuir com a economia familiar, e em poucos anos tinham virado empresárias. Conseguiam clientes e combinavam as condições do serviço, depois mandavam outras mulheres fazer a limpeza e, no fim do mês, elas recebiam, pagavam os salários e compravam os materiais de limpeza necessários. As faxineiras não corriam o risco de ser exploradas por patrões desalmados e os clientes eram poupados de perguntar pela situação legal daquelas mulheres ou de traduzir orientações para o espanhol, pois se entendiam diretamente com Noemí e Alicia, que eram as responsáveis pela qualidade do serviço e a honradez de suas funcionárias.

As borralheiras atômicas tinham se multiplicado nos anos recentes, cobriam uma área ampla da cidade, e havia lista de espera para conseguir seus serviços. Em geral, iam às casas uma vez por semana, chegavam em equipes de duas ou três e começavam a trabalhar com tal ímpeto que, em poucas horas, deixavam tudo brilhando. Assim tinham feito durante vários anos com a juíza Rachel Rosen, na rua Church, até a manhã daquela sexta-feira, quando a encontraram pendurada em um ventilador.

• • •

Alicia e Noemí disseram ao inspetor que Rachel Rosen alegava tantas dificuldades para lhes pagar no dia certo que, finalmente, cansadas de discutir com ela todos os meses, tinham resolvido suspender o serviço. Naquela manhã, as duas foram lhe cobrar os cheques de dezembro e janeiro e avisá-la de que as borralheiras não voltariam. Chegaram às sete, o porteiro do edifício não estava, porque sua jornada começava às oito, mas sabiam o código da porta principal e tinham a chave do apartamento da cliente. Encontraram o ambiente na penumbra e gelado, a calefação estava desligada, e estranharam a quietude, porque Rosen se levantava cedo e, àquela hora, deveria estar tomando chá e com o noticiário da televisão a todo volume, de roupa de ginástica e tênis para ir ao Parque Dolores. Seu percurso era invariável: atravessava a Church Street pela passarela de pedestres, caminhava com passo rápido cerca de meia hora, parava na Padaria Tartine, na esquina da Guerrero com a rua 18, comprava dois bolinhos e voltava para casa, para tomar banho, se vestir e ir ao Juizado. As duas mulheres percorreram o vestíbulo, o escritório, a sala de jantar e a cozinha chamando a senhora, bateram na porta fechada de seu quarto e, como não obtiveram resposta, atreveram-se a entrar.

— Estava pendurada no teto — disse Alicia sussurrando, como se temesse ser ouvida.

— Suicidou-se? — perguntou o inspetor.

— Foi o que pensamos primeiro e olhamos para ver se estava viva e conseguíamos descê-la, mas achamos que a haviam matado, porque ninguém cobre a boca com uma fita adesiva para se suicidar, não é mesmo? Então ficamos assustadas e Alicia me disse que era para sairmos depressa. Lembramos das impressões digitais e por isso limpamos as portas e tudo o que havíamos tocado — disse Noemí, muito nervosa.

— Contaminaram a cena do crime! — exclamou o inspetor.

— Não contaminamos. Limpamos com toalhinhas úmidas. O senhor sabe, essas que são descartáveis, sempre andamos com elas, são desinfetantes.

— Telefonamos para mamãe da caminhonete — acrescentou sua irmã, apontando Elsa, que chorava em silêncio em sua cadeira, aferrada à mão de Blake.

— Eu lhe disse que viessem direto para a casa de mister Jackson. Que outra coisa poderiam fazer? — disse Elsa.

— Ligar para o 911, por exemplo — sugeriu Bob Martín.

— As garotas não querem confusão com a Imigração, Bob. Elas têm permissão para trabalhar, mas a maioria de suas empregadas não possui documentos — esclareceu Blake.

— Se elas são legais, não têm nada a temer.

— Isso é o que você, que nunca esteve na situação de um imigrante com sotaque latino, acha — replicou seu ex-sogro. — Rachel Rosen era muito desconfiada. Ninguém a visitava, senão Alicia e Noemí, que iam deixar lá as mulheres da limpeza todas as semanas. Vão ser tratadas como suspeitas.

— Nunca desapareceu nada da senhora, por isso acabou nos entregando a chave. A princípio, ficava para vigiar, contava os talheres e cada peça de roupa que ia para a máquina de lavar, mas depois relaxou — explicou Alicia.

— Ainda não entendo por que não chamaram a polícia — insistiu Bob Martín, pegando o celular.

— Espere, Bob! — deteve-o Blake.

— Trabalhamos há muitos anos neste país, somos pessoas honradas! Você nos conhece, imagine se formos acusadas pela morte dessa senhora — soluçou Elsa Domínguez.

— Isso será esclarecido rapidamente, Elsa, não se preocupe — afirmou Bob Martín.

— Elsa está preocupada com Hugo, seu filho mais novo — interveio Blake. — Como você sabe, o garoto teve problemas com a lei, coube a você ajudá-lo duas vezes, está lembrado? Ele esteve na prisão por brigas e roubo. Hugo tem acesso à chave do apartamento.

— Como assim? — perguntou o inspetor.

— Meu irmão vive comigo — disse Noemí. — As chaves de todas as casas em que trabalhamos ficam no meu quarto, em um chaveiro, com o nome do cliente. Hugo tem a cabeça oca e se mete em confusão, mas é incapaz de matar uma mosca.

— Seu irmão pode ter ido ao apartamento da Rosen para roubar... — especulou o inspetor.

— Você acha que ele enforcaria aquela mulher? Por favor, Bob! Dê uma ajuda, precisamos manter o garoto fora disso — suplicou Blake.

— Impossível. Vamos ter de interrogar todo mundo que tenha tido contato com a vítima, e o nome de Hugo aparecerá na investigação. Vou tentar lhe dar uns dois dias — disse o inspetor. — Estou indo para a delegacia. Dentro de dez minutos liguem anonimamente para o 911 de um telefone público e informem o que aconteceu. Não precisam se identificar, só deem o endereço da Rosen.

O inspetor parou em um posto de gasolina para encher o tanque e, tal como esperava, a voz de Petra Horr o alcançou no celular para informá-lo a respeito do cadáver da Church Street. Dirigiu-se ao local enquanto sua assistente, com eficiência militar, lhe fornecia os primeiros dados da vítima.

— Rachel Rosen, nascida em 1948, graduada em Hastings, trabalhou como advogada em uma empresa privada, depois como promotora pública e, finalmente, como Juíza de Menores, cargo que ocupou até o momento de sua morte. Tinha 64 anos, ia se aposentar no ano que vem — acrescentou Petra. — Casada com David Rosen, separaram-se, mas não se divorciaram, tiveram um filho, Ismael, que mora em São Francisco e acho que trabalha em uma distribuidora de bebidas, mas preciso confirmar. Ainda não foi informado. Já sei o que está pensando, chefe: o primeiro suspeito é o cônjuge, mas não serve, porque David Rosen tem um bom álibi.

— Qual?

— Morreu de enfarte em 1998.

— Azar, Petra. Algo mais?

— Rosen não se dava bem com a nora, isso a distanciou do filho e dos três netos. O restante de sua família consiste em dois irmãos do Brooklyn, que ela aparentemente não visitava havia muitos anos. Era pouco amistosa, uma mulher amargurada e de péssimo gênio. No Juizado, tinha fama de severa; suas sentenças eram temidas.

— Dinheiro? — perguntou Bob.

— Isso eu não sei, mas estou investigando. Quer a minha opinião? Era uma velha terrível; merece ferver nas frigideiras do inferno.

Quando Bob Martín chegou à Church Street, diante do Parque Dolores, meia quadra já havia sido interditada e o trânsito, desviado pela polícia. Um oficial o acompanhou ao edifício, onde o porteiro do turno, Manuel Valenzuela, um latino de uns 50 anos, de terno escuro e gravata, lhe disse que não havia ligado para o 911. Ficara sabendo do ocorrido quando apareceram dois agentes, que exigiram que abrisse o apartamento de Rachel Rosen com sua chave mestra. Disse que vira a senhora pela última vez na segunda-feira, quando ela pegara a correspondência, coisa que não fizera na terça, na quarta nem na quinta-feira, e por isso achara que estava viajando. Às vezes, ela se ausentava por vários dias, isso fazia parte de seu trabalho. Naquela manhã, ele telefonara para ela depois das oito, logo no início de seu turno, para perguntar se queria que lhe levasse a correspondência acumulada e um pacote, mas ninguém atendera o telefone. Manuel Valenzuela supôs que, se a mulher tivesse voltado da viagem, ela poderia estar no parque. Antes que começasse a se inquietar, chegaram a polícia e uma ambulância, com um estardalhaço que alterou todo o bairro.

Bob Martín ordenou ao porteiro que aguardasse em seu posto e desse um mínimo de informação aos outros moradores do prédio para evitar o pânico, depois confiscou a correspondência e o pacote e se dirigiu ao apartamento de Rachel Rosen, onde o aguardava o sargento Joseph Deseve, o primeiro a responder à ligação do serviço de emergência. O inspetor ficou feliz ao vê-lo: era um homem com anos de experiência, prudente, que sabia administrar uma situação como aquela.

— Limitei o acesso ao andar. Na cena do crime só entrei eu. Tivemos de impedir à força a entrada de um repórter que deu um jeito de subir até aqui. Não sei como a imprensa consegue ficar sabendo antes da gente — comentou o sargento.

A água-furtada da vítima tinha janelas que davam para o parque, mas a vista e a luz estavam bloqueadas por cortinas pesadas, que emprestavam ao ambiente um aspecto de agência funerária. A proprietária a decorara com móveis antiquados e em mau estado, imitações de tapetes persas, quadros com paisagens bucólicas em molduras douradas, plantas artificiais e uma cristaleira, onde exibia um zoológico de animais de cristal Swarovski, que o inspetor percebeu com o rabo do olho antes de se dirigir ao aposento principal.

O oficial que bloqueava a porta se afastou para um lado ao vê-los, e Joseph Deseve ficou na soleira, enquanto o inspetor entrava com seu pequeno gravador para ditar suas primeiras impressões, que, frequentemente, eram as mais acertadas. Tal como haviam dito Noemí e Alicia, a juíza estava de pijama, descalça, pendurada no ventilador do centro da peça, amordaçada com fita adesiva. Viu imediatamente que podia tocar a cama com os pés, o que significava que poderia ter levado horas para morrer, lutando instintivamente para se sustentar, até que fora vencida pelo cansaço ou desmaiara e o peso do corpo a estrangulara.

Agachou-se para examinar o tapete e constatou que a cama não havia sido tirada do lugar, ficou na ponta dos pés para observar o ventilador, mas não subiu em uma cadeira ou na mesa de cabeceira porque antes deveriam tirar as impressões digitais. Achou estranho que o ventilador não tivesse se soltado do teto com os movimentos desesperados da vítima.

O processo de decomposição estava avançado, o corpo inchado, o rosto desfigurado, os olhos fora de órbita, a pele marmórea com veias verdes e pretas. Pelo aspecto do cadáver, Martín supôs que a morte ocorrera, pelo menos, 36 horas antes, mas resolveu não fazer conjecturas e aguardar Ingrid Dunn.

Saiu do quarto, tirou a máscara e as luvas; depois ordenou que tornassem a fechá-lo e vigiassem a porta. Em seguida, pediu a Petra que avisasse a legista e o restante do pessoal necessário para examinar a cena, desenhar um esboço do conteúdo do quarto, fotografar e filmar antes de retirar o corpo. Subiu o fecho do blusão com um calafrio e se deu conta de que estava com fome, que precisava do café com que acordava toda manhã. Em um vislumbre, viu Karla com duas canecas nas mãos, nua, alongada como uma garça, os ossos protuberantes dos quadris e das clavículas, os seios exagerados, que lhe haviam custado três anos de economia, uma fabulosa criatura de outro planeta que surgira por engano em sua cozinha.

Enquanto o sargento Deseve descia à rua para controlar os jornalistas e os curiosos, Bob Martín fez uma primeira lista das pessoas que precisaria interrogar e depois examinou a última correspondência de Rachel Rosen, várias contas, dois catálogos, três jornais e um envelope do Banco da América. O pacote continha outro animal de cristal. Bob Martín telefonou para a recepção, e o porteiro lhe disse que a senhora Rosen recebia um por mês havia muitos anos.

Logo chegou em massa a equipe forense, liderada por Ingrid Dunn e acompanhada por Petra Horr, que não tinha nada a fazer ali; como pretexto, trazia para o inspetor um café com leite tamanho gigante, como se tivesse lido seus pensamentos.

— Perdoe, chefe, mas não aguentei a curiosidade: precisava vê-la com meus próprios olhos — foi sua explicação.

Bob Martín recordou a história que Petra havia lhe contado em uma noitada de comemoração, que começara com mojitos e cerveja no Camelot, o velho bar da rua Powell, onde policiais e detetives iam regularmente depois das horas de trabalho, e terminara no quarto de Petra com lágrimas e confidências. Vários colegas haviam se reunido para comemorar a condenação de O. J. Simpson em Las Vegas — assalto a mão armada e sequestro, 33 anos de prisão —, a qual aplaudiram como prova fidedigna da justiça divina. A admiração que todos sentiam pelas proezas do jogador de futebol americano havia se tornado uma frustração sete anos antes, quando fora absolvido dos assassinatos de sua ex-mulher e de um amigo dela, embora as provas contra ele fossem contundentes. A polícia de todo o país se sentira enganada.

A noitada no Camelot acontecera em dezembro de 2008, e Petra já estava havia algum tempo no Departamento. Bob Martín fez as contas dos anos que trabalhavam juntos e ficou surpreso com o fato de que ela não tivesse envelhecido um único dia; continuava sendo o mesmo duende de antes, a mesma que bebera três mojitos, ficara sentimental e o levara ao quarto de empregada que alugava em uma casa. Naquela época, Petra vivia como estudante pobre, ainda estava pagando as dívidas que lhe deixara um marido ocasional antes de partir para a Austrália. Os dois estavam livres de amarras e ela precisava de calor humano, por isso tomara a iniciativa e começara a acariciá-lo, mas Bob Martín resistia ao álcool melhor do que ela e, com a pouca lucidez disponível, resolvera recusar a oferta com gentileza. Teriam acordado arrependidos, disso tinha certeza. Não valia a pena arriscar sua maravilhosa relação de trabalho por alguns beijos bêbados.

Deitaram-se vestidos na cama, ela apoiara a cabeça em seu ombro e lhe contara as tristezas de sua curta existência, que ele meio que ouvira, lutando contra o torpor. Aos 16 anos, Petra havia sido condenada a dois anos de prisão por posse de maconha, em parte pela incompetência do defensor público, mas, sobretudo, devido à lendária severidade da juíza Rachel Rosen. Os dois anos viraram quatro porque outra jovem presidiária foi levada à enfermaria por causa de uma briga com Petra. Segundo ela, a mulher escorregara e batera a cabeça em uma pilastra de cimento, mas Rosen havia considerado aquilo como ataque com agravante.

Meia hora depois, quando soltaram Rachel Rosen do ventilador e a deitaram em uma maca, Ingrid Dunn deu suas impressões ao inspetor.

— À primeira vista, calculo que a morte aconteceu há pelo menos dois dias, talvez três, a decomposição pode ter sido lenta porque esse apartamento é uma geladeira. Não tem calefação?

— Segundo o porteiro, cada morador regula sua calefação e paga por ela de forma independente. Rachel Rosen tinha recursos, mas passava frio. A causa da morte parece óbvia.

— Morreu estrangulada, mas não pela corda que tinha no pescoço — disse Ingrid.

— Não?

A médica apontou uma fina linha azul, diferente da marca da corda, e lhe explicou que havia sido feita quando a juíza estava viva, porque produzira ruptura e derrame dos vasos sanguíneos. A outra marca era um corte na carne sem manchas roxas, apesar de ter suportado o peso do corpo, porque fora produzida depois da morte.

— Essa mulher foi estrangulada e devem tê-la pendurado pelo menos dez ou quinze minutos depois, quando o cadáver já não produz hematomas.

— Isso explicaria o fato de o ventilador não ter se desprendido do teto — disse Bob Martín.

— Não estou entendendo.

— Se a mulher tivesse lutado pela vida, sustentando-se na ponta dos pés, como achei a princípio, o ventilador não teria resistido à pressão.

— Se estava morta, por que a penduraram? — perguntou a legista.

— Isso é você quem terá de me dizer. Suponho que taparam sua boca para que não gritasse, ou seja, quando estava viva.

— Vou tirar a fita adesiva na autópsia e saberemos com certeza, mas não imagino por que a amordaçaram quando já estava morta.

— Pela mesma razão que penduraram o cadáver.

Depois de terem levado o corpo, o inspetor ordenou à equipe forense que continuasse a fazer seu trabalho, e convidou Ingrid Dunn e Petra Horr para tomar o café da manhã. Seria o único momento tranquilo antes que começasse a voragem de uma nova investigação.

— Vocês acreditam em astrologia? — indagou de suas acompanhantes.

— Em quê? — perguntou a médica.

— Em astrologia.

— Claro — disse Petra. — Não perco o horóscopo de Celeste Roko.

— Eu não acredito nisso, e você, Bob? — perguntou Ingrid.

— Até ontem eu não acreditava, mas agora começo a duvidar — suspirou o inspetor.

Sábado, 11

Por consideração a Elsa, que criara sua filha e estava na família havia dezessete anos, o inspetor marcou com Hugo Domínguez na casa de sua irmã Noemí, na região do Canal, no condado de San Rafael, em vez de interrogá-los no Departamento de Polícia, conforme o procedimento habitual. Levou Petra Horr consigo, para que gravasse os depoimentos. No automóvel, ela lhe informou que 70% dos habitantes do Canal eram hispânicos de baixa renda muitos deles ilegais, pessoas do México e da América Central. e que, para pagar o aluguel, várias famílias dividiam uma casa.

— Já ouviu falar das camas quentes, chefe? É quando duas ou mais pessoas usam a mesma cama por turno, em horários diferentes — disse Petra.

Passaram pela "parada", onde, às três da tarde, ainda havia uma dúzia de homens esperando que algum veículo os recolhesse para lhes dar trabalho por algumas horas. O bairro tinha inegável sabor latino, com lojas de tacos, mercadinhos com produtos do sul da fronteira e letreiros em espanhol.

O prédio onde Noemí morava, um entre vários idênticos, era um bloco de cimento pintado de cor de maionese, com janelas pequenas, escadas externas e portas que davam em corredores com tetos, onde os adultos se juntavam para conversar e as crianças para brincar. Das portas abertas saía o som de rádios e televisões sintonizados em programas em espanhol. Subiram dois andares, observados com hostilidade pelos inquilinos; desconfiavam dos estranhos e eram capazes de sentir a distância o cheiro da autoridade, mesmo que não usasse uniforme.

No apartamento de dois cômodos e banheiro os aguardavam seus habitantes: Noemí e seus três filhos, uma sobrinha adolescente com uma barriga que parecia uma melancia, e Hugo, o filho mais novo de Elsa, de 20 anos. O pai dos filhos de Noemí virara fumaça após o nascimento do último, que acabara de completar 5 anos. Agora, tinha outro companheiro nicaraguense, que vivia com eles quando aparecia pela área da baía, mas estava quase sempre ausente, porque dirigia um caminhão de carga.

— Veja a minha sorte, consegui um homem bom e com trabalho — definiu-o Noemí.

Na sala havia uma geladeira, uma televisão e um sofá.

A garota grávida trouxe da cozinha uma bandeja com copos de refresco de junça, batatas chips e guacamole. Como seu chefe lhe advertira que não poderia recusar o que lhe oferecessem, porque seria ofensivo, Petra fez um esforço para provar aquela beberagem esbranquiçada de aspecto suspeito, que, no entanto, achou deliciosa.

— É uma receita da minha mãe, acrescentamos amêndoas moídas e água de arroz — explicou Alicia, que acabara de chegar. Morava com o marido e duas filhas a uma quadra de distância, em um apartamento semelhante ao da irmã, mas tinha mais espaço, porque não o compartilhava.

Seis meses antes, Bob Martín havia assessorado a polícia do condado de San Rafael no controle de gangues e não se deixara enganar pelo aspecto de Hugo Domínguez. Supôs que suas irmãs haviam-no obrigado a vestir uma camisa de mangas compridas e calça, em vez da camiseta sem mangas e dos jeans largos, precariamente amarrados embaixo do umbigo e com os fundilhos no meio dos joelhos, que rapazes como ele usavam. A camisa cobria as tatuagens e as correntes do peito, mas o corte do cabelo, raspado nas têmporas e longo atrás, as perfurações e os piercings no rosto e nas orelhas e, sobretudo, a atitude de soberbo desprezo, identificavam-no claramente como delinquente.

O inspetor conhecia o rapaz desde criança e sentia pena dele. Como ele, que fora criado pela avó, mãe e irmãs com caráter de aço, havia crescido comandado pelas mulheres fortes de sua família. Hugo era catalogado como frouxo e meio doido, mas ele acreditava que o garoto não tinha má índole e, com um pouco de ajuda, se livraria de acabar na prisão. Não queria ver o filho de Elsa atrás das grades. Seria mais um dos dois milhões de presos do país, mais do que em qualquer outro lugar do mundo, inclusive nas piores ditaduras; um quarto da população carcerária mundial, uma nação encarcerada dentro da nação. Tinha dificuldade de imaginar Hugo cometendo um assassinato premeditado, mas tivera muitas surpresas em sua profissão e estava preparado para o pior. Hugo abandonara a escola no primeiro ano secundário, tivera problemas com a lei e era um jovem sem confiança em si mesmo, sem documentos, trabalho nem futuro. Como tantos outros de sua condição, pertencia à violenta cultura da rua por falta de alternativa.

A polícia vinha lidando havia décadas com gangues de latinos na área da baía: os Norteños, que eram os mais numerosos, identificados pela cor vermelha e a letra N tatuada no peito e nos braços; os Sureños, com a cor azul e a letra M, à qual pertencia Hugo Domínguez; os Border Brothers, assassinos mercenários vestidos de preto; e a temível Mafia Mexicana, os MM, que controlava, da prisão, o narcotráfico, a prostituição e as armas. As gangues latinas lutavam entre si e enfrentavam os bandos negros e asiáticos em disputas de território, roubavam, violentavam e traficavam drogas, aterrorizavam a população dos bairros e desafiavam as autoridades em uma guerra interminável. Para um número alarmante de jovens, as gangues substituíam a família, ofereciam identidade e proteção, e lhes proporcionavam a única forma de sobreviver na prisão, onde eram divididas por grupo étnico ou nacionalidade. Depois de cumprir seu tempo entre as grades, os delinquentes eram deportados para o seu país de origem, onde se uniam a outros bandos conectados com os dos Estados Unidos; dessa maneira, o tráfico de drogas e armas se transformara em um negócio sem fronteiras.

Hugo Domínguez havia passado pela iniciação necessária para ser aceito pelos Sureños: uma surra brutal que lhe quebrara várias costelas. Tinha uma cicatriz de uma punhalada nas costas e uma ferida superficial de bala em um braço, havia sido preso várias vezes, aos 15 anos fora levado para um reformatório e, aos 17, Bob Martín o salvara de uma prisão de adultos, onde teria tido amplas oportunidades de refinar suas práticas criminosas.

Apesar desses antecedentes, o inspetor duvidava que Hugo fosse capaz de um crime tão rebuscado e tão distante de seu território como o de Rachel Rosen, mas não podia descartar essa possibilidade, já que a juíza se caracterizara por distribuir longas sentenças aos membros de gangues menores de idade que lhe cabia julgar. Mais de um jovem condenado a vários anos de prisão havia jurado se vingar dela, e poderiam ter encarregado Hugo de fazê-lo como parte de sua iniciação.

Bob Martín conhecia a vantagem estratégica de fazer um suspeito aguardar e nem olhou para Hugo; dedicou-se às batatas chips com guacamole e a conversar com as mulheres como se se tratasse de uma visita social. Quis saber quando nasceria o bebê da adolescente grávida, quem era o pai e se havia feito o acompanhamento pré-natal; depois ficou falando do passado com Noemí e Alicia, contou algumas piadas e bebeu outro refresco, enquanto as três crianças, em pé na soleira da porta da cozinha, o observavam com seriedade de anciãos e Petra tentava apressá-lo com olhares impacientes. Hugo Domínguez fingia estar entretido enviando mensagens de texto de seu celular, mas por seu rosto corriam gotas de suor.

Por fim, o inspetor tocou no tema que interessava a todos. Noemí lhe disse que conhecera Rachel Rosen havia oito anos e que, no começo, ela própria limpava o apartamento da juíza. Depois, quando ela e sua irmã criaram a empresa Cinderelas Atômicas, a mulher suspendera o serviço porque não queria receber gente estranha em sua casa. Noemí a esquecera, mas um dia Rosen telefonara para ela.

— Sou muito organizada com a minha clientela, anotei a data exata em que retomamos o serviço — disse. — A senhora Rosen regateou o preço, mas, por fim, nos acertamos. Levou mais de um ano para nos entregar a chave e sair quando as cinderelas chegavam para fazer a faxina. Como era muito rabugenta e desconfiada, sempre enviávamos as mesmas mulheres, que conheciam as manias da senhora.

— Mas, na sexta-feira, não foram elas e sim você e sua irmã — disse Bob.

— Porque estava dois meses atrasada, os pagamentos são quinzenais e o último que ela tinha feito havia sido no começo de dezembro — respondeu Alicia. — Íamos notificá-la de que não poderíamos continuar com o serviço, porque, além de atrasar os pagamentos, tratava mal as empregadas.

— Como?

— Por exemplo, proibia-as de abrir a geladeira ou usar o banheiro, achava que podiam contaminá-la com uma doença. Antes de nos entregar o cheque, ela se queixava: havia poeira embaixo da cômoda, ferrugem na lavadora de louças, uma mancha no tapete... sempre encontrava algum defeito. Uma vez, uma xícara quebrou e ela nos cobrou cem dólares, dizendo que era antiga. Colecionava uns animais de vidro que não podíamos tocar.

— Recebeu um na quarta-feira — disse o inspetor.

— Deve ter sido um especial. Às vezes, comprava-os pela internet ou em antiquários; os da assinatura chegavam sempre no final do mês em uma caixa com o nome da loja.

— Swarovski? — perguntou Martín.

— Isso.

Enquanto Petra gravava e tomava notas, Noemí e Alicia mostraram a Bob Martín o registro dos clientes, a contabilidade e o chaveiro onde penduravam as chaves das casas que limpavam e que só entregavam às empregadas mais antigas e de absoluta confiança.

— Nós temos a única chave da senhora Rosen — disse Alicia.

— Mas qualquer um tem acesso ao chaveiro — comentou o inspetor.

— Eu nunca toquei nessas chaves! — explodiu Hugo Domínguez, sem conseguir se conter por mais tempo.

— Estou vendo que você pertence aos Sureños — disse o inspetor, examinando-o de cima a baixo e reparando no lenço azul no pescoço que, pelo visto, suas irmãs não o haviam convencido a tirar. — Enfim o respeitam, Hugo, embora não exatamente pela porra dos seus méritos. Agora ninguém se atreve a se meter com você, não é verdade? Está enganado, eu me atrevo a dizer.

— O que você quer comigo, tira fodido?

— Agradeça a sua mãe por eu não o estar interrogando na delegacia, meus rapazes não são particularmente educados com sujeitos como você. Você vai me dizer o que fez minuto a minuto das cinco da tarde da terça-feira até o meio-dia da quarta-feira passada.

— É por causa da velha, a que mataram. Não sei como se chama, não tenho nada a ver com isso.

— Responda a minha pergunta!

— Estava em Santa Rosa.

— É verdade, não veio dormir — interrompeu Noemí.

— Alguém o viu em Santa Rosa? O que estava fazendo lá?

— Não sei quem me viu, não ando preocupado com essas besteiras. Fui a passeio.

— Terá de encontrar um álibi melhor que esse, Hugo, se não quiser acabar acusado de homicídio — advertiu-o o inspetor.

Segunda-feira, 13

Petra Horr usava cabelo curto, de garoto, nenhuma maquiagem e se vestia sempre igual: botas, calça preta, camiseta branca e, no inverno, um agasalho grosso com o logotipo de alguma banda de rock nas costas. Suas únicas concessões à vaidade eram algumas mechas tingidas como cauda de raposa e um esmalte de cores escandalosas nas unhas dos pés e das mãos, que eram muito curtas devido às artes marciais. Estava em seu cubículo pintando a unha de amarelo fluorescente quando Elsa Domínguez chegou vestida como se fosse à missa, com saltos altos e uma antiquada estola de pele, perguntando pelo inspetor. A assistente lhe disse, dissimulando um suspiro de tédio, que seu chefe estava conduzindo uma investigação e certamente não voltaria a vê-lo pelo resto da tarde.

Nas últimas semanas, seu trabalho consistira, mais do que outra coisa, em dar cobertura a Bob Martín, que desaparecia nas horas de serviço com desculpas inverossímeis. Que o fizesse na segunda-feira já era o cúmulo, pensava Petra. Perdera a conta das mulheres que haviam entusiasmado Bob Martín desde que o conhecia, era um trabalho tedioso e inútil, mas calculava que deviam ser entre 12 e 15 por ano, mais ou menos uma mulher a cada 28 dias, se não lhe falhava a aritmética. Martín era pouco seletivo nesse aspecto, qualquer uma que piscasse o olho para ele poderia enfiá-lo no bolso, mas, até Ayani aparecer, não havia uma suspeita de homicídio na lista de suas amiguinhas e nenhuma conseguira levá-lo a negligenciar o trabalho. Embora como amante Bob Martín tivesse sérias limitações, pensava Petra, como policial sempre fora irrepreensível, não à toa chegara ao topo da carreira ainda muito jovem.

A jovem assistente admirava Ayani como poderia admirar uma iguana — exótica, interessante, perigosa — e entendia que alguns se deixassem ficar abobalhados por ela, mas isso era imperdoável no chefe do Departamento de Homicídios, que tinha informações suficientes não apenas para desconfiar dela, mas também para prendê-la. Naquele mesmo momento, enquanto Elsa Domínguez espremia um lenço de papel em sua sala, o inspetor estava mais uma vez com Ayani, provavelmente na cama que um mês atrás ela compartilhava com seu falecido marido. Petra acreditava que Bob Martín não tinha segredos com ela, em parte por ser descuidado e em parte por vaidade: gostava que ela soubesse de suas conquistas, mas, se pretendia deixá-la enciumada, estava perdendo seu tempo, decidiu, soprando as unhas.

— Posso ajudá-la, Elsa?

— É por causa de Hugo, meu filho... Você o viu outro dia...

— Sim, claro. O que há com ele?

— Hugo teve problemas, não posso negar, senhorita, mas não é nem um pouco violento. Essa pinta que tem, com as correntes e as tatuagens, não passa de moda. Por que suspeitam dele? — perguntou Elsa, enxugando as lágrimas.

— Entre outros motivos, porque faz parte de uma gangue de péssima reputação, tinha acesso à chave da senhora Rosen e não dispõe de um álibi.

— De quê?

— De um álibi. Seu filho não conseguiu provar que estava em Santa Rosa na noite do homicídio.

— É que ele não estava lá, por isso não pode provar.

Petra Horr guardou o esmalte de unhas em uma gaveta de sua mesa e pegou um lápis e uma caderneta.

— Onde estava? Um bom álibi pode livrá-lo da prisão, Elsa.

— Eu acho que ser preso é melhor do que ser morto.

— Quem iria matá-lo? Me diga em que seu filho anda metido, Elsa. Narcotráfico?

– Não, não, só maconha e um pouco de anfetamina. Na terça-feira, Hugo andava em outra coisa, mas não pode falar disso. Você sabe o que fazem com os dedos-duros?

— Tenho ideia.

— Você não sabe o que fariam com ele!

— Acalme-se, Elsa, vamos tentar ajudar seu filho.

— Hugo não abrirá a boca, mas eu sim, desde que ninguém fique sabendo que eu lhe passei as informações, senhorita, porque então não apenas o matariam, mas também toda a minha família.

A assistente levou Elsa à sala de Bob Martín, onde havia privacidade, foi à máquina de café do corredor, voltou com duas xícaras e se instalou para ouvir a confissão da mulher. Vinte minutos mais tarde, quando Elsa Domínguez já tinha ido embora, ligou pelo celular para Bob Martín.

— Me perdoe por interromper o crucial interrogatório de uma suspeita, chefe, mas é melhor se vestir e vir depressa. Tenho notícias para você.

Terça-feira, 14

Vinte e quatro horas depois de ter terminado sua relação com Indiana, Alan Keller adoeceu e passou mais de duas semanas com as tripas revoltas e uma diarreia comparável à que tivera vários anos atrás durante uma viagem ao Peru, quando temera que houvesse desabado em cima dele a maldição dos incas por se apoderar de tesouros pré-colombianos no mercado negro e contrabandeá-los para fora do país. Cancelou seus compromissos sociais, não conseguiu escrever sua crítica da exposição do Museu da Legião de Honra — culto à beleza na era vitoriana — e tampouco se despediu de Geneviève van Houte antes de ela partir para Milão, aos desfiles de moda da temporada. Perdeu quatro quilos e já não parecia esbelto, mas abatido. Seu estômago só suportava caldo de galinha e gelatina, andava cambaleando, e suas noites eram um suplício devido à insônia quando não tomava soníferos, ou por pesadelos terríveis, quando os tomava.

As pílulas deixavam-no em um estado agônico em que se via preso no tríptico do *Jardim das Delícias*, de Hieronymus Bosch, que o hipnotizara no Museu do Prado na juventude e o qual havia memorizado em detalhe, porque fora o tema de um de seus melhores artigos para a revista *American Art*. Ali ficava ele, no meio das figuras fantásticas do holandês, copulando com bestas diante do olhar hostil de Indiana, torturado com garfos por seu banqueiro, devorado aos poucos por seus irmãos, ridicularizado sem piedade por Geneviève, afundado em excremento, cuspindo escorpiões. Quando o efeito das pílulas passava e conseguia despertar, as imagens do sonho perseguiam-no durante o dia. Não teve dificuldade de interpretá-las, mas isso não o livrou delas.

Surpreendeu-se cem vezes com o telefone na mão querendo ligar para Indiana, com a certeza de que ela correria para socorrê-lo, não por tê-lo perdoado nem por amor, mas por sua necessidade inata de ajudar quem precisasse, mas conseguiu resistir ao impulso. Não tinha certeza de nada, nem sequer de que a amara. Aceitou o sofrimento físico como um depurativo e uma expiação, com nojo de si mesmo, de sua covardia para enfrentar riscos, de sua mesquinhez com os sentimentos, de seu egoísmo. Examinou-se a fundo e a sós — sem poder recorrer a seu psiquiatra, porque este estava em uma peregrinação por antigos mosteiros do Japão — e chegou à conclusão de que desperdiçara 55 anos em frivolidades, sem se comprometer a fundo com nada nem com ninguém. Havia farreado a juventude sem atingir nenhuma maturidade emocional, continuava olhando para o próprio umbigo como uma criança, enquanto seu corpo se deteriorava inexoravelmente. Quanto de vida lhe restava? Já havia consumido seus melhores anos, e os restantes, mesmo que fossem trinta, seriam de inevitável decadência.

A mistura de antidepressivos, soníferos, analgésicos, antibióticos e caldo de galinha finalmente surtiu efeito e ele começou a se recuperar. Ainda andava trêmulo e com um gosto de ovo podre na boca quando sua família o convidou para tomar decisões, como foi informado. Era uma novidade de mau agouro, porque nunca o consultavam para nada. Coincidiu com a festa de São Valentim, dia dos namorados que, durante quatro anos, ele dedicara a Indiana e agora não tinha com quem compartilhar. Supôs que a convocação se devia a suas dívidas recentes, que de alguma maneira tinham chegado aos ouvidos de sua família. Embora tivesse agido com todo o cuidado, seu irmão soubera que ele mandara os quadros de Botero à galeria Marlborough de Nova York para serem vendidos. Precisava de dinheiro; por isso mandara avaliar seus jades e descobrira que valiam muito menos do que pagara por eles; nas malditas cerâmicas dos incas, nem pensar, seria muito arriscado tentar vendê-las.

O conselho familiar foi realizado no escritório de seu irmão Mark, no último andar de um edifício em pleno quarteirão financeiro, com vista panorâmica da baía, um santuário de móveis maciços, tapetes felpudos e gravuras de colunas gregas, símbolos da solidez marmórea daquela banca de advogados que cobravam mil dólares por hora. Viu seu pai, Philip Keller, trêmulo, encolhido e com um mapa de manchas na pele, vestido de comandante de iate, a sombra do patriarca autoritário que fora no passado; sua mãe, Flora, com a expressão imutável de surpresa que a cirurgia plástica costuma outorgar, calça de couro envernizado, lenço Hermés para dissimular as dobras do pescoço e um chocalho interminável de pulseiras de ouro; sua irmã Lucille, elegante, magra e com cara de fome, como um cão afegão, acompanhada por seu marido, um bobo solene que só abria a boca para concordar; e, finalmente, Mark, sobre cujos ombros de hipopótamo repousava o pesado fardo da dinastia Keller.

Alan entendia perfeitamente que seu irmão mais velho o detestasse: ele era alto, bonito, com uma desafiadora cabeleira salpicada de fios brancos, atraía as mulheres, era simpático e culto, enquanto ao desafortunado Mark haviam cabido os genes horrorosos de algum antepassado distante. Mark o odiava por tudo isso, mas, sobretudo, porque havia se matado de tanto trabalhar a vida inteira para aumentar o patrimônio familiar, e a única coisa que Alan fizera fora dessangrá-lo, como alardeava sempre que aparecia uma oportunidade.

Na sala onde a família se reuniu, em torno de uma pomposa mesa de mogno polido como espelho, flutuava um cheiro de desodorizador de ambiente de pinho misturado com o persistente perfume Prada da senhora Keller, que revolveu o estômago convalescente de Alan. Para evitar dúvidas sobre sua posição na família, Mark se instalou em uma poltrona de espaldar alto, com várias pastas na frente, e colocou os demais em cadeiras menos dramáticas, diante das respectivas garrafas de água mineral. Alan achou que os anos, o dinheiro e o poder haviam acentuado o aspecto simiesco de seu irmão, e nenhum alfaiate, por melhor que fosse, conseguia dissimulá-lo. Mark era o herdeiro natural de várias gerações de homens com visão financeira e miopia emocional, a quem a dureza e a falta de escrúpulos marcava o rosto com rugas de mau-caráter e uma expressão de permanente arrogância.

Na infância, quando tremia diante do pai e ainda admirava seu irmão mais velho, Alan quis ser como eles, mas essa ideia desaparecera na adolescência, assim que compreendera que era feito de um material diferente e mais nobre. Anos antes, na festa de gala com que os Keller comemoraram os 70 anos de Flora, Alan aproveitara que ela havia bebido além da conta e se atrevera a lhe perguntar se Philip Keller era realmente seu pai. "Posso lhe garantir que você não é adotado, Alan, mas não me lembro de quem é seu pai", respondera sua mãe, entre soluços e risinhos sufocados.

Mark e Lucille, fartos de suportar os caprichos do caçula da família, fizeram um acordo antes da reunião para colocar Alan na linha de forma definitiva — os pais haviam sido convidados somente para fazer número —, mas sua determinação fraquejou diante do estado lamentável em que este se apresentou, pálido, desgrenhado e com olheiras de Drácula.

— O que há com você? Está doente? — latiu Mark.

— Estou com hepatite — respondeu Alan para dizer alguma coisa e porque estava se sentindo muito mal.

— Era só o que nos faltava! — exclamou sua irmã, levantando os braços para o alto.

Mas como os irmãos não eram totalmente desalmados, bastou-lhes trocar um olhar e erguer a sobrancelha esquerda, um tique da família, para decidirem suavizar um pouco sua estratégia. O conclave foi humilhante para Alan, não poderia ser diferente. Mark começou desabafando, acusando-o de ser um parasita, um playboy, um sustentado que vivia de empréstimos, sem ética de trabalho nem dignidade, e advertindo-o de que a paciência e os recursos da família haviam chegado ao limite. "Chega", disse, em um tom categórico, com uma eloquente palmada nas pastas. Suas recriminações, intercaladas por intervenções oportunas de Lucille, duraram uns vinte minutos, durante os quais Alan ficou sabendo que as pastas continham os detalhes de como desperdiçara cada centavo, de cada empréstimo recebido, de cada negócio frustrado, em ordem cronológica e devidamente checados.

Durante décadas, Alan assinara promissórias, convencido de que se tratava de mera formalidade e que Mark as esqueceria com a mesma facilidade com que ele as tirara da cabeça. Subestimara o irmão.

Na segunda parte da reunião, Mark Keller expôs as condições que havia improvisado com Lucille no silencioso acordo das sobrancelhas erguidas. Em vez de insistir que Alan vendesse seu vinhedo para acalmar os credores, como era o plano original, admitiu o fato irrefutável de que o valor da propriedade diminuíra drasticamente após o baque econômico de 2009 e que aquele era o momento menos favorável para vendê-la. No entanto, disse que, na qualidade de parente, poderia ficar com ela para tirar o irmão de seus apuros pela última vez. Antes de mais nada, afirmou, Alan deveria liquidar sua dívida com a Receita, que poderia levá-lo à prisão, o que seria um escândalo absolutamente inaceitável para os Keller. Em seguida, Mark anunciou a intenção de se desfazer da propriedade de Woodside, coisa que surpreendeu tanto Philip e Flora Keller que não conseguiram reagir para discordar. Mark explicou que uma construtora desejava levantar torres residenciais naquele terreno e, diante do desastroso estado do mercado de bens imóveis, não poderiam recusar a generosa oferta. Alan, que tentara durante anos se livrar daquele vetusto casarão e enfiar no bolso a parte que lhe cabia, ouviu aquilo em pé diante da janela, admirando o panorama da baía com fingida indiferença.

A ovelha negra da família entendeu plenamente o desprezo e o ressentimento profundo que seus irmãos sentiam por ele, assim como o alcance de sua sentença: marginalizavam-no da família, um conceito novo e insuspeito. Arrebatavam sua posição e seu bem-estar financeiro, suas influências, conexões e privilégios; com um empurrão relegavam-no aos poleiros inferiores do galinheiro social. Naquela manhã, em menos de uma hora e sem uma catástrofe no meio, como, por exemplo, uma guerra mundial ou o impacto de um meteorito, ele perdera aquilo que considerava ser seu direito de nascença.

Alan percebeu, achando estranho, que, em vez de estar furioso com os irmãos e angustiado com o futuro, sentia certa curiosidade. Como seria fazer parte da imensa massa humana que Geneviève chamava de gente feia? Recordou uma frase que ele próprio usara em um de seus artigos, referindo-se a um aspirante a artista, um desses com grande ambição e pouco talento: a cada um chega o momento de atingir seu nível de incompetência. Ocorreu-lhe que, quando saísse do escritório de seu irmão, teria de se virar sozinho e aterrissaria de cara em seu próprio nível de incompetência.

Em suma, estava arruinado. A venda de Woodside poderia demorar um tempo e, de qualquer maneira, não lhe caberia nada, porque sua família descontaria o dinheiro que lhe dera ao longo de sua vida, que ele chamava de adiantamento de sua herança, mas que os demais Keller consideravam empréstimos. Nunca fizera a conta dessas dívidas, mas estavam imortalizadas nas pastas que naquele momento Mark esmagava com sua grosseira mão de pedreiro. Supôs que sobreviveria com a venda de suas obras de arte, embora fosse difícil calcular por quanto tempo, porque tampouco fizera a conta de suas despesas. Com sorte obteria um milhão e meio pelos quadros de Botero, levando em conta a comissão da galeria; os pintores latinos estavam na moda, mas jamais convinha vender no meio de um aperto, como era o seu caso. Devia muito dinheiro aos bancos — o vinhedo tornara-se um capricho caro — e a outros credores menores, desde seu dentista até alguns antiquários, sem contar os cartões de crédito. Quanto somava tudo aquilo? Não tinha a menor ideia. Mark lhe disse que deveria desocupar Woodside imediatamente, e aquela casa, que uma hora antes Alan detestava, agora lhe causava certa nostalgia. Pensou, resignado, que pelo menos não passaria pela humilhação de pedir alojamento a terceiros, poderia se instalar no vinhedo de Napa por alguns meses, até Mark se apoderar dele.

Beijou a mãe e Lucille no rosto e se despediu do irmão e do pai com tapinhas nos ombros. Ao sair do elevador e chegar à rua, Alan constatou que naquela hora decisiva o inverno recuara e brilhava em São Francisco um sol de outros climas. Foi ao Clock Bar do Hotel Westin St. Francis tomar um uísque, o primeiro desde que caíra enfermo, que muita falta lhe fazia; o álcool o reanimou, afastando dúvidas e temores. Penteou-se com os dedos, feliz de ter cabelos tão bons, e endireitou os ombros, tirando um tremendo peso de cima, porque não dependia mais de seus irmãos, havia terminado o malabarismo com cartões de crédito, a obsessão de salvar as aparências e o dever de velar pela respeitabilidade de seu sobrenome. Seu castelo de cartas desmoronara, e ele passava a fazer parte da plebe, mas estava livre. Sentia-se eufórico, leve e mais jovem. Somente Indiana lhe fazia falta, mas ela também pertencia ao passado, àquilo que fora levado pela tempestade.

Quinta-feira, 16

Blake Jackson recebeu uma ligação de sua neta no meio da manhã. Estava na farmácia e precisou deixar o que estava fazendo naquele momento — contava cápsulas para uma receita — porque o tom de Amanda era alarmante.

— Você não está na sala de aula a essa hora? — perguntou, inquieto.

— Estou ligando do banheiro. É por causa de Bradley — disse ela, e ele percebeu o esforço que ela fazia para não chorar.

— O que aconteceu?

— Tem uma namorada, vovô! — E não conseguiu evitar o soluço.

— Ah, minha linda, sinto muito... Como você soube?

— Colocou no Facebook. Ou seja, primeiro me trai e depois zomba de mim em público. Também colocou uma foto, a sujeita é campeã de natação, como ele, tem costas de homem e cara de má. O que vou fazer, vovô?

— Não sei, Amanda.

— Nunca aconteceu uma coisa dessas com você?

— Não lembro. Estas coisas a gente esquece...

— Esquece! Nunca vou perdoar Bradley! Mandei uma mensagem para lembrá-lo que iríamos nos casar e ele não me respondeu. Deve estar pensando na desculpa que vai me dar, todos os homens são infiéis, como Alan Keller e meu pai. Não se pode confiar em nenhum — disse a garota, chorando.

— Eu não sou assim, Amanda.

— Mas você é velho! — exclamou a neta.

— É claro que se pode confiar nos homens, a maioria é muito decente. Seu pai é solteiro, quero dizer, divorciado, e não deve fidelidade a ninguém.

— Está querendo me dizer que Bradley também é solteiro e não me deve fidelidade, embora fôssemos nos casar?

— Está me parecendo que essa história do casamento não estava realmente definida, minha linda. Talvez Bradley não soubesse que você estava pensando em se casar com ele.

— Não fale no passado, ainda penso em me casar com ele. Espere até eu ir para o MIT e tirar a estúpida, aquela, do mapa.

— É assim que se fala, Amanda.

Sua neta chorou durante alguns minutos, enquanto ele aguardava ao telefone sem saber como consolá-la, depois a ouviu assoar o nariz estrepitosamente.

— Tenho de voltar para a aula — suspirou Amanda.

— Suponho que este não seja o momento apropriado para falar de autópsias. Ligarei à noite — disse Blake.

— Que autópsia?

— A de Rachel Rosen. A médica-legista acredita que o assassino lhe injetou uma droga, porque o corpo tem uma punção na coxa esquerda. Amordaçou-a, depois a estrangulou, dizendo melhor, apertou seu pescoço com fio de pesca e um torniquete, e finalmente a pendurou no ventilador.

— Um pouco complicado, você não acha, Kabel?

— Sim. No exame toxicológico identificaram a droga. Chama-se Versed, tem muitos usos, entre outras coisas serve para apagar os pacientes antes de uma cirurgia; dependendo da dose que lhe administraram, Rosen deve ter ficado praticamente inconsciente em poucos minutos.

— Interessante — comentou a neta, que parecia bastante recuperada do trauma amoroso.

— Volte à sala de aula, minha linda. Você me ama?

— Não.

— Eu também não.

Sexta-feira, 17

Indiana havia se preparado para a penúltima sessão da semana esfregando algumas gotas de essência de limão nos pulsos, que a ajudavam a focar a mente, e havia acendido um palito de incenso diante da deusa Shakti pedindo-lhe paciência. Era uma daquelas semanas em que Gary Brunswick precisava de tratamentos e ela precisava trocar o horário de outros pacientes para acomodá-lo em sua agenda. Em tempos normais, recuperava-se de uma sessão complicada com dois ou três bombons de chocolate amargo, mas, desde que terminara com Alan Keller, estes haviam perdido seu efeito regenerador, e as inconveniências da vida, como Brunswick, a desarmavam. Precisava de alguma coisa mais forte do que chocolate.

Na primeira vez que Brunswick aparecera no seu consultório, ele não tinha intenções veladas, como outros homens que a procuravam com o pretexto de males imaginários para tentar a sorte com ela. Indiana tivera decepções com alguns que se pavoneavam nus com a esperança de impressioná-la, até que aprendeu a se livrar deles, sem lhes dar tempo de se transformarem em ameaça, mas raras vezes precisara pedir ajuda a Matheus Pereira. O pintor havia conectado uma campainha embaixo da mesa para que ela o chamasse quando não conseguisse administrar a situação. Mais de um daqueles atrevidos voltara arrependido pedindo-lhe uma segunda chance, que ela lhes negava, porque para curar precisava se concentrar, e como iria fazê-lo com uma ereção apontando para ela sob o lençol? Gary Brunswick não era desses, chegara enviado por Yumiko Sato, cujas milagrosas agulhas de acupuntura para combater quase todos os males não haviam conseguido curar suas persistentes dores de cabeça e por isso o mandara procurar sua vizinha da sala número 8.

Como nunca vira Indiana, Brunswick ficou surpreso quando ela abriu a porta e ele se viu diante de uma valquíria disfarçada de enfermeira, muito diferente da pessoa que imaginara. Nem sequer esperava encontrar uma mulher, achava que Indiana era nome de homem, como Indiana Jones, o herói dos filmes de sua adolescência. Antes de a primeira sessão terminar, estava sufocado por uma torrente de emoções novas, difíceis de administrar. Orgulhava-se de ser um homem frio, com controle de suas ações mas a proximidade de Indiana, feminina, cálida e compassiva, o contato de suas mãos firmes e a mistura sensual de aromas no consultório, desarmaram-no e, durante a hora que durou a sessão, sentiu-se no céu. Por isso, voltava como um suplicante, nem tanto para se curar de suas enxaquecas, mas para vê-la e tornar a experimentar o êxtase da primeira vez, que nunca se repetira com a mesma intensidade. Precisava sempre de mais, como um viciado.

Sua timidez e falta de jeito haviam-no impedido de expressar a Indiana seus sentimentos com franqueza, mas suas insinuações iam aumentando perigosamente de frequência. Se fosse outro homem, Indiana o teria despachado solenemente, mas aquele lhe parecia tão frágil, apesar de suas botas de combate e de sua jaqueta de macho, que temia magoá-lo fatalmente. Havia comentado isso de passagem com Ryan Miller, que vira Brunswick umas duas vezes.

— Por que você não se livra dessa doninha patética? — fora sua resposta. Exatamente por isso não conseguia fazê-lo: porque era patético.

A sessão transcorreu melhor do que o esperado. No começo, Indiana achou que ele estava nervoso, mas relaxou quando começou a massagem e dormiu durante os vinte minutos dedicados ao Reiki. Quando terminou, precisou sacudi-lo um pouco para despertá-lo. Deixou-o sozinho para que se vestisse e ficou esperando na salinha de recepção, onde o incenso já se consumira, mas persistia o cheiro de templo asiático. Abriu a porta do corredor para ventilar exatamente no momento em que Matheus Pereira chegava para saudá-la, salpicado de tinta e com uma planta em um vaso, que lhe trazia de presente. Os dias do pintor transcorriam entre longos repousos à base de maconha e ataques de criatividade pictórica que não afetavam sua capacidade de atenção: não lhe escapava nada do que acontecia em North Beach e em especial na Clínica Holística, que ele considerava seu lar. O acordo original com o dono do imóvel consistia em mantê-lo informado a respeito do ir e vir dos inquilinos em troca de um dinheirinho e de morar de graça na água-furtada, mas, como raramente acontecia alguma coisa digna de nota, seu compromisso com o chinês fora se diluindo. O hábito de percorrer os andares, colocar a correspondência nos escaninhos, atender queixas e ouvir confidências se traduzia em amizade com os moradores do edifício, sua única família, sobretudo com Indiana e Yumiko, que aliviavam sua dor ciática com massagem e acupuntura, respectivamente.

Pereira notou que a floricultura japonesa não entregara a iquebana das segundas-feiras e deduziu que alguma coisa acontecera entre Indiana e seu amante. Uma pena, pensou, Keller era um sujeito culto que conhecia arte; dia desses poderia comprar um quadro seu, talvez um dos grandes, como o do matadouro, inspirado nos animais destripados de Soutine, sua obra-prima. Claro que, por outro lado, se Keller desaparecesse, ele poderia convidar Indiana de vez em quando para ir à sua água-furtada, fumar um pouco e fazer amor sem compromisso; isso não colocaria em risco sua criatividade, desde que não se tornasse um hábito. O amor platônico era um tanto aborrecido. Indiana agradeceu a planta decorativa com um beijo casto e se livrou dele depressa, porque seu paciente, já vestido, apareceu.

• • •

Matheus Pereira desapareceu pelo corredor, enquanto Brunswick pagava as sessões daquela semana em dinheiro vivo, sem aceitar o recibo, como sempre fazia.

— Esta planta ficaria melhor longe de sua clientela, Indiana. É maconha. Esse sujeito trabalha aqui? Eu o vi várias vezes.

— É pintor e mora no sótão. Os quadros do vestíbulo são dele.

— Acho-os pavorosos, mas não sou um entendido. Amanhã farão *cinghiale* no Café Rossini... Não sei... poderíamos ir. Se quiser, claro — balbuciou Brunswick, olhando para o chão.

Aquele prato não constava do menu da cafeteria, só era oferecido aos clientes habituais que tinham posse do segredo, e o fato de que Brunswick fosse um deles era uma prova de sua tenacidade: conseguira, em um prazo mínimo, ser aceito em North Beach. Outros levariam décadas. De vez em quando, o dono do Café Rossini ia caçar nos arredores de Monterrey e voltava com o cadáver de um javali, que esquartejava pessoalmente em sua cozinha, um processo atroz, e preparava, entre outras delícias, as melhores linguiças da história, o ingrediente fundamental de seu *cinghiale*. Algumas semanas antes, Indiana cometera o erro de aceitar um convite para almoçar de Brunswick e havia passado horas eternas lutando para ficar acordada, enquanto ele lhe fazia uma conferência sobre formações geológicas e a falha de San Andrés. Não pretendia repetir a experiência.

— Não, obrigada, Gary. Vou passar o fim de semana com a minha família, temos muito a comemorar. Amanda foi aceita pelo MIT, com uma bolsa de 50%.

— Sua filha deve ser um gênio.

— Sim, mas você a derrotou em uma partida de xadrez — comentou Indiana, amavelmente.

— Mas ela ganhou outras vezes.

— Como? Você tornou a vê-la? — perguntou ela, alarmada.

— Jogamos on-line de vez em quando. Vai me ensinar a jogar Go, que é mais difícil que xadrez. É um jogo chinês que tem mais de dois mil anos...

— Sei o que é Go, Gary — interrompeu-o Indiana, sem disfarçar seu aborrecimento; aquele homem estava se transformando em uma praga.

— Você parece contrariada, está acontecendo alguma coisa?

— Não permito que minha filha se relacione com meus pacientes, Gary. Peço-lhe a gentileza de não continuar em contato com ela.

— Por quê? Não sou pervertido!

— Nunca achei isso, Gary — disse Indiana, colocando um pé atrás, surpresa com o fato de aquele sujeito tímido ter sido capaz de levantar a voz para ela.

— Compreendo que, como mãe, você queira proteger sua filha, mas não tem nada a temer de minha parte.

— Claro, mas de qualquer maneira...

— Não posso parar de me comunicar com Amanda sem nenhuma explicação — interrompeu-a Brunswick. — Tenho, pelo menos, de falar com ela. Mais: se me permitir, gostaria de lhe dar um presente. Você não me disse que a garota quer um gato?

— Você é muito gentil, Gary, mas Amanda já tem uma gatinha, se chama Salve-o-Atum. Ganhou de presente de uma amiga minha, Carol Underwater, talvez você já a tenha visto aqui.

— Então terei de pensar em outro presente para Amanda.

— Não, Gary, de maneira nenhuma. Vamos limitar nossas relações às quatro paredes deste consultório. Não se ofenda, não é nada pessoal.

— Não pode ser mais pessoal, Indiana. Por acaso você não sabe o que sinto por você? — replicou Brunswick aos borbotões, vermelho de vergonha e com expressão desolada.

— Mas mal nos conhecemos, Gary!

— Se quiser saber mais a meu respeito, me pergunte, sou um livro aberto, Indiana. Sou solteiro, não tenho filhos, sou organizado, trabalhador, bom cidadão, uma pessoa decente. Seria prematuro lhe explicar minha situação financeira, mas posso lhe adiantar que é ótima. Nesta crise, muita gente perdeu tudo o que tinha, mas eu me mantive a salvo e até saí ganhando, porque conheço bem o mercado de capitais. Estou investindo há alguns anos e...

— Não tenho nada a ver com isso, Gary.

— Só lhe peço que leve em consideração o que lhe disse, esperarei o tempo que for necessário, Indiana.

— É melhor desistir. E também é melhor procurar outra terapeuta, não posso continuar atendendo-o, não só pelo que acabamos de conversar, mas porque meus tratamentos têm sido muito pouco efetivos.

— Não faça isso comigo, Indiana! Só você pode me curar; graças a você estou muito melhor de saúde. Não voltarei a incomodá-la com meus sentimentos, prometo.

Parecia tão desesperado que ela não teve coragem de insistir em sua decisão e, ao vê-la vacilar, Brunswick aproveitou para se despedir até a terça-feira seguinte, como se não tivesse registrado nada do que havia sido dito, e partir às pressas.

• • •

Indiana fechou a porta e passou a chave por dentro, sentindo-se manipulada como uma noviça. Lavou o rosto e as mãos para afastar a irritação, pensando com nostalgia na jacuzzi do Hotel Fairmont. Ah, a água perfumada, as grandes toalhas de algodão, o vinho gelado, a comida deliciosa, as carícias sábias, o humor e o amor de Alan Keller! Certa vez, depois de ver *Cleópatra* na televisão, três horas de egípcios decadentes com os olhos pintados e romanos rudes com boas pernas, ela comentara que o melhor do filme havia sido o banho de leite. Alan Keller pulou da cama, se vestiu, saiu sem dizer uma palavra e, meia hora mais tarde, quando ela estava prestes a adormecer, voltou com três latas de leite em pó, que dissolveu na água quente da jacuzzi para que ela se banhasse como a rainha de Hollywood. A recordação a fez rir e ela se perguntou, com uma pontada de dor no meio do peito, como faria para viver sem aquele homem, que tanto prazer lhe dera, e se chegaria a amar Ryan Miller como amara Alan.

A atração física que sentia pelo ex-soldado era tão forte que só poderia compará-la à que sentira por Bob Martín na escola secundária. Era como uma febre, um calor permanente. Perguntava-se como conseguira ignorar ou resistir àquele imperioso desejo sexual, que, sem dúvida, existia havia muito tempo, e a única resposta possível era que o amor por Alan Keller pesara mais. Conhecia seu próprio temperamento, sabia que não podia amar a sério um e se deitar sem compromisso com outro, mas, depois de ter estado com Ryan naquele hotelzinho açoitado pela tempestade, compreendia melhor aqueles que se entregavam à loucura do desejo.

Nos 12 dias transcorridos desde então, estivera com Ryan todas as noites, menos no sábado e no domingo, que passara com Amanda, e naquele mesmo momento, quando ainda não havia atendido seu último paciente, esperava ansiosamente abraçá-lo no loft, onde Atila, resignado, não manifestava mais seu descontentamento uivando. Pensava com agrado na espartana simplicidade do lugar, as toalhas ásperas, o frio que a obrigava a fazer amor de suéter e meias de lã. Gostava da enorme presença masculina de Ryan, da força que irradiava, de sua atitude de guerreiro heroico, de se sentir vulnerável em seus braços. De certa forma, também gostava de sua pressa de garoto atordoado, que atribuía ao fato de que ele não tivera um amor significativo, ninguém se propusera a lhe ensinar a satisfazer uma mulher. Isso mudaria quando cedesse a excitação do amor recém-estreado e tivessem a oportunidade de se explorar sem pressa. Essa era uma perspectiva agradável. Ryan era um homem surpreendente, muito mais doce e sentimental do que imaginara, mas lhes faltava uma história em comum; todas as relações requerem história, mas teriam tempo de se conhecerem melhor, e de esquecer Alan.

Arrumou a sala de massagens, recolheu o lençol e as toalhas usadas e se preparou para a última sessão da semana, o poodle, seu cliente preferido, o mais carinhoso, um animalzinho caramelo, velho e manco, que se submetia aos seus tratamentos com evidente gratidão. Como dispunha de alguns minutos, procurou o arquivo de Brunswick, onde, por infelicidade, não constava a hora do nascimento, porque teria servido para fazer um mapa astral, e discou o número de Celeste Roko para obter o nome do tibetano que limpava o carma.

Sábado, 18

Pedro Alarcón e Ryan Miller, com Atila grudado nos calcanhares, tocaram pontualmente a campainha de Indiana às oito e meia da noite do sábado, seguidos a poucos passos por Matheus Pereira, Yumiko Sato e sua companheira de vida, Nana Sasaki. Indiana, que os convidara a pedido de Danny D'Angelo, recebeu-os com um sóbrio vestido preto de seda e saltos altos, presentes de Alan Keller da época em que tentava transformá-la em uma dama, que provocaram assovios de admiração dos homens. Nunca tinham-na visto tão elegante e vestida daquela cor; ela acreditava que o preto atraía energia negativa, e o usava com cautela. Atila farejou com deleite a mistura de óleos de essências que impregnava o apartamento. O cachorro detestava os aromas sintéticos, mas se rendia aos naturais; isso explicava sua fraqueza por Indiana, a quem distinguia entre os seres humanos. Miller segurou Indiana e lhe deu um beijo na boca, enquanto os demais convidados fingiam não perceber. Depois, a anfitriã abriu uma garrafa de Primus, delicada mistura de carmenere e cabernet, também presente de Keller, já que ela não podia se permitir uma garrafa de vinho que custava mais do que seu casaco de inverno, e serviu a Miller seu refrigerante favorito. Antes, o *navy seal* se jactava de ser um *connaisseur* de vinhos, e depois, quando parou de beber, se transformara em um degustador de Coca-Cola, que preferia em garrafa pequena — jamais de lata —, importada do México, porque continha mais açúcar, e sem gelo.

No dia anterior, Danny havia convidado Indiana a ir ao seu espetáculo de sábado. Tratava-se de uma ocasião especial, porque estava fazendo aniversário e a dona do estabelecimento, como homenagem aos seus anos de palco, lhe dera o papel principal, que ele preparara cuidadosamente. "De que me serve ser a estrela do show, se ninguém se importa? Venha me ver, Indi, e traga seus amigos para que me aplaudam." Como Danny a avisara com pouca antecedência, ela não tivera tempo de juntar uma multidão, como gostaria de ter feito, e precisou se conformar com aqueles cinco amigos fiéis. Todos se vestiram para a ocasião, inclusive Matheus, que usava seus eternos jeans manchados de tinta, mas colocara uma camisa listrada engomada e um lenço no pescoço. Em North Beach havia um consenso geral de que o pintor brasileiro era o homem mais bonito da vizinhança, e ele sabia disso. Era muito alto e magro, com o rosto marcado por rugas profundas, como talhadas a cinzel, tinha olhos verde-amarelados de felino, lábios sensuais e o cabelo rastafari. Chamava tanto a atenção que frequentemente os turistas o paravam na rua para tirar fotografias com ele, como se fosse uma atração local.

Yumiko e Nana haviam se conhecido na infância, na província japonesa de Iwate, imigrado ao mesmo tempo para os Estados Unidos, moravam e trabalhavam juntas, e tinham optado por se vestir igual. Naquela noite, estavam usando seu uniforme de sair: calça e blazer pretos, blusa de seda branca no estilo Mao. Haviam se casado em 16 de junho de 2008, no próprio dia em que fora legalizado o casamento de pessoas do mesmo sexo na Califórnia, e naquela noite comemoraram o matrimônio na galeria Lagarta Peluda com sushi, saquê e na presença de todos os médicos da alma da Clínica Holística.

Matheus ajudou Indiana a servir o jantar, que consistiu de várias delícias trazidas de um restaurante tailandês, em pratos descartáveis e com pauzinhos. Os amigos se instalaram para comer no chão, porque a mesa servia de laboratório para a aromaterapia. A conversa derivou, como todas as conversas daqueles dias, para a possibilidade de Obama perder as eleições presidenciais e de o filme *Meia-noite em Paris* ganhar o Oscar. Esvaziaram a garrafa de vinho e, na sobremesa, foi servido sorvete de chá verde trazido pelo casal de japonesas. Depois, distribuíram-se no carro de Yumiko e na caminhonete de Miller, com Atila no banco dianteiro, que ninguém se atreveu a lhe usurpar.

Dirigiram-se à rua Castro e estacionaram, deixando o cão no veículo disposto a esperar durante horas com paciência budista, e caminharam duas quadras até o Narciso Club. Àquela hora, o bairro se animava com gente jovem, alguns turistas noctívagos e homossexuais, que enchiam os bares e os teatros de variedades. Por fora, o lugar onde Danny atuava era uma porta com o nome em neon azul, que passaria despercebido se não houvesse uma fila para entrar e grupos de gays fumando e conversando. Alarcón e Miller se aventuraram em alguns comentários jocosos sobre a natureza do clube, mas seguiram mansamente Indiana, que saudou o leão de chácara que cuidava da porta e apresentou seus acompanhantes como convidados especiais de Danny D'Angelo. Por dentro o estabelecimento era mais amplo do que se poderia supor, sufocante, apinhado de clientes, quase todos homens. Nos cantos mais escuros, distinguiam-se figuras abraçadas ou dançando lentamente, absortas, mas o restante do público se misturava, falando aos gritos para se fazer ouvir, ou se apinhava em torno do balcão, onde consumia bebidas alcoólicas e tacos mexicanos.

Na pista de dança, que também servia de palco, sob luzes piscantes, rebolavam, ao ritmo da música estridente, quatro coristas de biquíni, coroadas com plumas brancas. Pareciam quadrigêmeas, todas da mesma altura, com perucas, bijuteria e maquiagem idênticas, as pernas bem-torneadas, as nádegas firmes, os braços cobertos por longas luvas de cetim e os seios transbordando dos sutiãs bordados de pedraria. Só examinando-as de perto e à luz do dia teria sido possível descobrir que não eram mulheres.

Os amigos de Danny abriram caminho às cotoveladas no meio do público desordeiro, e um empregado os levou para perto do palco, a uma mesa reservada para Indiana. Alarcón, Yumiko e Nana foram até o balcão para comprar bebidas e um refrigerante para Miller, que ainda não se dera conta de que ele e o pintor chamavam a atenção, pois ele achava que os clientes olhavam para Indiana.

Pouco depois, as coristas emplumadas deram por terminada sua coreografia, as luzes foram apagadas e o clube mergulhou em uma escuridão total, que foi recebida com piadas e assovios. Assim transcorreu um minuto interminável, e então, quando os piadistas se calaram, a voz cristalina de Whitney Houston dominou o espaço com um longo queixume de amor, estremecendo a alma de cada um dos presentes. O raio amarelo de um foco iluminou o centro do palco, onde o fantasma da cantora, falecida sete dias antes, aguardava em pé com a cabeça abaixada, o microfone em uma das mãos e a outra no coração, o cabelo curto, as pálpebras cerradas, com um vestido longo que ressaltava os seios e as costas descobertas. A aparição deixou o público sem fôlego, paralisado. Lentamente, Houston levantou a cabeça, levou o microfone ao rosto e, do fundo da terra, elevou-se a primeira frase de "I will always love you". O público reagiu com uma ovação espontânea, seguida de reverente silêncio, enquanto a voz cantava sua despedida, uma torrente de carícias, promessas e lamentos. Era ela, com seu rosto inconfundível e suas mãos expressivas, com seus gestos, sua intensidade e sua graça. Cinco minutos depois, as últimas notas da canção ficaram vibrando no ar em meio a aplausos tonitruantes. A ilusão foi tão perfeita que não ocorreu a Indiana e seus acompanhantes que aquela mulher célebre, ressuscitada e redimida por encantamento, pudesse ser Danny D'Angelo, o esmirrado garçom do Café Rossini, até que as luzes do clube foram acesas e Whitney Houston fez uma reverência e tirou a peruca.

Ryan Miller visitara várias casas noturnas semelhantes ao Narciso Club em outros países com seus camaradas de armas, que dissimulavam com piadas grosseiras a excitação que o espetáculo gay lhes causava. Achava os travestis divertidos, figuras exóticas e inofensivas, como de outra espécie. Definia-se como um homem de ideias amplas, que correra o mundo e a quem nada conseguia escandalizar, tolerante com as preferências sexuais alheias desde que não envolvessem crianças e animais, como dizia. Não aprovava a presença de gays nas Forças Armadas, porque temia que fossem elementos de distração e se prestassem a conflitos, como as mulheres. Não é que duvidasse de sua coragem, esclarecia, mas no combate são testadas a hombridade e a lealdade, a guerra se faz com testosterona; cada soldado depende de seu companheiro, e ele não ficaria tranquilo se sua vida estivesse nas mãos de um homossexual ou de uma mulher. Naquela noite, no Narciso Club, sem o respaldo de outros *navy seals*, sua tolerância foi colocada à prova.

O ambiente fechado, a sexualidade e a sedução pairando no ar, o roçar dos homens apertados ao seu redor, o cheiro de suor, álcool e loção pós-barba, tudo encrespou seus nervos. Perguntou-se como seu pai reagiria naquelas circunstâncias e, tal como ocorria cada vez que o invocava com o pensamento, viu-o em pé ao seu lado, com o uniforme impecável, suas condecorações no peito, rígido, a mandíbula tensa, o cenho franzido, desaprovando tudo o que ele era e tudo o que fazia. "Por que um filho meu está em um lugar tão asqueroso, entre esses veados sem-vergonha?", resmungou seu pai com aquela maneira de falar que tivera em vida, sem mover os lábios, mastigando as consoantes.

Não pôde apreciar a atuação de Danny D'Angelo, porque já se dera conta de que os olhares carregados de intenção não eram dirigidos a Indiana, mas a ele; sentia-se violentado por aquela palpitante energia masculina fascinante, perigosa e tentadora, que o repugnava e atraía. Sem pensar no que estava fazendo, pegou o copo de uísque de Pedro Alarcón e esvaziou seu conteúdo com três longos goles. A bebida, que não provava havia vários anos, queimou sua garganta e se espalhou por suas veias até o último filamento, inundando-o com uma onda de calor e energia que manchou seus pensamentos, recordações e dúvidas. Não há nada como este líquido mágico, decidiu, nada como este ouro derretido, ardente, delicioso, esta água dos deuses que eletriza, fortalece, inflama, nada como o uísque que não sei por que tenho evitado, que imbecil eu tenho sido. Seu pai recuou alguns passos e foi engolido pela multidão. Miller se virou para Indiana e se inclinou procurando sua boca, mas o gesto morreu no ar e, em vez de beijá-la, arrebatou-lhe seu copo de cerveja sem que ela, hipnotizada por Whitney Houston, percebesse.

Miller não soube em que momento se levantou da mesa e abriu caminho, dando empurrões furiosos, e chegou ao balcão, não soube como terminou o espetáculo nem quantos goles tomou antes de perder o controle por completo; não soube de onde surgiu a fúria que o cegou com um resplendor incandescente quando um homem jovem colocou os braços em seus ombros e soprou alguma coisa em seu ouvido, tocando-o com os lábios; não soube em que momento exato se borraram os contornos da realidade e sentiu como se inflava, seu corpo não cabia na pele, ia explodir; não soube como começou a confusão, contra quantos descarregou socos sistemáticos, nem por que Indiana e Alarcón giravam, nem como se viu algemado em uma radiopatrulha com a camisa ensanguentada e os nós dos dedos machucados.

Pedro Alarcón recolheu o paletó de Miller do chão, pegou as chaves da caminhonete e seguiu o carro em que levavam seu amigo à delegacia. Estacionou por perto e se apresentou na recepção, onde teve de esperar uma hora e meia até que um oficial o atendesse. Explicou o que acontecera, atenuando a participação de Miller, enquanto o sujeito uniformizado o ouvia distraído, os olhos no computador.

— Na segunda-feira o detido poderá fazer sua defesa perante um juiz, enquanto isso ficará aqui em uma cela para se recuperar da intoxicação e se acalmar — disse o policial em tom amável.

Alarcón informou que Ryan Miller não estava bêbado, mas medicado, porque sofrera traumatismo craniano na guerra do Iraque, onde também perdera uma perna, e padecia de episódios esporádicos de conduta errática, mas não era perigoso.

— Não é perigoso? Vá dizer isso às três pessoas que enviou para o pronto-socorro.

— É a primeira vez que acontece um incidente como o do Narciso Club, oficial. Meu amigo foi provocado.

— De que forma?

— Um homem tentou passar a mão nele.

— Não diga! Naquele clube? O que uma pessoa tem de ouvir! – brincou o policial.

Então, Pedro Alarcón usou a carta reservada para a última instância e anunciou que Ryan Miller trabalhava para o governo e estava em uma missão confidencial. Se o oficial duvidasse de sua palavra, poderia examinar a carteira do detido e, se não achasse as informações necessárias, ele lhe daria uma senha para comuni car-se diretamente com um oficial da CIA em Washington.

— O senhor há de entender que não nos convém um escân dalo — concluiu.

O policial, que havia desligado o computador e o ouvia com expressão cética, mandou-o de volta à sua cadeira com instruções para aguardar.

Passou-se mais uma hora antes que conseguissem confirmar com Washington as informações de Alarcón e mais uma antes de soltarem Miller, depois de obrigá-lo a assinar uma declaração. Nesse longo tempo, a bebedeira passara um pouco, mas ele ainda cambaleava. Saíram do quartel por volta das cinco da manhã, Alarcón desesperado para preparar o primeiro chimarrão do dia, Miller com uma dor de cabeça monumental, e o infeliz Atila, que passara a noite na caminhonete, ansioso para levantar a pata diante de qualquer árvore disponível.

— Eu o parabenizo, Miller, você destruiu o espetáculo de Whitney Houston — começou Pedro Alarcón no loft, enquanto ajudava o amigo a tirar a roupa, depois de dar a Atila a chance de urinar e beber água.

— Meu cérebro vai explodir — murmurou Miller.

— Bem feito. Vou preparar café.

Sentado na beira de sua cama, com o rosto entre as mãos e o focinho de Atila grudado no seu joelho, Miller tentou em vão reconstruir os acontecimentos da noite, agoniado por uma vergonha infinita, a cabeça cheia de areia, a boca esfolada, as mãos e as pálpebras inchadas, e as costelas tão machucadas que tinha dificuldade de respirar. Aquela havia sido sua única recaída; conseguira passar três anos e um mês em total abstinência, salvo um cigarrinho de maconha de vez em quando; e o fizera como macho, sem a ajuda psiquiátrica a que tinha direito como veterano, somente com antidepressivos; se na guerra era capaz de suportar mais esforço e dor do que qualquer mortal, porque para isso fora treinado, como iria derrotá-lo um copo de cerveja? Não compreendia o que acontecera com ele nem em que momento bebera o primeiro gole e começara a escorregar para baixo.

— Preciso ligar para Indiana. Me passe o telefone — disse a Alarcón.

— São cinco e quinze da manhã de domingo. Não é hora de ligar para ninguém. Beba isto e descanse, vou levar Atila para passear — respondeu Alarcón.

Ryan Miller engoliu a duras penas o café forte com duas aspirinas e correu para vomitar na privada enquanto seu amigo tentava convencer Atila, em vão, a permitir que lhe colocasse a focinheira e a guia. O animal não tinha a intenção de abandonar Miller em tão mau estado e gemia sentado diante da porta do banheiro, com sua única orelha em pé e seu único olho atento, aguardando instruções de seu companheiro de infortúnio. Miller mergulhou por vários minutos a cabeça no jato de água fria do chuveiro, depois saiu do banheiro de short, pulando com sua única perna, e deu permissão ao cachorro para sair com Alarcón. Em seguida, desabou de bruços na cama.

Na rua, o celular de Alarcón repicou com um estrépito de instrumentos de sopro: os acordes marciais do hino nacional do Uruguai. Lutando com os puxões do cachorro, tirou o telefone do fundo de um bolso e ouviu a voz de Indiana perguntando por Ryan. A única coisa que ela soubera fora que dois robustos policiais haviam-no arrastado a uma radiopatrulha, enquanto outros dois, auxiliados pelo gorila que tomava conta da porta, tentavam restabelecer a ordem no clube, onde alguns clientes, entusiasmados e bêbados, continuavam trocando socos no meio da gritaria das estrelas do espetáculo, que ainda vestiam plumas. Danny D'Angelo, escondido atrás do balcão, observava o desastre com uma meia de náilon na cabeça, a peruca de Whitney Houston na mão e a pintura dos olhos borrada de lágrimas. Em seu estilo lacônico, Alarcón colocou Indiana em dia.

— Estou indo até aí. Você pode me pagar o táxi? — pediu ela.

Trinta e cinco minutos depois, Indiana apareceu no loft com suas botas de réptil, um impermeável em cima do vestido preto que usara na noite e um olho roxo. Beijou o uruguaio e o cachorro, e se aproximou da cama de seus amores, onde Miller roncava coberto com o edredom que Alarcón jogara em cima dele. Indiana sacudiu-o até que ele tirou a cabeça de seu refúgio sob o travesseiro e meio que se incorporou, tentando focar a vista.

— O que aconteceu com seu olho? — perguntou a Indiana.

— Tentei segurá-lo e levei um safanão.

— Eu bati em você? — exclamou Miller, totalmente acordado.

— Foi um acidente, nada grave.

— Como pude descer tanto, Indi!

— Todos falhamos de vez em quando, caímos de bruços e depois nos levantamos. Vista-se, Ryan.

— Não consigo me mexer.

— Mas vejam o valente *navy seal*! Levante-se! Você vem comigo.

— Aonde?

— Logo verá.

Domingo, 19

"Olá, meu nome é Ryan e estou sóbrio há seis horas." Apresentou-se assim, imitando os outros que falaram antes dele naquela sala sem janelas, e um aplauso cálido acolheu suas palavras. Momentos antes, Pedro Alarcón o levara com Indiana a um edifício coroado por uma torre nas esquinas das ruas Taylor e Ellis, em pleno Tenderloin.

— Que espécie de lugar é este? — perguntara Miller quando Indiana o obrigara a avançar até a porta, segurando seu braço.

— A igreja Glide Memorial. Como você conseguiu viver tantos anos nesta cidade sem conhecê-la?

— Sou agnóstico. Não sei por que estamos aqui, Indiana.

— Preste atenção na torre. Está vendo que não tem uma cruz? Cecil Williams, um pastor afro-americano, foi a alma da Glide por muitos anos, mas já está aposentado. Nos anos 1960, mandaram-no a este lugar, uma igreja metodista moribunda, que ele transformou no centro espiritual de São Francisco. Mandou tirar a cruz por ser um símbolo da morte, e sua congregação celebra a vida. Estamos aqui por isso, Ryan: para celebrar a sua vida.

Explicou, então, que a Glide era uma atração turística por causa da música irresistível do coro e de sua política de braços abertos: todos eram bem-vindos, sem distinção de credo, raça ou opção sexual, cristãos de qualquer confissão, muçulmanos e judeus, drogados e mendigos, milionários do Vale do Silício, drag queens, celebridades do cinema e criminosos em liberdade, ninguém era rejeitado, e acrescentou que a Glide contava com centenas de programas para socorrer, hospedar, proteger e reabilitar os mais pobres e desesperados. Abriram caminho através de uma fila organizada de pessoas que aguardavam sua vez para o café da manhã gratuito. Miller ficou sabendo que Indiana passava várias horas da semana ajudando a servir o desjejum, das sete às nove, único horário viável para ela, e que a igreja oferecia três refeições diárias a milhares de necessitados. Isso requeria 65 mil horas de trabalho voluntário.

— Eu só contribuo com umas cem, mas há tantos voluntários que temos de ficar em uma lista de espera — disse ela.

Era muito cedo e ainda não começara a chegar a multidão para o culto dominical. Indiana conhecia o caminho e levou Miller diretamente a uma pequena sala, onde se reunia o primeiro grupo do dia dos Alcoólicos Anônimos. Já havia meia dúzia de pessoas em torno de uma mesa lateral com garrafas térmicas de café e pratos com biscoitos; o restante foi chegando nos dez minutos seguintes. Sentaram-se em cadeiras de plástico formando um círculo, 15 no total, pessoas de diferentes raças, idades e condição social, a maioria homens, quase todos deteriorados em alguma medida pelo vício e um com marcas de uma surra recente, como Miller. Indiana, com seu aspecto saudável e sua atitude alegre, parecia estar ali por engano. Miller esperava uma aula ou uma conferência, mas, em vez disso, um homenzinho magro, com lentes grossas de míope, abriu a reunião.

— Olá, meu nome é Benny Ephron e sou viciado. Estou vendo alguns rostos novos. Bem-vindos, amigos — apresentou-se, e os demais, por sua vez, tomaram a palavra para dar seus nomes.

Ajudados por comentários e perguntas de Ephron, vários contaram suas experiências: como tinham começado a beber, como haviam perdido o emprego, a família, os amigos, a saúde, e como tentavam se reabilitar no Alcoólicos Anônimos. Um homem mostrou, orgulhoso, uma ficha com o número 18, a soma dos meses de sobriedade, e os demais aplaudiram. Uma das quatro mulheres do grupo, malvestida, com mau cheiro, péssimos dentes e olhar arredio, confessou que havia perdido a esperança, porque reincidira várias vezes, e também foi aplaudida pelo esforço de ter se apresentado naquele dia. Ephron lhe disse que estava indo por um bom caminho, porque o primeiro passo era a pessoa admitir não ter controle sobre sua vida, e acrescentou que a esperança é recuperada quando a pessoa se coloca nas mãos de um poder superior.

— Eu não acredito em Deus — disse ela, desafiadora.

— Eu também não, mas confio no poder superior do amor, o amor que posso dar e o que recebo — disse o magro de óculos.

— Ninguém me ama, ninguém nunca me amou! — replicou a mulher, levantando-se sem jeito para ir embora, mas Indiana ficou diante dela e a abraçou.

A mulher se debateu por alguns segundos, tentando se livrar, e em seguida se abandonou, soluçando nos braços daquela jovem que a amparava com firmeza de mãe. Ficaram assim, em um abraço apertado, por um tempo que a Miller pareceu eterno, insuportável, até que a mulher se acalmou e as duas voltaram para suas cadeiras.

Ryan Miller só abriu a boca para se apresentar, ouviu os testemunhos alheios com a cabeça enfiada entre os ombros e os cotovelos apoiados nos joelhos, lutando contra as náuseas e a dor nas têmporas. Compartilhava com aquela gente mais do que ele mesmo suspeitava até a noite anterior, quando, em um momento de distração ou de irritação, tomou o primeiro gole e tornou a ser, por alguns instantes, o macho poderoso e invencível de suas fantasias juvenis. Como aqueles homens e mulheres que o cercavam, ele também vivia preso em sua pele, aterrorizado pelo inimigo entocado em seu interior esperando a primeira oportunidade de destruí-lo, um inimigo tão ardiloso que quase o esquecera. Pensou na cor dourada do uísque, em seu brilho ensolarado, no som delicioso das pedras de gelo no copo, pensou no cheiro almiscarado da cerveja, em sua doce efervescência e na delicadeza da espuma.

Perguntou-se o que havia falhado. Passara a vida treinando para a excelência, fortalecendo sua disciplina, cultivando o domínio de si mesmo, mantendo na linha suas fraquezas, e então, quando menos esperava, o inimigo saíra de sua guarita e pulara em cima dele. Antes, quando não lhe faltavam desculpas, como a solidão e o amor desesperançado, para ceder à tentação de se perder por um tempo no álcool, mantivera-se sóbrio. Não compreendia por que cedera agora, quando tinha tudo o que sonhara. Fazia duas semanas que se sentia feliz e completo. Naquele bendito domingo em que conseguira finalmente abraçar Indiana, sua vida mudara; ele havia se abandonado à maravilha de amá-la e do desejo consumado, ao milagre de ser amado e estar acompanhado, à ilusão de se acreditar redimido e curado para sempre de todas as suas feridas. "Meu nome é Ryan Miller e sou alcoólatra", repetiu para seus botões, e sentiu que seus olhos ardiam de lágrimas retidas, e foi vencido pelo impulso de fugir dali correndo, mas a mão de Indiana em seu ombro o manteve em seu lugar. À saída, 45 minutos depois, alguns lhe deram tapinhas nas costas amigavelmente, chamando-o pelo nome. Ele não respondeu.

• • •

Ao meio-dia, Indiana e Ryan foram fazer piquenique no mesmo parque das sequoias, onde duas semanas antes uma tempestade lhes dera um pretexto para fazer amor. O tempo estava instável, com momentos de garoa suave, e outros em que as nuvens se afastavam e o sol aparecia timidamente. Ele levou um frango cru, limonada, carvão e um osso para Atila; ela se encarregou do queijo, do pão e das frutas. Indiana tinha um cesto antigo forrado de pano quadriculado vermelho e branco, uma das poucas heranças materiais de sua mãe, ideal para carregar comida, pratos e copos para um piquenique. Não havia uma alma no parque, que no verão ficava lotado, e puderam se instalar em seu lugar preferido, a poucos passos do rio. Sentados em um tronco grosso e agasalhados com ponchos, esperaram que o carvão aquecesse para assar o frango, enquanto Atila corria, histérico, perseguindo esquilos.

O rosto de Miller era uma abóbora esmurrada, e o corpo, um mapa de escoriações enegrecidas, mas ele estava satisfeito, porque, de acordo com a primitiva justiça inculcada pelo cinturão de seu pai, o castigo redime a culpa. Em sua infância, as regras eram claras: quem comete uma maldade ou uma imprudência deve pagar por ela; era uma lei inevitável da natureza. Quando Ryan fazia alguma travessura sem que seu pai soubesse, a felicidade de ter evitado a penitência durava muito pouco; logo era invadido por uma sensação de terror e a certeza de que o universo se vingaria. No final, era preferível expiar a falta com algumas correadas do que viver esperando que se materializasse uma ameaça pendente. Maldade ou imprudência... Perguntava-se quantos atos daqueles havia cometido em quatro décadas de existência, e concluía que, sem dúvida, vários.

Em seus anos de soldado, jovem, forte, na efervescência da aventura ou no fragor da guerra, cercado por seus camaradas e amparado pelo poder das armas, nunca examinara sua conduta, como também não questionara a impunidade de que gozava. O jogo sujo é permitido na guerra, não tinha de prestar contas a ninguém. Cumpria com honra o compromisso de defender seu país, era um *navy seal*, um dos eleitos, os guerreiros míticos. Questionara-se mais tarde, durante os meses que passara hospitalizado ou em reabilitação, urinando sangue e aprendendo a andar com os ferros no cotoco, e decidira que, se era culpado de alguma coisa, havia pagado de sobra ao perder uma perna, seus companheiros e sua carreira militar. O preço fora tão alto — trocar uma vida heroica por uma vida banal — que se sentira ludibriado. Entregara-se ao consolo fictício da bebida e das drogas pesadas para combater a solidão e o nojo de si mesmo, languescendo em um deprimente condomínio de Bethesda.

Então, quando a tentação do suicídio se tornou quase irresistível, Atila salvou sua vida pela segunda vez. Quatorze meses depois daquele dia em que saíra do Iraque amarrado a uma maca e abobalhado pela morfina, o cachorro foi gravemente ferido por uma mina a 15 quilômetros de Bagdá. Isso sacudiu Miller da letargia em que estava mergulhado e o colocou em pé: tinha uma nova missão.

Maggie, sua vizinha de Bethesda, uma viúva de 70 e tantos anos com quem fizera amizade em uma mesa de pôquer, estendeu-lhe a mão. Devia a ela outro lema de sua existência: quem procura ajuda sempre a encontra. Era uma velha forte, com linguagem e modos de corsário, que passara vinte anos na prisão acusada de matar o marido, depois de ele ter lhe quebrado vários ossos. Aquela mulheraça, temida pela vizinhança, foi a única pessoa que Miller suportou naquele período nebuloso de sua existência, e ela lhe respondeu com sua habitual rudeza e surpreendente bondade. No começo, antes de ele conseguir se virar sozinho, ela preparava a comida e o levava em seu carro às consultas médicas; mais tarde, levantava-o do chão quando o encontrava encharcado de bebida ou enlouquecido pelas drogas e o distraía jogando cartas e assistindo a filmes de ação. Quando soube do que acontecera com Atila, Maggie decidiu que o primeiro passo para que Miller ficasse com o cachorro, se o animal sobrevivesse, era botar a cabeça no lugar, porque ninguém confiaria um animal heroico a um farrapo humano como ele.

Miller se negara a recorrer aos programas para viciados do hospital militar, como também rejeitara os serviços de um psicólogo especializado em transtornos pós-traumáticos, e ela concordou plenamente que esses eram recursos de maricas, havia outros métodos mais imediatos e eficazes. Esvaziou, então, as garrafas na pia, sumiu com as drogas do banheiro; depois o obrigou a se despir e levou toda a sua roupa, computador, telefone e prótese. Despediu-se dele com o sinal otimista dos polegares para cima e o deixou trancado a chave, manco e nu. Miller teve de suportar a tortura dos primeiros dias de abstinência, tiritando, alucinado, enlouquecido de náuseas, angústia e dor. Tentou em vão derrubar a porta a porrada e fazer uma corda com lençóis para descer pela janela, mas estava no décimo andar. Bateu na parede que o separava do apartamento de Maggie até ferir os dedos, e seus dentes rangeram tanto que um deles quebrou. No terceiro dia, desabou, extenuado.

Maggie chegou à noite para visitá-lo e o encontrou encolhido no chão, gemendo baixinho e relativamente tranquilo. Obrigou-o a tomar um banho, deu-lhe um prato de sopa quente, enfiou-o na cama e se instalou para vigiar seu sono com o rabo do olho enquanto fingia assistir televisão.

Assim começou a nova vida de Ryan Miller. Dedicou-se à rotina de se manter sóbrio e à campanha de recuperar Atila, que já se restabelecera de seus ferimentos e fora condecorado. Os trâmites teriam desanimado qualquer um que não estivesse motivado por uma gratidão obsessiva. Auxiliado por Maggie, ele escreveu centenas de solicitações às autoridades militares, fez cinco viagens a Washington para defender seu caso e conseguiu um encontro particular com o Secretário de Defesa, graças a uma carta assinada por seus irmãos do Seal Team 6. Saiu daquele gabinete com a promessa de que trariam Atila para os Estados Unidos e, depois da quarentena regulamentar, poderia adotá-lo. Naqueles meses de aborrecida burocracia, foi ao Texas, disposto a gastar suas economias nas melhores próteses do mundo, começou a treinar para competir no triatlo e descobriu uma forma de fazer bom uso dos conhecimentos adquiridos na vida militar. Era perito em comunicações e segurança, tinha ligações com o alto-comando, uma folha de serviço impecável e quatro condecorações como prova de seu caráter. Então, telefonou para Pedro Alarcón, em São Francisco.

A amizade de Miller com Alarcón começou quando ele tinha 20 anos. Depois de terminar o secundário, apresentou-se aos *navy seals* para provar ao pai que podia ser tão homem quanto ele e porque se sentia incapaz de fazer uma faculdade em decorrência da dislexia e de distúrbios de atenção. Na escola, não manifestara o menor interesse pelos estudos, mas se destacara como esportista; era uma massa compacta de músculos e acreditava ter resistência de sobra para executar qualquer tarefa física. Mesmo assim, foi eliminado dos *navy seals* durante a *hell week*, a semana mais pesada do treinamento, 120 horas assassinas nas quais se media a têmpera de cada homem para atingir uma meta, custasse o que custasse. Aprendeu que o músculo mais forte é o coração, e que, quando tinha certeza de ter alcançado o limite de resistência à dor e à fadiga, só estava começando, poderia dar mais e mais ainda, mas nunca o suficiente. À humilhação de ter fracassado somou-se a atitude de profundo desprezo com que seu pai recebeu a notícia. Para aquele homem, filho e neto de militares, que entrara para a reserva da Marinha com patente de contra-almirante, o fato de seu filho ter sido recusado confirmava a má opinião que sempre tivera a seu respeito. Miller e o pai nunca conversaram sobre o assunto, cada um se trancou em um silêncio obstinado que haveria de afastá-los por quase uma década.

Nos quatro anos seguintes, Miller estudou informática, enquanto treinava ferozmente para se apresentar mais uma vez aos *navy seals*; não se tratava mais de competir com o pai, mas de verdadeira vocação; sabia o que aquilo significava e queria lhe dedicar a vida. Foi bem na universidade, porque um dos professores se interessou pessoalmente por ele, ajudou-o a administrar a dislexia e a falta de atenção, a superar o bloqueio em relação aos estudos, e convenceu-o a se graduar antes de ingressar na Marinha. Esse homem era Pedro Alarcón.

Em 1995, quando atingiu seu objetivo de ser um *navy seal* e o comandante prendeu em seu peito sua insígnia na Cerimônia do Tridente, a primeira pessoa a quem Miller telefonou para contar a façanha foi seu antigo professor. Sobrevivera à *hell week* e a infindáveis meses de duro treinamento na água, no ar e na terra, tolerando temperaturas extremas, privado de sono e descanso, forjado pela adversidade e o sofrimento físico, fortalecido por laços indestrutíveis de camaradagem, e assumira o compromisso formal de viver e morrer como um herói. Nos 16 anos seguintes, até ser ferido e dar baixa, viu muito pouco Alarcón, embora mantivessem contato. Enquanto ele andava em missões secretas pelos lugares mais perigosos, o uruguaio foi contratado como professor de Inteligência Artificial pela Universidade de Stanford. E assim Miller ficou sabendo que seu velho amigo era praticamente um gênio.

Pedro Alarcón aprovou, entusiasmado, a ideia de seu amigo de fornecer complexos sistemas de segurança às Forças Armadas e opinou que para isso Miller precisaria ter um pé em Washington e outro no Vale do Silício, único lugar onde poderia ser desenvolvido aquele tipo de tecnologia. Miller alugou uma sala a dez minutos do Pentágono, que lhe serviria de base, empacotou seus poucos pertences e se mudou com Atila para a Califórnia. O uruguaio os aguardava no aeroporto, disposto a ajudá-lo na sombra, uma vez que seu passado político era suspeito.

Indiana sabia algumas coisas da história de Miller, inclusive sobre a reconciliação com o pai, pouco antes de ele morrer, mas não ouvira nada a respeito da missão no Afeganistão, que Miller revivia em seus pesadelos. No parque das sequoias, vigiando o frango, que assava com espantosa lentidão na atmosfera úmida do parque, ele lhe contou os fatos daquela noite. Disse que matar de longe, como em qualquer guerra moderna, é uma abstração, um videogame, não há riscos nem sentimentos, as vítimas não têm rosto, mas no combate terreno são colocadas à prova a coragem e a humanidade de cada soldado. A possibilidade real de morrer ou sofrer terríveis ferimentos tem consequências psicológicas e espirituais, é uma experiência única, impossível de transmitir com palavras, só a entende quem viveu aquela exaltação, mistura de terror e regozijo.

— Por que guerreamos? Porque se trata de um instinto tão poderoso quanto o da sobrevivência — disse Miller, e acrescentou que depois, na vida civil, nada é comparável à guerra, tudo parece insosso. A violência não afeta apenas as vítimas, afeta também quem a inflige. Fora preparado para morrer e sofrer, podia matar, matara ao longo de anos sem preocupações nem remorsos; também podia torturar se fosse necessário obter informações, mas preferia deixar essa tarefa para outros, seu estômago embrulhava. Matar na fúria do combate ou para vingar um companheiro era uma coisa; nesses momentos não se pensa, age-se às cegas, levado por um ódio tremendo, o inimigo deixa de ser humano e não tem nada em comum com ninguém. Mas matar civis cara a cara, mulheres, crianças... isso era outra coisa.

No começo de 2006, os relatórios da Inteligência informaram que Osama bin Laden estava escondido na cadeia de montanhas da fronteira do Paquistão, onde a Al-Qaeda se reagrupara depois da invasão norte-americana. A área de busca assinalada no mapa era excessivamente vasta para o rastreamento, havia centenas de cavernas e túneis naturais, montanhas inóspitas habitadas por grupos tribais, unidos pelo islã e pelo ódio comum aos norte-americanos. Os marines tinham feito incursões naquela paisagem escarpada e seca com perdas significativas, porque os combatentes muçulmanos tiravam vantagem do seu conhecimento do terreno para emboscá-los.

Quantos daqueles humildes pastores de cabras, idênticos a seus antepassados de séculos atrás, eram, na realidade, combatentes? Em quais daqueles casebres cor de terra se ocultavam depósitos de armas? O que as mulheres transportavam sob suas roupas pretas? O que as crianças sabiam? Certos de que Osama bin Laden estava ao alcance da mão, enviaram os *navy seals* com a missão secreta de matá-lo, e, se não o encontrassem, pelo menos impedissem que a população continuasse lhe fornecendo ajuda e obtivessem informações. O fim justificava os meios, como sempre acontecia na guerra. Por que aquela aldeia em particular? Não cabia a Ryan questionar, mas sim cumprir as ordens sem vacilar; os motivos ou a legitimidade do ataque não lhe diziam respeito.

Recordava tudo em detalhes, sonhava, revivia aquilo inexoravelmente. Os *navy seals* e o cão avançavam furtivamente, as mandíbulas cerradas, carregando nas costas 43 quilos de proteção corporal e equipamento, inclusive munição, água, comida para dois dias, baterias, torniquetes e morfina, sem contar a arma ou o capacete provido de luz, câmeras, fones. Usavam luvas e lentes de visão noturna. Haviam sido lançados de um helicóptero a três quilômetros de distância, respaldados pela força aérea e por um contingente de marines, mas naquele momento estavam sozinhos. Atila havia pulado com seu próprio paraquedas, unido a ele através de um cinto de segurança, com focinheira, rígido, paralisado; saltar no vazio era a única coisa que temia, mas mal tocaram a terra, ele estava pronto para a ação.

O inimigo poderia estar em qualquer lugar, oculto em uma daquelas casas, nas cavernas das montanhas, atrás deles. A morte poderia chegar de muitas formas, uma mina, um franco-atirador, um suicida com um cinturão de explosivos. Era a ironia daquela guerra: de um lado, o exército mais bem-treinado e equipado do mundo, a força esmagadora do império mais poderoso da história, e, de outro, tribos de fanáticos dispostos a defender seu território de qualquer maneira, a pedradas, se faltasse munição. Golias e Davi. O primeiro contando com uma tecnologia insuperável e armamento, mas sendo um paquiderme travado pelo peso de tudo o que carregava; seu inimigo, leve, ágil, esperto e conhecendo o país. Aquela era uma guerra de ocupação, a longo prazo insustentável, por não ser possível submeter um povo rebelde indefinidamente. Era uma guerra que poderia ser vencida a fogo no terreno, mas destinada ao fracasso no aspecto humano, e ambas as partes o sabiam, era somente uma questão de tempo. Os norte-americanos evitavam, o máximo possível, o dano colateral, porque custava caro: cada civil morto e cada casa destruída aumentava o número de combatentes e o furor da população. O inimigo era escorregadio, invisível, desaparecera nas aldeias, misturado com pastores e camponeses, demonstrava uma coragem demente e os *navy seals* respeitavam a bravura, inclusive a daquele inimigo.

Ryan Miller seguiu em frente, com Atila a seu lado. O cachorro usava um colete blindado, óculos especiais, fones para receber instruções e uma câmera na cabeça para transmitir imagens. Era um animal jovem e brincalhão, mas quando vestia o colete se transformava em uma fera encouraçada, mitológica. Não se assustava com o fogo das metralhadoras, granadas ou explosões, sabia distinguir o barulho das armas americanas do das inimigas, o motor de um caminhão amigo e o de um helicóptero de resgate, era treinado para detectar minas e emboscadas. Não saía do lado de Miller; em caso de perigo iminente, apoiava-se nele para preveni-lo; e, quando o via cair, protegia-o arriscando a própria vida. Era um dos 1.800 cães de combate do exército americano no Oriente Médio. Miller achava que não deveria se afeiçoar a ele, Atila era uma arma, fazia parte do material de combate, mas, antes de mais nada, era um camarada, adivinhavam os pensamentos um do outro, comiam e dormiam juntos. Miller o abençoava em silêncio e lhe dava palmadinhas no pescoço.

Os músculos do corpo de Atila ficaram tensos, seus pelos eriçados, recolheu o focinho, e sua estranha dentadura, com caninos de titânio, apareceu inteira. Seria o primeiro a cruzar o umbral, era bucha de canhão. Avançou com cautela e determinação, somente a voz de Miller nos fones poderia detê-lo. Agachado, silencioso, invisível no meio das sombras, Ryan Miller o seguiu, abraçado à sua M4, a arma mais versátil em combate próximo. Não pensava mais, estava preparado, fixava sua atenção no objetivo, mas com os sentidos farejava a periferia, sabia que seus companheiros haviam se espalhado em leque em torno da aldeia para um ataque simultâneo. O inimigo, atacado de surpresa, não chegaria a perceber o que acontecia, uma ação-relâmpago.

A primeira casa ao sul coube a Miller. No brilho pálido da lua minguante ele mal a distinguia, achatada, quadrada, de barro e pedra, integrada ao terreno como uma protuberância natural do solo. Sobressaltou-o o balido de uma cabra, que interrompeu pela segunda vez a quietude da noite. Estava a dez metros da porta e se deteve, achando ter ouvido o pranto de uma criança, mas o silêncio voltou em seguida. Perguntou-se quantos terroristas estariam escondidos naquela casa de pastores, respirou, encheu os pulmões, fez um gesto ao cachorro, que o olhou com atenção atrás de seus óculos redondos, e ambos começaram a correr até a casa.

No mesmo instante, seus companheiros irromperam na aldeia no meio de gritos, explosões, maldições. O *navy seal* disparou uma rajada contra a porta e em seguida a abriu com um pontapé. Atila entrou primeiro e se deteve, pronto para atacar, aguardando instruções. Miller veio atrás, com seus óculos de visão noturna, analisou a situação e calculou o espaço, a distância das paredes, o teto tão baixo que precisou se encurvar, registrou automaticamente o solo de terra compacta, um braseiro com restos de carvão, louça de cozinha pendurada em cima de um fogão apagado, três ou quatro tamboretes de madeira. A casa tinha um único cômodo que, à primeira vista, pareceu vazio. Gritou em inglês que não se mexessem, e Atila, a seu lado, grunhiu. Tudo aconteceu tão rápido que depois o homem não conseguiria recompor o que tinha ocorrido; em momentos inesperados surgiriam imagens deslocadas em sua memória com o impacto de pancadas, em seus pesadelos voltaria a viver os acontecimentos daquela noite mil e uma vezes. Jamais conseguiria organizá-los nem entendê-los.

O soldado voltou a gritar em seu idioma; percebeu um movimento atrás dele, virou-se, apertou o gatilho, uma rajada, alguém caiu com um gemido abafado. Um súbito silêncio seguiu o estrondo anterior, uma pausa terrível na qual o soldado levantou os óculos e acendeu a lanterna, um raio de luz varreu o aposento, detendo-se em um vulto no chão, Atila pulou para a frente e o prendeu com o focinho. Miller se aproximou, chamou o cachorro e precisou repetir a ordem para que o obedecesse e soltasse sua presa. Chutou ligeiramente o corpo para se certificar de que estava morto. Uma pilha de trapos pretos, o rosto curtido de uma mulher mais velha, uma avó.

• • •

Ryan Miller praguejou. Derrame cerebral, pensou, mas não teve certeza: alguma coisa não dera certo. Dispôs-se a se retirar, mas, com o rabo do olho, percebeu algo no outro extremo do aposento, dissimulado na sombra; virou-se rapidamente e sua lanterna revelou alguém encolhido contra a parede. Encararam-se a poucos passos de distância, ele lhe ordenou aos gritos que não se mexesse, mas a pessoa se levantou com um som rouco, como um soluço, e ele viu que tinha uma coisa na mão, uma arma. Não vacilou, apertou o gatilho, e o impacto das balas levantou o inimigo do chão, e seu sangue salpicou seu rosto. Permaneceu imóvel, esperando, com a sensação de estar muito longe, observando a cena em uma tela, indiferente. E, de repente, foi invadido por uma súbita fadiga e sentiu o suor e o formigamento na pele que acompanha a descarga de adrenalina.

Por fim, o soldado concluiu que não havia mais perigo e se aproximou. Era uma mulher jovem. As balas não tocaram seu rosto, era jovem e muito bonita, com uma massa de cabelos ondulados e escuros esparramados em volta da cabeça; estava com os olhos abertos, grandes olhos claros emoldurados por pestanas e sobrancelhas negras, vestia uma túnica leve, parecendo uma camisola, estava descalça, e no chão, perto de sua mão aberta, uma faca ordinária de cozinha. Sob a túnica ensanguentada distinguia-se o ventre muito avultado, e ele compreendeu que estava grávida. A mulher olhou-o nos olhos e Miller viu que lhe restavam instantes de vida e que não poderia fazer nada por ela. Os olhos claros se enevoaram. O soldado sentiu a boca cheia de saliva e se dobrou, tentando controlar as náuseas.

Transcorreram apenas dois ou três minutos entre o momento em que Miller chutou a porta e que tudo terminou. Ele deveria seguir em frente, executar o restante da aldeia, mas antes precisava se assegurar de que não havia mais ninguém na casa. Ouviu Atila grunhir, procurou-o com a lanterna e se deu conta de que o cachorro estava atrás do fogão, onde havia um pequeno cubículo, um espaço sem janelas, com palha no chão, que servia de despensa; viu pedaços de carne-seca defumada pendendo de ganchos, uma saca de algum grão, talvez arroz ou trigo, duas latas de óleo, e uns tachos de pêssegos em calda, certamente comprados de contrabando, porque eram semelhantes aos da cantina da base americana.

Atila estava disposto a atacar e Miller ordenou que recuasse, enquanto examinava com a luz as paredes irregulares de barro; depois, afastou com um pé a palha e constatou que o chão não era de terra como no restante da casa, mas de tábuas. Deduziu que embaixo poderia haver qualquer coisa, desde explosivos até a entrada de uma caverna de terroristas, e concluiu que deveria pedir reforços antes de continuar investigando, mas estava perturbado, e, com uma intenção clara, colocou um joelho no chão e tentou soltar as tábuas com a mão, segurando a M4 com a outra. Não precisou forçar muito, três tábuas se soltaram ao mesmo tempo; era uma portinhola.

Levantou-se de um pulo e apontou para o buraco, certo de que alguém estava escondido ali. Deu ordens em inglês para que saísse, mas não houve resposta; com o dedo no gatilho, dirigiu o facho da lanterna e então conseguiu vê-los. Primeiro a menina, com um lenço amarrado na cabeça, olhando-o com os mesmos olhos da mãe, encolhida em um buraco onde mal cabia, depois o menino que segurava nos braços, um bebê de 1 ou 2 anos, com uma chupeta na boca. "Porra, porra, porra", murmurou como uma oração e se ajoelhou ao lado do buraco com uma pontada no peito que mal lhe permitia respirar; adivinhou que a mãe escondera os filhos e mandara que ficassem quietos e mudos, enquanto ela se preparava para defendê-los com uma faca melada de cozinha.

O *navy seal* permaneceu de joelhos, preso pelo olhar hipnótico da menina séria, envolvendo o irmãozinho em um abraço, protegendo-o com o corpo. No treinamento, ouvira todo tipo de histórias, o inimigo era desapiedado, transformava mulheres em terroristas suicidas e usava crianças como escudo. Precisava verificar se a menina e o bebê estavam bloqueando a entrada de um túnel ou de um depósito de explosivos, devia obrigá-los a sair da cova, mas não conseguia fazê-lo. Por fim, levantou-se, levou um dedo enluvado aos lábios para indicar à menina que guardasse silêncio, fechou a tampa, cobriu-a com palha e saiu, cambaleando.

A missão na aldeia do Afeganistão fora um fracasso, mas, afora os americanos e os afegãos sobreviventes, ninguém ficou sabendo. Se aquele lugar remoto havia sido um ninho de terroristas, alguém os alertara a tempo e eles conseguiram desmantelar as instalações e desaparecer sem deixar vestígios. Não foram encontradas armas nem explosivos, mas o fato de só haver anciãos, mulheres e crianças foi considerado prova suficiente de que as suspeitas da CIA eram justificadas. O ataque deixou um saldo de quatro feridos afegãos, um gravemente, e as duas mulheres mortas na primeira casa. Oficialmente, a missão à aldeia nunca aconteceu, nenhuma investigação foi feita e, se alguém perguntasse, a irmandade dos *navy seals* apresentaria uma única versão, mas ninguém perguntou.

Ryan Miller haveria de carregar sozinho o peso de suas ações; seus companheiros não lhe pediram explicações, partindo da premissa de que fizera o esperado diante das circunstâncias e disparara em legítima defesa ou por precaução.

— Os outros tomaram a aldeia com um mínimo de dano, só eu perdi o controle — confessou Miller a Indiana.

Sabia que o combate era caótico; os riscos, imensos. Poderia ser ferido, terminar com um derrame cerebral ou inválido, morrer lutando, ser preso pelo inimigo, torturado e executado; não tinha ilusões a respeito da guerra, não havia entrado naquela profissão pensando no uniforme, nas armas e na glória, mas por vocação. Estava preparado para morrer e matar, orgulhoso de pertencer à nação mais esplêndida da história. Nunca sentira sua lealdade fraquejar, tampouco questionara as instruções recebidas ou os métodos usados para alcançar a vitória. Reconhecia que teria de matar civis, era inevitável; em qualquer guerra moderna, pereciam dez civis para cada soldado; no Iraque e no Afeganistão, a metade dos ferimentos era causada por ataques terroristas e a outra metade, pelo fogo americano. No entanto, o tipo de missão que coubera à sua equipe nunca incluíra enfrentar mulheres e crianças desarmadas.

Depois daquela noite na aldeia, Miller não teve tempo de analisar o que acontecera, porque seu grupo foi enviado imediatamente para outra missão, dessa vez no Iraque. Varreu aqueles acontecimentos para o lugar mais empoeirado e esquecido de sua mente e continuou levando a vida. A menina de olhos verdes só iria puni-lo um ano mais tarde, quando ele acordou da anestesia em um hospital da Alemanha e ela estava sentada em uma cadeira metálica, silenciosa e séria, com seu irmãozinho no colo, a poucos passos da cama.

Indiana ouviu a história de Miller tiritando sob seu poncho na fria umidade do bosque, sem fazer perguntas, porque durante o relato ela também estivera na aldeia naquela noite, entrara na casa atrás de Miller e Atila, e, quando partiram, ela se enfiara no buraco debaixo das tábuas e ficara com as crianças, abraçando-as até que terminasse o ataque e chegassem outras mulheres, recolhessem os corpos da avó e da mãe, chamassem-nas e as procurassem até darem com elas e conseguirem tirá-las de seu refúgio e dar início ao longo luto pelos mortos. Tudo aconteceu simultaneamente, o tempo não existia, não havia limites no espaço; "fazemos parte da unidade espiritual que contém as almas que encarnaram antes, as de agora e as de amanhã, todos somos gotas do mesmo oceano", repetiu em silêncio, como dissera e sentira tantas vezes ao meditar. Virou-se para Miller, sentado a seu lado no tronco, com a cabeça baixa, e viu que ele estava com as faces úmidas com as primeiras gotas de chuva ou talvez de lágrimas. Esticou a mão para enxugá-las em um gesto tão íntimo e triste que o homem suspirou com um queixume.

— Estou fodido, Indi, fodido por dentro e por fora. Não mereço o amor de ninguém, e menos ainda o seu.

— Se acredita nisso, está mais fodido do que pensa, porque a única coisa que vai conseguir curá-lo é o amor, desde que lhe dê espaço. Você é o seu próprio inimigo, Ryan. Comece se perdoando; se não se perdoar, vai viver sempre aprisionado ao passado, castigado pela memória, que é sempre subjetiva.

— O que eu fiz é real, não subjetivo.

— É impossível alterar os fatos, mas você pode mudar a forma de julgá-los — disse Indiana.

— Eu te amo tanto que chega a me doer, Indi; me dói aqui, no centro do corpo, como se uma lápide estivesse esmagando meu peito.

— O amor não dói, homem. Isso que o esmaga são feridas da guerra, remorsos, culpa, tudo o que você viu e teve de fazer; ninguém sai ileso de uma experiência dessas.

— O que vou fazer?

— Para começar, deixemos que os corvos comam este frango, que continua cru, e vamos para a cama fazer amor. Isso é sempre uma boa ideia. Estou congelada e começou a chover mais forte, preciso me vestir de seus braços. Depois, pare de fugir, Ryan, porque não é possível deixar para trás certas recordações; elas sempre o alcançarão, você precisa se reconciliar consigo mesmo e com a menininha de olhos verdes, chamá-la para que venha ouvir a sua história, pedir-lhe perdão.

— Chamá-la? Como?

— Com o pensamento. E, de passagem, chame também a mãe dela e a avó, que devem estar andando por aí, flutuando entre as sequoias. Não sabemos como a menina se chama, mas seria mais fácil falar com ela se tivesse um nome. Digamos que se chama Sharbat, como a menina de olhos verdes que apareceu naquela famosa capa da *National Geographic*.

— O que poderei lhe dizer? Ela só existe na minha cabeça. Não consigo esquecê-la.

— Nem ela consegue esquecê-lo, por isso vem visitá-lo. Imagine o que foi aquela noite para ela, encolhida em um buraco, tremendo de pavor diante de um extraterrestre gigantesco e de uma fera monstruosa dispostos a destroçá-la. E depois viu a mãe e a avó ensanguentadas. Nunca conseguirá exorcizar essas imagens terríveis sem a sua ajuda, Ryan.

— Como vou ajudá-la? Isso aconteceu há vários anos, no outro lado do mundo — disse ele.

— No universo, tudo está conectado. Esqueça distâncias e tempo, faça de conta que tudo acontece em um presente eterno, neste mesmo bosque, em sua memória, em seu coração. Converse com Sharbat, peça perdão, explique-se, diga-lhe que vai procurá-la e a seu irmão, e tentará ajudá-los. Diga-lhe que, se não encontrá-los, ajudará outras crianças como elas.

— Talvez eu não possa cumprir essa promessa, Indi.

— Se não pode, então eu irei em seu lugar — replicou ela e, segurando seu rosto, beijou-o na boca.

Segunda-feira, 20

Para enganar a polícia, as rinhas de cachorros aconteciam em diferentes localidades. Elsa Domínguez informara ao inspetor-chefe que haveria uma na terceira segunda-feira do mês, aproveitando o feriado do Dia dos Presidentes, mas não soube dizer onde. Bob Martín conseguiu que um de seus informantes descobrisse e ligou para seus colegas do Departamento de Polícia de San Rafael para lhes contar o que iria acontecer e oferecer sua colaboração. Os agentes, que já tinham problemas suficientes com outros delitos das gangues de Canal, não se interessaram muito pelo assunto, mesmo sabendo que as rinhas de cachorros se prestavam a apostas, bebedeiras, prostituição e narcotráfico. Então, Bob Martín lhes fez ver a vantagem de uma notícia como aquela sair na imprensa. O público se condoía mais dos animais do que das crianças. Uma repórter e um fotógrafo do jornal local estavam dispostos a acompanhá-los em uma batida, um incentivo providenciado por Petra Horr, porque conhecia a jornalista e achou que ela se interessaria em ver o que acontecia a poucas quadras de sua própria casa.

Nem todos os donos de cães de briga eram bandidos experimentados, alguns eram garotos negros ou imigrantes latinos e asiáticos desempregados que tentavam ganhar a vida com seus campeões. Para inscrever um cachorro novato em uma rinha era necessário investir trezentos dólares, mas uma vez que este se classificasse, depois de vencer vários adversários, seu dono cobrava por fazê-lo lutar e também ganhava com as apostas. O "esporte", como chamavam essa diversão clandestina, era tão sanguinário que a repórter quase vomitou quando Petra lhe mostrou o vídeo de uma briga e fotografias de cachorros moribundos com as entranhas arrancadas a dentadas.

Hugo Domínguez e outro jovem de sua idade tinham um promissor mastim de 45 quilos, rottweiler mestiço criado com carne crua, sem contato com outros animais e sem afeto humano, que treinavam obrigando-o a correr durante horas, até que as patas não o sustentavam, incitavam-no para que atacasse e enlouqueciam-no com drogas e pimenta introduzida no reto. Quanto mais sofresse o animal, mais ele ficava furioso. Seus donos iam aos bairros mais pobres de Oakland e Richmond, onde havia cachorros soltos, amarravam uma fêmea no cio a uma árvore e esperavam que, atraídos pelo cheiro, os machos de rua se aproximassem; então, caçavam-nos com uma rede, enfiavam-nos no porta-malas de um carro e levavam-nos para servirem de *sparrings* do rottweiler.

Naquela segunda-feira era feriado em homenagem a George Washington, nascido em fevereiro de 1732, e, por extensão, a todos os presidentes dos Estados Unidos. A tradicional comemoração incluía liquidações nas lojas, bandeiras, programas patrióticos nos meios de comunicação e carnavais para as crianças nos parques. O dia estivera nublado, escurecera cedo, e às sete e meia da noite, quando Bob Martín se juntou aos agentes de San Rafael para dar início à batida, já era noite fechada. Petra Horr estava com sua amiga repórter e o fotógrafo, seguindo de perto a caravana de cinco carros, três da polícia de San Rafael e dois da de São Francisco, que chegaram com as sirenes e luzes desligadas à zona industrial da cidade, vazia àquela hora.

Próximo a um antigo depósito de material de construção, fechado havia vários anos, viram veículos estacionados ao longo da rua, e Bob Martín compreendeu que a informação que recebera estava correta. Devia a maioria dos êxitos de sua carreira aos alcaguetes; sem eles, seu trabalho seria muito difícil, e por isso os protegia e tratava bem. A uma ordem sua, dois policiais anotaram as placas dos carros, que mais tarde poderiam identificar, outros se distribuíram com cuidado ao redor do prédio, bloqueando as possíveis saídas, enquanto ele encabeçava o grupo de ataque. Planejavam entrar de surpresa, mas os organizadores da rinha tinham deixado vigias do lado de fora.

Ouviram-se gritos de alerta em espanhol, e de imediato houve uma debandada de homens que avançaram para as saídas, superando em número e força a polícia, seguidos por umas poucas mulheres jovens que gritavam e se defendiam a arranhões e pontapés. Em questão de segundos, os faróis das viaturas da polícia estavam acesos e começou uma algaravia de ordens, insultos, cacetadas e até alguns tiros para o ar. Embora tenham conseguido prender uma dúzia de homens e cinco mulheres, os demais conseguiram escapar.

Em uma espécie de hangar, onde ainda se viam algumas pilhas de tijolos e barras de ferro retorcidas, em uma atmosfera densa de fumaça de cigarro, latidos e cheiro de suor humano, sangue e fezes, havia uma improvisada arena de uns três metros por três, com tapumes de um metro e vinte de altura que separavam o público dos animais enfurecidos. Para evitar que as patas dos cachorros escorregassem, um carpete ordinário cobria o piso, tão ensanguentado quanto o tapume do cercado. Em jaulas ou amarrados com correntes, vários cães que não haviam participado das brigas aguardavam; e, jogados em um canto do depósito, agonizavam os animais derrotados. Bob Martín pediu a intervenção da Sociedade Protetora de Animais, que esperava com um veículo e dois veterinários para atender ao seu chamado.

Hugo não tentou escapar da polícia, como se já soubesse que a sua sorte estava lançada. Suas suspeitas haviam começado quando sua mãe e suas irmãs, que tinham aprendido a não se meter em sua vida, lhe suplicaram que ficasse em casa naquela noite. "Estou com um mau pressentimento", dissera sua mãe, mas, pelo tom cauteloso e o olhar escorregadio, ele entendeu que, mais do que um pressentimento, tratava-se de uma traição. O que sabiam as mulheres de sua família? O suficiente para ferrá-lo, tinha certeza. Sabiam do rottweiler e tinham descoberto sua pasta com as seringas e o resto do equipamento. Acharam que ele estava usando aquilo tudo para preparar drogas e armaram um tamanho escândalo que ele se viu obrigado a explicar que era material de primeiros socorros. Os donos dos cães não podiam levar os feridos a um veterinário, que identificaria as mordidas, eles tinham de aprender a suturá-las, fazer os curativos, injetar soro nas veias e ministrar antibióticos. Tinham investido tempo e dinheiro em seus campeões, deviam tentar salvá-los quando havia esperança. Caso contrário, atiravam-nos no canal ou abandonavam-nos em uma autoestrada, para que parecessem atropelados. Ninguém investigava a morte de um cachorro, por mais destroçado a mordidas que ele estivesse. O que talvez sua mãe e suas irmãs não soubessem era que, ao informar à polícia, elas o condenavam à morte e condenavam a si próprias, porque, se os Sureños ou os chefes do circuito de brigas de cachorros, um par de coreanos desapiedados, se inteirassem da traição, todos pagariam com sangue, inclusive seus sobrinhos pequenos. E os chefes sempre ficavam sabendo de tudo.

O inspetor encontrou Hugo Domínguez entocado em um canto, atrás de uns sacos de brita, esperando. Havia decidido que a única forma de afastar as suspeitas dele mesmo e de sua família seria sendo preso. Na prisão, estaria mais seguro do que na rua; lá poderia passar despercebido ao se misturar com outros latinos; não seria o primeiro Sureño a ir parar em San Quentin. Quando cumprisse sua sentença, seria deportado. O que iria fazer na Guatemala, um país desconhecido e hostil? Unir-se a outra gangue, o que mais poderia ser?

— Qual é o seu campeão, Hugo? — perguntou Bob Martín, cegando-o com a luz de sua lanterna.

O rapaz apontou um dos acorrentados, um animal grande e pesado, marcado por cicatrizes, com a pele do focinho enrugada, como se fosse uma queimadura.

— Aquele cachorro preto?

— Sim.

— Há duas semanas, na terça-feira, 7 de fevereiro, seu cachorro ganhou uma luta importante. Você enfiou dois mil dólares no bolso e os Sureños ganharam outro tanto, depois de pagar a comissão aos coreanos.

— Eu não sei de nada, agente.

— Não preciso de sua confissão. As rinhas de cachorros são um delito repugnante, Hugo, mas a você serviram de álibi para salvar sua pele de algo mais sério, o homicídio de Rachel Rosen. Vire-se e coloque as mãos para trás — ordenou Bob Martín, com as algemas prontas.

— Diga à minha mãe que nunca a perdoarei — disse o rapaz, com lágrimas de raiva.

— Sua mãe não teve nada a ver com isso, pirralho malcriado. Você vai partir o coração da pobre Elsa.

Sexta-feira, 24

A casa de Celeste Roko era uma "dama pintada" de Haight-Ashbury, uma das 48 mil moradias de estilo vitoriano e eduardiano que brotaram como fungos em São Francisco entre 1849 e 1915, algumas trazidas desmontadas da Inglaterra e armadas como se fossem um quebra-cabeça. A dela era uma relíquia de mais de cem anos, construída pouco depois do terremoto de 1906, que havia passado por estágios alternados de glória e decadência. Durante as duas guerras mundiais, sofrera a afronta de ser pintada com a sobra de tinta cinza da Marinha, mas em 1970 fora reformada, seus alicerces reforçados com concreto e pintada de quatro cores, azul da prússia no fundo, azul-celeste e turquesa nos relevos decorativos, branco nas molduras das portas e janelas. A casa, sombria, incômoda, um labirinto de quartos pequenos e escadas íngremes, havia sido avaliada recentemente em dois milhões de dólares por fazer parte do patrimônio histórico da cidade e ser uma atração turística. Roko a comprara por muito menos com suas economias, fruto de bons investimentos, graças a seus prognósticos astrológicos a respeito de Wall Street.

Indiana Jackson subiu os 15 degraus da varanda, tocou a campainha, um interminável carrilhão de sabor vienense, e logo a madrinha da sua filha abriu a porta. Celeste Roko havia sido escolhida para madrinha de Amanda por sua amizade de muitos anos com dona Encarnación Martín e pelo fato de ser católica praticante, apesar de o Vaticano condenar a prática da adivinhação. Os avós de Celeste eram croatas, e se conheceram e se casaram no navio que os deixara em Ellis Island, no final do século XIX. O casal se instalou em Chicago, chamada com propriedade de segunda capital da Croácia, devido ao alto número de imigrantes daquele país que chegara à cidade. A família, que começou trabalhando na construção civil e em confecção, foi se espalhando por outros estados e prosperando a cada geração, especialmente o ramo que chegou à Califórnia, e enriqueceu com lojas de comestíveis. O pai de Celeste foi o primeiro a ir à universidade, e depois ela se graduou em psiquiatria, profissão que exerceu por curto tempo, até descobrir que a astrologia era um sistema mais rápido e efetivo de ajudar os clientes do que a psicanálise. A combinação de conhecimentos acadêmicos e astrológicos foi tão bem-sucedida que logo se viu atolada de clientes, que precisavam esperar meses para conseguir uma consulta. Então, teve a ideia do programa de televisão, que já estava no ar havia 15 anos. Depois começou a se promover na internet, assessorada por uma equipe de gente jovem. Aparecia na tela vestida de tailleur escuro de corte impecável, blusa de seda, colar de pérolas do tamanho de ovos de tartaruga, os cabelos louros presos em um coque elegante e óculos antiquados do tipo gatinho, que não eram usados desde a década de 1950. Sua imagem correspondia à de uma psiquiatra junguiana algo fora de moda, mas em casa vestia quimonos comprados em Berkeley. O quimono, com sua forma de T e suas mangas largas, tão natural em uma gueixa, não favorecia seu corpo croata, mas ela o usava com bastante graça.

Indiana seguiu Celeste por outro lanço de escadas até uma salinha hexagonal, onde se sentou para esperar sua anfitriã, que insistiu em lhe oferecer chá. Achava opressivo o ambiente da velha casa, com a calefação muito alta, cheiro de tapetes mofados e flores murchas, abajures de louça e telas de pergaminho amarelo, com a tênue presença dos antigos habitantes, que atravessavam as paredes e ficavam pelos cantos ouvindo as conversas.

Celeste voltou pouco depois da cozinha, as mangas do quimono flamejando como bandeiras, com um bandeja, duas xícaras de porcelana chinesa e uma chaleira preta de ferro. Levantou a tampa da chaleira para que Indiana aspirasse o aroma do chá francês Marco Polo, mistura de frutas e flores, um dos luxos que tornavam prazerosa sua vida de mulher solteira. Serviu a beberagem e se instalou com as pernas cruzadas, como um faquir, em uma das poltronas.

Enquanto soprava a xícara, Indiana desabafou suas preocupações com a confiança adquirida em muitos anos de relação familiar e de consultas zodiacais, sem entrar em detalhes, porque a madrinha já estava a par do que acontecera com Alan Keller. Indiana havia lhe telefonado um dia depois de ter recebido a revista que haveria de acabar com quatro anos de uma feliz relação amorosa. Celeste tentara minimizar a importância daquele incidente, porque a preocupava que Indiana continuasse solteira aos 30 e tantos anos; a juventude passa rápido, e envelhecer sozinha é desagradável, disse ela, pensando que sua própria vida seria mais feliz ao lado de Blake Jackson; era uma pena que o homem tivesse vocação para viúvo. Para Indiana, entretanto, a infidelidade era motivo de sobra para despachar seu amante. A pedido dela, Celeste acabara de fazer o mapa astral de Ryan Miller, a quem nunca vira.

— Este Miller tem um aspecto muito viril, não é mesmo?

— Sim.

— No entanto, oito de seus planetas estão no feminino.

— Não me diga que é gay! — exclamou Indiana.

Celeste explicou que a astrologia não indica a preferência sexual de uma pessoa, apenas seu destino e seu caráter, e o de Miller tinha fortes traços femininos: era solícito, carinhoso, protetor, quase seria possível dizer maternal, condições ideais para um médico ou um professor, mas Miller estava marcado pelo complexo de herói e havia notáveis contradições em seu mapa astral, por isso não tinha levado em conta o mandato das estrelas e sua própria natureza, e vivia atordoado entre seus sentimentos e seus atos.

Celeste alongou-se sobre o pai autoritário e a mãe depressiva, a necessidade de provar sua hombridade e coragem, seu talento para se cercar de companheiros leais a toda prova, sua tendência ao vício e sua impulsividade, até apontou no mapa um momento crucial de sua vida, por volta de 2006, mas não mencionou que tivesse sido soldado ou que perdera uma perna e estivera a ponto de morrer.

— Você está apaixonada por ele — concluiu Celeste Roko.

— É o que dizem os planetas? — riu Indiana.

— É o que eu estou dizendo.

— O que se chama de apaixonada, talvez não, mas ele me atrai muito. É um grande amigo, mas melhor nem pensar em amor, traz muitas complicações. E a verdade é que eu também tenho complicações, Celeste.

— Se você está ficando com ele só para esquecer Alan Keller, vai partir o coração desse bom rapaz.

— Aconteceram muitas coisas ruins com ele. Ryan é um nó de remorso, culpa, agressividade, más recordações, pesadelos.

— E como é na cama?

— Bom, mas poderia ser muito melhor e, comparado com Alan, qualquer homem fica em desvantagem.

— Desvantagem? — perguntou Roko.

— Não seja maliciosa! Quis dizer que Alan me conhece, sabe lidar comigo, é romântico, criativo e refinado.

— Isso se pode aprender. Miller tem senso de humor?

— Mais ou menos.

— Que pena, Indiana. Isso não se aprende.

Beberam duas xícaras de chá e concordaram que uma comparação dos mapas astrais de Indiana e Miller esclareceria alguns pontos. Antes de acompanhá-la à porta, Celeste lhe deu o endereço do monge que limpava o carma.

Sábado, 25

Uma vez por ano, Amanda ia à cozinha com um objetivo mais sério do que esquentar uma xícara de chocolate no micro-ondas e se dedicava à tarefa de preparar um bolo de massa folhada e doce de leite para o aniversário de sua avó Encarnación, uma bomba de gemas, manteiga e açúcar. Era seu único projeto culinário, embora, na verdade, o trabalho pesado ficasse com Elsa Domínguez: esticar a massa folhada em finos discos e assá-los. Ela só se encarregava de ferver quatro copos de leite condensado em uma panela para fazer o doce, montar o bolo e colocar as velinhas no produto terminado.

Encarnación Martín, que continuava pintando os lábios de vermelho e os cabelos de preto, completava invariavelmente 55 anos havia uma década; isso significava que tivera seu primeiro filho aos 9, mas ninguém fazia essas contas mesquinhas. Tampouco se calculava a idade da mãe de Encarnación; a bisavó permanecera imune ao passar do tempo, ereta como um álamo, com seu coque apertado e suas pupilas aquosas capazes de ver o futuro. O aniversário de Encarnación era comemorado sempre no último fim de semana de fevereiro com uma farra no Loco Latino, uma discoteca de salsa e samba que era fechada ao público para receber os convidados dos Martín. A festa culminava com a chegada de um grupo de velhos mariachis, membros da banda original de José Manuel Martín, o esposo falecido havia muito tempo. Encarnación dançava até que não restasse um único homem em pé para acompanhá-la, enquanto a bisavó vigiava de um trono elevado para que ninguém, por mais bêbado que estivesse, perdesse a decência. A ela rendiam obediência, porque com sua fábrica de tortilhas, fundada em 1972, a família prosperara e haviam subsistido várias gerações de empregados, todos imigrantes do México e da América Central.

O bolo de doce de leite, praticamente indestrutível, pesava quatro quilos sem contar a bandeja, dava com folga para noventa pessoas, porque as fatias eram transparentes, e durava vários meses no congelador. Dona Encarnación o recebia com grandes demonstrações de apreço, embora não comesse doces, porque se tratava de um presente de sua neta favorita, a luz de seus olhos, o anjo de sua vida, o tesouro de sua velhice, como a chamava em seus ataques de inspiração. Costumava esquecer os nomes de seus seis netos homens, mas guardava mechas do cabelo e os dentes de leite de Amanda. Nada alegrava tanto a matriarca como ver reunidos seus sete netos, seus filhos e filhas com seus respectivos cônjuges, incluindo Indiana e também Blake Jackson, por quem sentia secreta fraqueza; ele era o único homem capaz de substituir José Manuel Martín em seu coração de viúva, mas tinha a desgraça de ser seu consogro. Incesto ou apenas pecado? Não tinha certeza. Havia proibido seu filho Bob de aparecer com alguma das vadias com quem se relacionava, porque perante Deus ainda estava casado com Indiana e continuaria casado, a menos que conseguisse a liberação do Vaticano.

— Você não trouxe a Polaca? — perguntou Amanda a seu pai, sussurrando quando chegou ao Loco Latino.

O desfile de pratos mexicanos não contaminados pela influência norte-americana começou cedo, e, à meia-noite, os convidados continuavam comendo e dançando. Amanda, irritada com os primos, uns bárbaros irremediáveis, conseguiu arrancar o pai da pista de dança e o avô da mesa e levá-los a um lado.

— Nós do *Ripper* estamos bastante avançados na investigação dos crimes, papai — informou.

— Qual foi a nova besteira que lhe ocorreu agora, Amanda?

— Nenhuma besteira. *Ripper* é um jogo inspirado em um dos mistérios da história do crime: Jack, o Estripador, o lendário assassino de mulheres, que atuava nos bairros pobres de Londres em 1888. Existem mais de cem teorias sobre a identidade do Estripador, inclusive suspeita-se de um membro da família real.

— O que isso tem a ver comigo? — perguntou o pai, suando por causa da tequila e da dança.

— Nada. Não é desse Jack que quero falar, mas do Estripador de São Francisco. Estamos, com os outros jogadores, amarrando os fios da meada, o que você acha?

— Péssimo, Amanda, como já lhe disse. Isso cabe ao Departamento de Homicídios.

— Mas seu Departamento de Homicídios não está fazendo nada, papai! Este é um serial killer, me ouça — insistiu a garota, que havia passado a semana de férias de inverno revisando minuciosamente as informações de seus arquivos e comunicando-se diariamente com os jogadores de *Ripper*.

— Quais são as provas que você tem, senhorita estripadora?

— Preste atenção nas coincidências: cinco assassinatos, Ed Staton, Michael e Doris Constante, Richard Ashton e Rachel Rosen, todos em São Francisco, em nenhum havia sinais de luta, o autor entrou sem arrombar fechaduras, ou seja, tinha acesso fácil, sabia abrir vários tipos de fechaduras e, provavelmente, conhecia as vítimas, ou pelo menos seus hábitos. Teve tempo de planejar e executar cada homicídio à perfeição. Em cada caso levou a arma do crime, o que demonstra premeditação: uma pistola e um bastão de beisebol, duas seringas com heroína, uma *taser* ou talvez duas, e linha de pesca.

— Como você ficou sabendo da linha de pesca?

— Pelo laudo preliminar da autópsia de Rachel Rosen, que Kabel leu. Revisou também o relatório de Ingrid Dunn sobre Ed Staton, o segurança que balearam na escola, está lembrado?

— É claro que me lembro — replicou o inspetor.

— Você sabe por que não se defendeu e por que recebeu de joelhos o tiro de misericórdia na cabeça?

— Não, mas tenho certeza de que você sabe.

— Nós do *Ripper* achamos que o assassino usou a mesma *taser* com que matou Richard Ashton; paralisou-o com uma descarga, Staton caiu de joelhos e, antes que tivesse conseguido se recuperar, executou-o com o revólver.

— Brilhante, filha — admitiu o inspetor-chefe.

— Quanto tempo dura o efeito paralisante da *taser*? — perguntou Amanda.

— Depende. Em um sujeito do tamanho de Staton podem ser uns três ou quatro minutos.

— Tempo de sobra para matá-lo. Staton estaria consciente?

— Sim, mas confuso, por quê?

— Por nada... Abatha, a vidente do *Ripper*, garante que o assassino sempre se dá um tempo para conversar com as vítimas. Ela acredita que tem alguma coisa importante a lhes dizer. O que você acha disso, papai?

— É possível. Não matou nenhuma das vítimas pelas costas nem de surpresa.

— Aquela coisa de enfiar o cabo do bastão no... você sabe a que me refiro, ele fez depois da morte de Staton. Isso é muito importante, papai, é outra coisa que os crimes têm em comum, o autor não torturou as vítimas em vida, mas profanou os cadáveres: Staton, com o bastão de beisebol; os Constante, marcando-os como gado com um maçarico; Ashton, com a suástica; e Rosen, enforcando-a como se fosse uma delinquente.

— Não se adiante, a autópsia de Rosen ainda não foi concluída.

— Faltam detalhes, mas isso já se sabe. Há diferenças entre os crimes, mas as semelhanças apontam para um único autor. Isso da profanação *post mortem* ocorreu a Kabel — disse Amanda, acentuando a latinice que havia tirado dos romances policiais.

— Kabel sou eu — esclareceu o avô. — Como Amanda disse, a intenção do assassino não foi torturar as vítimas, mas deixar uma mensagem.

— Você sabe a hora da morte de Rachel Rosen? — perguntou Amanda ao pai.

— O cadáver ficou pendurado dois dias, certamente morreu na noite da terça-feira, mas não temos a hora exata.

— Parece que todos os crimes ocorreram por volta da meia-noite. Nós do *Ripper* estamos investigando se aconteceram outros casos semelhantes nos últimos dez anos.

— Por que dez anos? — perguntou o inspetor.

— Algum prazo nós temos de estabelecer, papai. De acordo com Sherlock Holmes, estou me referindo ao meu amigo do *Ripper*, não ao personagem de sir Arthur Conan Doyle, seria uma perda de tempo examinar casos antigos, porque, se o criminoso é um serial killer, como acreditamos, e coincide com o perfil habitual, ele tem menos de 35 anos.

— Não há certeza de que o seja e, se for, este não é típico. Não há traços em comum entre as vítimas — replicou o inspetor.

— Tenho certeza de que existem. Em vez de investigar os casos separadamente, comece a procurar algo em comum entre as vítimas, papai. Isso nos dará o motivo. Esse é o primeiro passo de qualquer investigação, e nestes casos não se trata, evidentemente, de dinheiro, como é mais comum.

— Obrigado, Amanda. O que o Departamento de Homicídios faria sem a sua valiosa colaboração?

— Pode rir, se quiser, mas aviso que, no *Ripper*, estamos levando isso a sério. Você vai passar uma tremenda vergonha quando solucionarmos os crimes antes de você.

Terça-feira, 28

A vida de Alan Keller mudou naquele dia, no escritório de seu irmão, quando se viu despojado de seus privilégios. Mark e Lucille Keller assumiram sua dívida fiscal e colocaram Woodside à venda. Não foi necessário expulsá-lo do velho casarão, já que ele não via a hora de deixá-lo. Sentira-se preso durante anos e, em menos de três dias, mudara-se para o vinhedo de Napa com suas roupas, livros, discos, alguns móveis antigos e suas preciosas coleções. Sabia que se tratava de uma solução temporária, porque Mark estava de olho naquela terra havia tempo e logo a tomaria dele, a menos que acontecesse alguma coisa inesperada, como a morte simultânea e repentina de Philip e Flora Keller, mas essa era uma possibilidade remota; seus pais não fariam a ninguém, e muito menos a ele, o favor de morrer. Dispôs-se a usufruir de sua estadia em Napa enquanto pudesse, sem se angustiar com o futuro; era a única coisa de seus bens que realmente queria conservar, mais do que seus quadros, jades, porcelanas e cerâmicas contrabandeadas.

Naquela semana de fevereiro, estava fazendo 15 graus a mais em Napa do que em São Francisco, os dias eram quentes e as noites, frias. Nuvens espetaculares navegavam em um céu pintado de aquarela, o ar cheirava ao húmus da terra adormecida, onde as vinhas se preparavam para lançar folhas na primavera, e predominava nos campos o amarelo luminoso da flor da mostarda. Embora não soubesse nada de agricultura ou da preparação de vinho, Alan tinha paixão de terra-tenente, amava sua propriedade, passeava entre as fileiras retas de cepas, estudava as matas, recolhia braçadas de flores silvestres, examinava sua pequena adega, contava e tornava a contar as caixas e as garrafas, aprendia com os poucos trabalhadores que estavam podando. Eram camponeses mexicanos itinerantes, tinham vivido da terra durante gerações, seus movimentos eram rápidos, precisos e suaves, sabiam quanto podiam podar e quantos brotos deixar nas plantas.

Alan teria dado tudo para salvar aquela bendita propriedade, mas, com o que conseguisse obter com suas obras de arte e coleções, mal cobriria as dívidas dos cartões de crédito, cujos juros haviam se acumulado a um valor extorsivo. Seria impossível proteger seu vinhedo da cobiça do irmão; quando Mark enfiava alguma coisa na cabeça, ia em frente com selvagem tenacidade. Sua amiga Geneviève van Houte, ao saber de seus problemas, oferecera-se para encontrar sócios capitalistas que pudessem transformar o vinhedo em um negócio rentável, mas Alan preferia entregá-lo a Mark; assim, pelo menos, ficaria na família, e não à mercê de desconhecidos. Perguntava-se o que faria quando o perdesse, onde viveria. Estava saturado de São Francisco, sempre as mesmas caras e festas, as mesmas fofocas demolidoras e conversas banais, nada o prendia àquela cidade, senão a vida cultural, da qual não planejava desistir. Alimentava a fantasia de viver em uma casa modesta em uma das pequenas aldeias tranquilas do vale de Napa, em Santa Helena, por exemplo, e trabalhar, embora a ideia de procurar emprego pela primeira vez aos 55 anos fosse uma piada. Em que poderia trabalhar? Seus conhecimentos e habilidades, tão celebrados nos salões, eram inúteis para ganhar a vida; ele não seria capaz de cumprir horários e receber ordens, não lidava bem com a autoridade, como dizia com leviandade quando o tema era abordado.

— Case comigo, Alan. Na minha idade, um marido é muito melhor do que um gigolô — propôs-lhe Geneviève ao telefone em meio a gargalhadas.

— Teríamos um casamento aberto ou monógamo? — perguntou Alan, pensando em Indiana Jackson.

— Pluralista, é claro! — replicou ela.

Naquela casa de campo, com suas grossas paredes cor de abóbora e seus pisos de cerâmica colorida, Alan encontrava a quietude de um convento, dormia sem soníferos, dispunha de tempo para aprimorar as ideias, em vez de pular de um pensamento a outro em um incessante exercício de futilidade. Sentado em uma poltrona de vime na varanda coberta, com a vista perdida nas colinas redondas e nos infinitos vinhedos, com uma taça na mão e o cachorro de María, a empregada, deitado a seus pés, Alan Keller tomou a decisão mais importante de sua vida, a que o pressionava havia semanas quando estava acordado e com a qual sonhava quando dormia, enquanto os argumentos de sua consciência duelavam com seus sentimentos. Discou várias vezes o número de Indiana sem obter resposta e deduziu que ela havia perdido de novo o celular, pela terceira vez nos últimos seis meses. Terminou de beber e avisou a María que estava indo à cidade.

Uma hora e vinte minutos depois, Keller deixou seu Lexus no estacionamento subterrâneo de Union Square e caminhou meia quadra até a joalheria Bulgari. Não entendia o fascínio que exercia a maioria das joias, muito caras, que tinham de ser guardadas em caixas-fortes e envelheciam bastante as mulheres quando as usavam. Geneviève comprava joias como investimento, pensando que no próximo cataclismo global a única coisa que manteria seu valor seriam os diamantes e o ouro, mas usava-as raramente, ficavam na cripta de um banco suíço, enquanto ela andava com bijuteria. Certa vez, ele a acompanhara em Manhattan à loja da Bulgari da Quinta Avenida e pudera apreciar os desenhos, a audácia para combinar pedras e a qualidade artesanal, mas nunca entrara na filial de São Francisco. O segurança, perito em reconhecer a classe social dos clientes, deu-lhe boas-vindas sem se inquietar com sua aparência desleixada e seus sapatões incrustados de barro seco. Foi atendido por uma mulher vestida de preto, com os cabelos brancos e maquiagem profissional.

— Preciso de um anel inesquecível — pediu Keller, sem olhar para nada do que estava exposto nas vitrines.

— Diamantes?

— Nada de diamantes. Ela acredita que são obtidos com sangue africano.

— Os nossos são de procedência certificada.

— Tente explicar isso a ela — replicou Keller.

A vendedora, como o segurança da porta, avaliou rapidamente a distinção do cliente, pediu que aguardasse um momento e desapareceu atrás de uma porta, para voltar momentos depois com uma bandeja preta forrada de seda branca, onde descansava um anel ovalado, lindo pela sua simplicidade, que recordou a Keller as austeras joias do império romano.

— Este anel é de uma coleção antiga, não encontrará nada parecido nas coleções recentes. É uma água-marinha do Brasil, corte *cabochon*, bastante incomum nesta pedra, engastada em ouro fosco de 24 quilates. Naturalmente, temos gemas muito mais valiosas, senhor, mas acredito que este seja o mais inesquecível que posso lhe mostrar — disse a vendedora.

Keller compreendeu que ia cometer uma extravagância imperdoável, algo pelo qual seu irmão Mark poderia crucificá-lo, mas, assim que seu olho de colecionador pousou naquele delicado objeto, não quis mais ver outros. Um de seus Botero estava prestes a ser vendido em Nova York, e com isso poderia pagar parte de suas dívidas, mas resolveu que o coração tem lá suas prioridades.

— Tem razão, é memorável. Vou levá-lo, embora este anel seja muito caro para um playboy arruinado como eu e muito fino para uma mulher que não distingue entre Bulgari e bijuteria, como ela.

— Pode pagá-lo a prazo...

— Preciso dele hoje mesmo. Para isso existem os cartões de crédito — replicou Keller com seu mais cálido sorriso.

Como dispunha de tempo e conseguir um táxi era pouco menos que impossível, seguiu a pé para North Beach, com a brisa fria batendo no rosto e o espírito alegre. Entrou no Café Rossini rezando para que Danny D'Angelo não estivesse trabalhando, mas este foi ao seu encontro com excessivas demonstrações de apreço e reiteradas desculpas por ter vomitado em seu Lexus.

— Esqueça, Danny, isso aconteceu no ano passado — disse Alan, tentando se soltar do abraço.

— Peça o que quiser, senhor Keller, é por minha conta — anunciou Danny praticamente aos gritos. — Nunca conseguirei lhe pagar o que fez por mim.

— Pode me pagar agora mesmo, Danny. Fuja por cinco minutos e vá chamar Indiana. Acho que ela perdeu o celular. Diga-lhe que alguém está precisando dela, mas não diga que sou eu.

Danny, um homem sem rancores, havia perdoado Indiana a respeito da confusão no Narciso Club, porque dois dias depois ela aparecera arrastando Ryan Miller para lhe pedir desculpas por ter destruído sua noite triunfal. Também perdoou o *navy seal*, mas aproveitou a oportunidade para informá-lo que a homofobia costuma mascarar o medo de reconhecer a homossexualidade em si mesmo e que a camaradagem dos soldados tem todo tipo de conotações eróticas: vivem em estreita promiscuidade e contato físico, unidos por vínculos de lealdade e amor e pela exaltação do machismo, excluindo as mulheres. Em outras circunstâncias, Miller o teria sacudido por duvidar de sua virilidade, mas aceitou a repreensão, porque ainda estava com o corpo machucado pela briga no clube e o espírito humilde pela reunião dos Alcoólicos Anônimos.

D'Angelo partiu com ar conspirador para a Clínica Holística e voltou pouco depois para dizer a Keller que Indiana viria assim que terminasse sua última sessão. Serviu-lhe um café irlandês e um sanduíche monumental que ele não havia pedido, mas que atacou com fome. Vinte minutos depois, Alan Keller viu Indiana atravessar a rua com um rabo de cavalo, bata e tamanco, e a violência da emoção deixou-o cravado na cadeira. Achou que estava muito mais bonita do que recordava, colorida, iluminada, um sopro prematuro da primavera. Quando entrou e o viu, ela vacilou, ameaçou recuar, mas Danny pescou seu braço e levou-a até a mesa de Keller, que conseguira ficar em pé. Danny obrigou Indiana a se sentar e se afastou o suficiente para que tivessem a sensação de privacidade, mas não tanto para perder o que diziam.

— Como vai, Alan? Está mais magro — saudou-o, em tom neutro.

— Estive doente, mas agora estou me sentindo melhor do que nunca.

Nesse instante, Gary Brunswick, o último paciente da terça-feira, entrou no Café atrás dos passos de Indiana com a intenção de convidá-la para comer, mas, ao vê-la com outro homem, parou, desconcertado. Danny aproveitou a hesitação para empurrá-lo para outra mesa e soprar em tom confidencial que os deixasse a sós, porque aquilo parecia, era evidente, um encontro amoroso.

— O que posso fazer por você? — perguntou Indiana a Keller.

— Muito. Por exemplo, pode mudar a minha vida. Pode me virar do avesso, como se fosse uma meia.

Ela o olhou de viés, desconfiada, enquanto ele procurava a caixinha da Bulgari, que desaparecera em seus bolsos, até que por fim a encontrou e colocou diante dela, sem jeito, como se fosse um ginasiano.

— Você se casaria com um velho pobre, Indi? — perguntou, sem reconhecer a própria voz, e lhe contou os acontecimentos recentes aos borbotões, engolindo o ar depressa, que estava feliz por ter perdido tudo, mas ainda tinha o suficiente, não, não passaria fome, mas estava atravessando a pior crise de sua vida; os chineses dizem que crise é perigo mais oportunidade, aquela era sua grande oportunidade de recomeçar e fazê-lo com ela, seu único amor, como não entendeu quando a conhecera? Era um imbecil, não podia continuar assim, estava farto de sua existência e de si mesmo, de seu egoísmo e cautela. Ia mudar, prometia, mas precisava de sua ajuda, não conseguiria fazê-lo sozinho, os dois tinham investido quatro anos em sua relação, como iriam permitir que fracassasse por um mal-entendido? Falou da casinha em Santa Helena que iriam comprar, perto das termas de Calistoga, o lugar ideal para se dedicar à aromaterapia, levariam uma vida bucólica e criariam cachorros, mais lógico do que criar cavalos. E continuou desabafando o que carregava por dentro e tentando-a com o que fariam juntos e pedindo perdão e suplicando, case-se comigo amanhã mesmo.

Agoniada, Indiana esticou a mão por cima da mesa e tapou sua boca.

— Você tem certeza, Alan?

— Nunca tive tanta certeza a respeito de alguma coisa em toda a minha vida!

— Eu não. Há um mês teria aceitado sem hesitar, mas agora tenho muitas dúvidas. Aconteceram comigo algumas coisas que...

— Comigo também! — interrompeu-a Keller. — Alguma coisa se abriu dentro de mim, no coração, e fui invadido por uma força desordenada e estupenda. Não consigo explicar o que estou sentindo, é impossível, estou cheio de energia, posso superar qualquer obstáculo. Vou começar de novo e seguir em frente. Estou mais vivo do que nunca! Não posso mais recuar. Indiana, este é o primeiro dia da minha nova vida.

— Nunca sei se você está falando sério, Alan.

— Totalmente sério, nada de ironia desta vez, Indi, só verdades de romances cor-de-rosa. Eu a adoro, mulher. Não há outro amor em minha vida, Geneviève não tem a menor importância, eu lhe juro pelo mais sagrado.

— Não se trata dela, mas da gente. O que nós temos em comum, Alan?

— O amor, que outra coisa seria?

— Vou precisar de um tempo.

— De quanto? Estou com 55 anos, não tenho tempo de sobra, mas, se é isso o que você quer, terei de esperar. Um dia? Dois? Por favor, me dê outra oportunidade, não vai se arrepender. Poderíamos ir ao vinhedo, que ainda é meu, embora não por muito tempo. Feche seu consultório por alguns dias e venha comigo.

— E meus pacientes?

— Pelo amor de Deus, ninguém vai morrer por falta de ímãs ou aromaterapia! Desculpe, não quis insultá-la, sei que seu trabalho é muito importante, mas como não vai poder tirar alguns dias de férias? Vou me empenhar tanto em deixá-la apaixonada, Indi, que você mesma vai suplicar que nos casemos — sorriu Keller.

— Se chegarmos a esse ponto, então poderá me entregar isto — respondeu Indiana, e lhe devolveu a caixa da Bulgari, sem abri-la.

MARÇO

Sexta-feira, 2

Amanda esperava o pai na minúscula sala da assistente dele, onde as paredes estavam cobertas de fotografias de Petra Horr de quimono branco e faixa preta, em competições de artes marciais. A mulher media um metro e cinquenta e pesava 48 quilos, mas conseguia levantar um homem com o dobro de seu tamanho e atirá-lo longe. Tivera poucas oportunidades de usar essa habilidade desde que começara a trabalhar no Departamento de Homicídios, mas ela lhe havia sido muito útil para se defender no pátio do presídio, onde as brigas costumavam ser tão violentas quanto nas prisões masculinas. Aos 20 anos, depois de cumprir a sentença imposta por Rachel Rosen, Petra investiu trinta meses percorrendo o país em uma motocicleta. Naqueles intermináveis caminhos, perdeu qualquer esperança que tivesse conseguido salvar de uma infância de abandono e de uma adolescência vivida no meio de delinquentes. A única constante em sua existência de andarilha, o que lhe servia para se proteger e ganhar seu sustento, eram as artes marciais.

Ao chegar a um povoado, Petra procurava um bar, certa de que existia algum, por mais pobre e remoto que fosse o lugar, e se sentava ao balcão fazendo durar uma única cerveja. Logo um ou vários homens se aproximavam dela com uma intenção óbvia e, a menos que houvesse algum francamente irresistível, o que raramente acontecia, dissuadia-os com o argumento de que era lésbica e em seguida desafiava o mais fornido a uma luta corpo a corpo. Suas regras eram claras: valia tudo, menos qualquer tipo de arma. Formava-se um grupinho, apostavam, e iam ao pátio ou a um beco discreto, onde Petra tirava a jaqueta de couro, flexionava seus braços e pernas de menina no meio dos risinhos masculinos e anunciava que podiam começar. O homem a atacava algumas vezes sem malícia, confiante e sorridente, até que se dava conta de que ela, embromando-o, escapulia como uma doninha. Então, perdia a paciência e, açulado pelas piadas dos espectadores, ele a atacava a sério, disposto a derrubá-la com uma porrada. Como a intenção de Petra era oferecer um espetáculo honrado que não decepcionasse o público, toureava o adversário por um bom tempo, desviando os golpes, cansando-o e, por fim, quando estava enfurecido e suado, aplicava-lhe uma de suas chaves de braço, aproveitando o impulso e o peso do homem para imobilizá-lo no chão. No meio do respeitoso espanto, recolhia as apostas, vestia a jaqueta e seu capacete e partia a toda na motocicleta, antes que o derrotado se recuperasse da humilhação e resolvesse persegui-la. Em uma única luta, conseguia ganhar duzentos ou trezentos dólares, suficientes para viver algumas semanas.

Voltou a São Francisco com um vistoso marido no assento traseiro da motocicleta, doce, bonito e viciado em drogas, instalaram-se em uma pensão insalubre, e Petra começou a trabalhar em qualquer coisa que aparecesse, enquanto ele tocava guitarra no parque e gastava o que ela ganhava. Tinha 24 anos quando o marido a abandonou, e 25 quando conseguiu um emprego no setor administrativo do Departamento de Polícia, depois de vencer Bob Martín com o método que aperfeiçoara em seus tempos de lutadora errante.

Foi assim: no bar Camelot, onde se juntavam os policiais fora da hora de trabalho para relaxar com alguns tragos, a clientela era tão fixa que uma cara nova chamava a atenção, especialmente a daquela garota que chegou se dando ares. O barman achou que era menor de idade e lhe pediu os documentos antes de lhe servir uma cerveja. Petra pegou sua garrafa e se virou para encarar Martín e os outros, que a mediam com olho crítico de cima a baixo.

— O que estão olhando? Tenho alguma coisa que queiram comprar? — perguntou.

Deu um jeito para provocar uma briga com o mais bravo, como disse, que era Bob Martín por consenso geral, mas naquela ocasião não conseguiu que os homens arriscassem suas folhas de serviço com apostas ilegais e teve de fazer sua demonstração por puro afã desportivo. Longe de se ofender pela derrota e as piadas de seus companheiros, Bob Martín se levantou do chão, sacudindo a calça e se penteando com os dedos, cumprimentou a garota com um sincero aperto de mão e lhe ofereceu emprego. Começou assim a vida sedentária de Petra Horr.

— Meu pai anda com Ayani? — perguntou-lhe Amanda.

— Como eu vou saber? Pergunte a ele.

— Ele nega, mas seus olhos brilham quando menciono o nome dela. Gosto muito mais de Ayani do que da Polaca, embora não acredite que sirva para madrasta. Você a conhece?

— Veio aqui algumas vezes para depor, é bonita, não se pode negar, mas não sei o que seu pai faria com ela. Ayani tem hábitos caros e é muito complicada. Seu pai precisa de uma mulher simples que o ame e não lhe cause problemas.

— Como você?

— Não seja atrevida. Minha relação com o inspetor é estritamente profissional.

— Que pena! Não me importaria que você fosse minha madrasta, Petra. Mudando de assunto, você falou com Ingrid Dunn?

— Sim, mas não tem a menor chance. Seu pai a picaria em pedacinhos se deixasse você presenciar uma autópsia.

— Mas por que contaríamos a ele?

— Não me meta nisso, acerte-se diretamente com Ingrid.

— Pelo menos, você poderia me conseguir cópias dos laudos das autópsias de Richard Ashton e Rachel Rosen.

— Seu avô já os viu.

— Mas ele não percebe coisas fundamentais, prefiro vê-los com meus olhos. Sabe se vão fazer exames de DNA?

— Só de Ashton. Se os filhos conseguirem provar que Ayani despachou o marido, poderão colocar a mão no dinheiro. A respeito de Rosen, tinha economizado trezentos mil dólares, mas não os deixou para o filho, e sim para os Anjos Guardiães.

— Quem são esses?

— Uma organização sem fins lucrativos. São voluntários que patrulham as ruas para prevenir o crime, acho que começou em Nova York no final dos anos 1970, quando a cidade era famosa pela insegurança. Colaboram com a polícia, andam de uniforme, jaqueta e boina vermelha, podem prender suspeitos, mas não portar armas. Agora existem muitos desses Anjos Guardiães em vários países e, além de suas atividades de vigilância, têm programas educacionais e locais onde os jovens podem trabalhar e ficar longe do crime.

— É normal que uma juíza queira apoiar um grupo que combate o crime — opinou Amanda.

— Sim, mas o filho teve uma decepção. Estava mais abalado com a perda da herança do que com a da mãe. Tem álibi, passou a semana em uma viagem de negócios, já comprovamos.

— Talvez tenha contratado um pistoleiro para despachá-la. Não se davam bem, não é mesmo?

— Essas coisas acontecem na Itália, Amanda. Na Califórnia, ninguém assassina a mãe porque não se dá bem com ela. A respeito dos Constante, o fato é que, quanto às queimaduras do maçarico, que à primeira vista não significavam nada, nas fotos dá para perceber que são letras.

— Que letras?

— F e A. Mas ainda não encontramos uma explicação para isso.

— Deve haver, Petra. Em cada caso, o autor deixou um sinal ou uma mensagem. Eu disse isso a meu pai há cerca de dez dias, mas ele não me ouve: estamos diante de um serial killer.

— É claro que ouve você, Amanda. Colocou todo o Departamento para procurar conexões entre os crimes.

Domingo, 4

Como fazia em cada primeiro domingo do mês, embora lhe coubesse passar aquele fim de semana com o pai, Amanda dedicava uma hora organizando a primitiva contabilidade de sua mãe. O laptop de Indiana tinha seis anos, e já era tempo de modernizá-lo ou comprar outro, mas sua dona gostava dele como se fosse um animal de estimação e pensava em usá-lo até ele morrer de morte natural, apesar de recentemente só lhe dar desgostos. De repente, sem nenhuma justificativa, apareciam do nada na tela cenas de sexo e tortura, muita carne exposta, sofrimento e nada agradável aos olhos. Indiana fechava imediatamente aquelas imagens perturbadoras, mas o problema se repetia tanto que ela acabou dando um nome ao pervertido que habitava seu disco rígido ou entrava pela janela para se imiscuir no conteúdo de seu computador: chamou-o de Marquês de Sade.

Amanda, que começara a cuidar da contabilidade aos 12 anos e a mantinha rigorosamente em dia, foi a primeira a compreender que os honorários de sua mãe mal davam para ela se manter com uma modéstia monacal. Ajudar os outros a se curar era um processo lento, que drenava as energias e os recursos de Indiana, mas ela não trocaria aquele trabalho por nenhum outro; na realidade, não o considerava trabalho, mas apostolado. Seu objetivo era a saúde dos pacientes, não a soma de seus ganhos, e podia viver com pouco, já que não lhe interessava consumir, e media sua felicidade com uma fórmula elementar: "Um bom dia mais outro bom dia igual a uma boa vida." Sua filha se cansara de lhe repetir que precisava aumentar os preços — um imigrante ilegal colhendo laranjas ganhava mais por hora do que ela — porque havia compreendido, finalmente, que sua mãe recebera um mandato divino de mitigar o sofrimento alheio e devia obedecer a ele, o que significava, em termos práticos, que sempre seria pobre, a menos que conseguisse um benfeitor ou se casasse com um sujeito rico, como Keller. Amanda achava que a miséria era preferível a isso.

Embora não acreditasse que as orações fossem um método eficaz para resolver problemas de ordem prática, a menina recorrera à avó Encarnación, que se mantinha em comunicação direta com São Judas Tadeu, para tirar Keller da vida de sua mãe. São Judas fazia milagres por um preço justo, que era pago em dinheiro no santuário da Bush Street ou mediante um cheque enviado pelo correio. Depois de dona Encarnación ter recorrido a ele, apareceu o artigo na revista, que tanta lágrima custara a Indiana, e Amanda acreditou que haviam se livrado do homem para sempre e que ele seria substituído por Ryan Miller, mas a esperança acabara de se esfumar com a escapada de sua mãe e seu antigo amante para Napa. Sua avó teria de reiniciar as negociações com o santo.

Para dona Encarnación, o divórcio era pecado e, no caso de Indiana e de Bob, tratava-se de um pecado desnecessário, porque, com um pouco de boa vontade, poderiam conviver como Deus mandava. No fundo, eles se amavam, já que nenhum dos dois tornara a se casar, e ela esperava que de repente se rendessem a esta evidência e voltassem a se juntar. Achava que era censurável que Bob tivesse amigas de virtude duvidosa, os homens são criaturas imperfeitas, mas não podia aceitar que Indiana arriscasse seu acesso ao céu e sua reputação em relações extraconjugais. Durante anos fora vítima de uma conspiração familiar que lhe ocultara a existência de Keller, até Amanda, em um desatinado ataque de franqueza, lhe contar. A mulher sofreu um desgosto épico, que durou várias semanas, até que seu coração de matriarca se mostrou mais forte do que seus poderes de católica e acolheu de volta Indiana, porque errar é humano e perdoar é divino, como lhe disse. Tinha carinho por sua nora, embora houvesse em sua vida muitos aspectos suscetíveis de serem aperfeiçoados: não apenas sua forma de criar Amanda, seu vestuário e penteado, mas também seu trabalho, que lhe parecia pagão, e até seu gosto em matéria de decoração. Em lugar de móveis de estilo, que ela lhe oferecera, Indiana entupiu seu apartamento de mesas, estantes e armários, provetas, balanças, funis, conta-gotas e centenas de frascos de diversos tamanhos, onde armazenava substâncias desconhecidas, algumas provenientes de países perigosos, como o Irã e a China. Sua casa tinha o aspecto de um laboratório clandestino, como os que apareciam na televisão, onde se preparavam drogas. Em algumas ocasiões, a polícia aparecera batendo à porta de sua ex-nora, alarmada pelo perfume excessivo que pairava no ar, como se tivesse morrido uma santa. Sua neta havia obrigado Blake Jackson — que homem mais agradável! — a instalar grades nas estantes para evitar que, na eventualidade de um terremoto, os óleos essenciais se esparramassem, intoxicando sua mãe e provavelmente os vizinhos. Isso foi depois de ler em um livro de relatos eróticos do Japão que uma cortesã do século XV envenenara seu amante infiel com perfumes. Dona Encarnación dizia que alguém devia controlar as leituras da neta.

Amanda bendizia as leis da genética, porque o dom de curar de sua mãe não era hereditário. Eram outros seus planos para o futuro, pensava em estudar física nuclear ou alguma coisa do gênero, ter sucesso profissional, levar uma boa vida e, de passagem, cumprir com a obrigação moral de sustentar a mãe e o avô, que então seriam dois anciãos de uns 40 e 70 anos, respectivamente, se seus cálculos estivessem corretos.

Sua mãe gastava pouco, seu meio de transporte era a bicicleta, cortava ela mesma o cabelo duas vezes por ano com as tesouras da cozinha e se vestia com roupa comprada em brechó, porque ninguém ligava para o que ela usava, como dizia, embora não fosse verdade, porque Alan Keller ligava muito. Apesar de sua frugalidade, o dinheiro de Indiana não era suficiente para terminar o mês, e ela precisava recorrer ao pai ou ao ex-marido para sair do apuro. Amanda achava aquilo normal, porque eles eram a sua família, mas ficava chocada que Ryan Miller aparecesse para socorrer, como acontecera várias vezes. Miller, mas nunca Keller, porque sua mãe dizia que um amante, por mais generoso que fosse, acabava cobrando a dívida em favores.

A única coisa mais ou menos rentável na contabilidade de Indiana era a aromaterapia. Havia feito um nome com seus óleos essenciais, que comprava no atacado, vertia em frasquinhos escuros etiquetados com primor e vendia na Califórnia e em outros estados norte-americanos. Amanda a ajudava a envasá-los e os promovia na internet. Para Indiana, a aromaterapia era uma arte delicada, que devia ser praticada com cuidado, estudando as aflições e necessidades de cada pessoa antes de determinar a combinação de óleos mais apropriada a cada caso, mas Amanda lhe dizia que essa meticulosidade era insustentável do ponto de vista econômico. Foi ideia dela comercializar a aromaterapia em hotéis e spas de luxo para financiar a cara matéria-prima. Aqueles estabelecimentos compravam os óleos mais populares e os ministravam de qualquer maneira, uma gota aqui, outra ali, como se fossem perfumes, sem tomar as mínimas precauções, averiguar suas propriedades nem ler as instruções, apesar das instruções de Indiana de que mal aplicados poderiam ser daninhos, como seria o caso de um epilético exposto ao funcho e ao anis, ou uma ninfomaníaca ao sândalo ou ao jasmim. Sua filha dizia que não era necessário se preocupar com isso: a percentagem de epiléticos e ninfomaníacas no total da população era mínima.

A garota era capaz de nomear todos os óleos essenciais de sua mãe, mas não lhe interessavam suas propriedades, porque a aromaterapia era uma arte caprichosa e ela se inclinava pelas ciências exatas. A seu ver, não havia provas suficientes de que o patchuli incitasse o romance ou o gerânio estimulasse a criatividade, como afirmavam alguns textos orientais muito antigos, de duvidosa autenticidade. O néroli não apagava a ira de seu pai, nem a lavanda dava senso prático à sua mãe, como deveriam. Ela usava erva-cidreira contra a timidez, sem resultado perceptível, e óleo de sálvia para o mal-estar da menstruação, que só surtia efeito combinado com os analgésicos da farmácia de seu avô. Queria viver em um mundo organizado, com regras claras, e a aromaterapia, como os demais tratamentos de sua mãe, contribuía para o mistério e a confusão.

Havia terminado as contas e estava preparando sua mochila para retornar ao internato quando Indiana voltou com uma sacola de roupa suja e um leve bronzeado graças ao sol anêmico, mas persistente, do vale do Napa no inverno. Recebeu-a de cara amarrada.

— Isso é hora de chegar, mamãe?

— Perdoe, filha, queria estar aqui para recebê-la, mas havia muito trânsito e nos atrasamos. Precisava desses três dias de férias, estava muito cansada. Como foi com a contabilidade? Imagino que tem más notícias, como sempre... Vamos à cozinha conversar um pouco, farei um chá. Ainda é cedo, seu avô só a levará ao colégio às cinco.

Tentou beijá-la, mas Amanda a evitou, sentou-se no chão e ligou para o avô pelo celular para que se apressasse a chegar. Indiana se sentou ao seu lado, esperou que acabasse de falar e segurou seu rosto.

— Olhe para mim, Amanda. Você não pode ir para o colégio zangada comigo, precisamos conversar. Liguei para você na quarta-feira para dizer que Alan e eu havíamos nos reconciliado e que iríamos passar uns dias em Napa. Isto não foi uma surpresa para você.

— Se vai se casar com Keller, não quero nem saber!

— Isto de casar é assunto para mais à frente, mas, se eu resolver assim, você será a primeira a saber, queira ou não. Você é a pessoa mais importante da minha vida, nunca vou abandoná-la!

— Aposto que você não contou a Keller sua história com Ryan Miller! Acha que não sei que dormiu com ele? Deveria ter mais cuidado com os seus e-mails!

— Você leu minha correspondência pessoal!

— Nada seu é pessoal. Posso ler o que quiser em seu laptop, para isso tenho sua senha: Shakti. Você mesma a revelou para mim, assim como a meu avô, a meu pai, e a toda a Califórnia. Sei o que fez com Ryan e li suas estúpidas mensagens de amor. Mentiras! Você encheu a cabeça dele de ilusões e depois foi embora com Keller. Que tipo de pessoa você é? Não se pode confiar em você! E não me diga que sou uma pirralha e que não entendo nada de nada, porque sei perfeitamente o nome disso!

Pela primeira vez em sua vida, Indiana sentiu o impulso de lhe dar uma bofetada, mas não conseguiu iniciar o gesto. Por hábito, tentou interpretar a mensagem, pois amiúde as palavras tergiversavam, e, ao ver a angústia de sua filha, enrubesceu, perturbada, porque sabia que deveria ter dado uma explicação a Ryan antes de ter ido embora com Alan, mas desapareceu, ignorando os planos que havia feito para o fim de semana. Se amasse Ryan tanto como o fizera acreditar, ou se pelo menos o respeitasse como ele merecia, jamais o teria tratado daquela maneira, teria sido franca com ele, teria explicado seus motivos. Não se atreveu a enfrentá-lo e justificou aquilo com o argumento de que precisava de tempo para se decidir entre os dois homens, mas foi a Napa porque já havia escolhido Alan Keller, a quem a unia algo mais do que um amor de quatro anos. Foi com a intenção de esclarecer algumas coisas e voltou com um anel em sua carteira, que tirou do dedo ao descer do carro de Keller, para evitar que a filha o visse.

— Você está certa, Amanda — admitiu, cabisbaixa.

Seguiu-se uma longa pausa, as duas sentadas no chão, muito próximas, sem se tocar, até que a menina enxugou as lágrimas do rosto da mãe. Para Indiana, o pavor de se casar com alguém que sua filha detestava ia aumentando minuto a minuto e, por sua vez, Amanda pensava que, se Keller seria seu padrasto, deveria se esforçar para tratá-lo com cortesia.

Estavam nisso quando foram sobressaltadas pelo celular de Amanda. Era Carol Underwater, que recorria à filha para localizar a mãe, com quem não conseguia se comunicar desde quinta-feira. Indiana pegou o telefone e lhe contou que havia passado alguns dias de folga no vinhedo de Napa. Em seu habitual tom queixoso, Carol disse que ficava feliz por Indiana ter tantas coisas favoráveis: amor, férias e saúde, sobretudo saúde, e lhe desejou de todo o coração que esta nunca lhe faltasse, porque sem saúde não valia a pena viver, dizia aquilo por experiência. Sua última esperança era a radioterapia. Quis saber detalhes dos dias que passara em Napa e como Keller a convencera a reatar com ele, depois do que acontecera entre os dois; uma traição como aquela era impossível esquecer. Indiana acabou lhe dando explicações, como se as devesse, e ficaram de se ver na quarta-feira, às seis e meia, no Café Rossini.

— Carol me ligou várias vezes para saber de você e quase enlouqueceu quando eu disse que você estava com Keller. Você deve ser sua única amiga — comentou Amanda.

— Por que ela tem o número do seu celular?

— Para me perguntar por Salve-o-Atum. Veio vê-la algumas vezes. Vovô não lhe disse? Carol adora gatos.

Segunda-feira, 5

Esmeralda participou do jogo de *Ripper* de um hospital em Auckland. O menino estava sendo submetido a um tratamento com células-tronco embrionárias, outro passo em sua determinação de voltar a andar.

Amanda, em seu papel de mestra do jogo, fizera uma lista com os elementos-chave disponíveis dos cinco homicídios que os mantinham ocupados desde janeiro. Cada jogador tinha em seu poder uma cópia e, depois de estudar os fatos com a lupa de sua lógica irrefutável, Sherlock Holmes chegara a certas conclusões, diferentes das de Abatha, que se aproximava dos problemas pelos sinuosos caminhos do reino esotérico, das do coronel Paddington, que julgava a realidade com critérios militares, ou das de Esmeralda, uma cigana da rua para quem não era necessário espremer os miolos, porque quase tudo se esclarecia sozinho, bastava fazer as perguntas pertinentes. Os jovens concordavam que se tratava de um malfeitor tão interessante quanto Jack, o Estripador.

— Comecemos pelo "crime do bastão fora de lugar". Adiante, Kabel — ordenou a mestra.

— Ed Staton foi casado brevemente na juventude. Depois não se soube de relações com mulheres, mas pagava acompanhantes masculinos e consumia pornografia gay. Na escola e em seu jipe não foram encontrados nem o paletó nem o quepe de seu uniforme, mas os alunos que estavam no estacionamento viram-no sair e reconheceram-no pelo uniforme.

— Quem eram esses acompanhantes? — perguntou Esmeralda.

— Dois jovens porto-riquenhos, mas nenhum deles esteve com ele naquela noite, e seus álibis são sólidos. As testemunhas do estacionamento não viram outra pessoa no automóvel em que saiu.

— Por que Staton não usou seu próprio veículo?

— Porque a pessoa que viram não era Ed Staton — deduziu Sherlock. — Era o assassino, que vestiu o paletó e o quepe do segurança e saiu tranquilamente da escola, à plena vista das três testemunhas, que ele saudou com a mão, entrou no mesmo automóvel em que chegou e foi embora. O segurança nunca saiu da escola, pois àquela hora estava morto no ginásio. O assassino chegou à escola quando o estacionamento estava lotado de carros e ninguém notou o dele, entrou pela porta principal sem problemas, se escondeu lá dentro e esperou que todo mundo fosse embora.

— Agrediu Staton no ginásio quando ele estava fazendo a ronda para fechar as portas e acionar o alarme. Estratégia convencional: atacar de surpresa. Paralisou-o com uma *taser* e o executou com um tiro na cabeça — acrescentou o coronel Paddington.

— Sabemos qual é a relação entre a Universidade de Arkansas e Ed Staton? — perguntou Esmeralda.

— Não. O inspetor Bob Martín investigou esse ponto. Ninguém da universidade ou de sua equipe atlética, os Lobos Vermelhos, conhecia Staton.

— Lobos Vermelhos? Talvez não se trate de uma conexão, mas de um código ou uma mensagem — sugeriu Abatha.

— O lobo-vermelho, *Canis rufus*, é uma das duas espécies de lobos existentes, o outro é maior, o lobo-cinza. Em 1980, declararam extinta a espécie dos vermelhos, mas cruzaram os poucos exemplares que existiam em cativeiro e conseguiram estabelecer um programa de reprodução; calcula-se que deve haver uns duzentos em estado selvagem — informou Kabel, que estudara o assunto no ano anterior, quando sua neta se interessara pela licantropia.

— Isso não nos serve para nada — replicou o coronel

— Tudo serve — corrigiu-o Sherlock Holmes.

A mestra do jogo sugeriu que passassem ao "duplo crime do maçarico", e Kabel mostrou as fotografias que havia obtido das queimaduras das nádegas das vítimas, a de Michael com a letra F e a de Doris com a A. Também apresentou fotografias das seringas, do maçarico e da garrafa de bebida e explicou que o Xanax com que o assassino adormecera os Constante estava diluído em uma caixa de leite.

— Para que surtisse efeito em duas xícaras, o autor colocou, pelo menos, dez ou quinze pílulas no litro de leite.

— É irracional colocar droga no leite, porque normalmente é bebido por crianças e não por adultos — interveio o coronel.

— As crianças estavam em uma excursão em Tahoe. Na hora do jantar, o casal sempre comia sanduíches de presunto ou queijo, e tomava uma caneca de café instantâneo dissolvido em leite. Quem me contou isso foi Henrietta Post, a vizinha que descobriu os corpos. O café dissimulou o sabor do Xanax — explicou Kabel.

— Ou seja, o assassino conhecia os hábitos do casal — deduziu Sherlock.

— Como a bebida chegou à geladeira dos Constante? — perguntou Esmeralda.

— Aquele tipo de vodca não existe neste país. Limparam cuidadosamente as impressões digitais da garrafa — disse Amanda.

— Ou então foi manipulada com luvas, como as seringas e o maçarico. Isso significa que foi colocada ali de propósito pelo assassino — disse Sherlock.

— Outra mensagem — interrompeu-o Abatha.

— Exato.

— Mensagem de um ex-alcoólatra para outro? De Brian Turner para Michael Constante? — perguntou Esmeralda.

— Isso é muito sutil para Brian, o sujeito é muito primitivo. Se tivesse pretendido deixar uma mensagem, teria esvaziado algumas garrafas de cerveja em cima dos corpos, não teria procurado uma bebida desconhecida da Sérvia para colocar na geladeira — disse Kabel.

— Acham que o assassino é sérvio?

— Não, Esmeralda. Mas acho que, em cada caso, deixou uma pista para identificá-lo. É tão arrogante e autoconfiante que se permite brincar com a gente — disse o coronel, irritado.

— Dizendo melhor, brinca com a polícia, porque não sabe nada a nosso respeito — observou Amanda.

— Foi o que quis dizer. Vocês me entenderam.

— Não foi encontrada nenhuma conexão entre o suspeito, Brian Turner, que teve uma briga com Michael Constante, e as outras vítimas. Na noite da morte do psiquiatra, Turner estava preso na cadeia de Petaluma por causa de outra briga, isso prova seu mau caráter e também que não é o nosso suspeito — disse Amanda.

— Na noite da morte... — balbuciou Abatha, e não conseguiu concluir a frase, porque suas ideias fugiam devido à fome e aos medicamentos.

A mestra do jogo explicou que, no "crime do eletrocutado", os principais suspeitos continuavam sendo Ayani e Galang. Seu pai interrogara as pessoas que haviam tido contato com o psiquiatra nas duas semanas anteriores à sua morte, especialmente aquelas que estiveram no estúdio de sua casa; estava investigando se uma *taser* fora perdida por policiais ou outras pessoas autorizadas a usá-la e estava procurando quem havia comprado uma ou mais de uma na Califórnia nos últimos três meses, embora o assassino pudesse tê-la obtido de muitas outras maneiras. O psicólogo criminalista que examinara *O lobo da estepe*, o romance que Ayani recebera pelo correio junto com as meias do marido, encontrou uma dúzia de pistas possíveis, mas todas acabavam em becos sem saída, porque se tratava de um livro muito complexo que se prestava a mil interpretações. Havia mais de sessenta mostras de DNA no estúdio e apenas o de Galang coincidia com um DNA registrado, porque passara seis meses preso na Flórida em 2006, por posse de drogas, mas, como o homem trabalhava na casa dos Ashton, naturalmente havia marcas dele em todos os cantos.

— E, finalmente, no "crime da justiçada", temos o informe final da autópsia. A mulher foi estrangulada — disse a mestra do jogo.

— O garrote é um suplício muito antigo — informou Paddington. — Consistia em estrangular a vítima lentamente, para prolongar a agonia. Em geral, o instrumento era uma cadeira com um poste como respaldo, onde amarravam o condenado com uma corda, um arame ou uma cinta metálica no pescoço, que era apertado com um torniquete por trás. Às vezes, tinha um nó na frente destinado a esmagar a laringe.

— Usaram algo assim com a Rosen: um fio de pescar de náilon com uma bolinha, provavelmente de madeira — explicou Amanda.

— Uma vez colocado, o garrote facilita o trabalho do verdugo, porque basta dar uma volta no torniquete, não requer força física nem destreza. Além disso, Rosen estava drogada, não podia se defender. Até uma mulherzinha seria capaz de estrangular assim um gigante — continuou Paddington, sempre disposto a demonstrar seus conhecimentos sobre esses temas.

— Uma mulher... poderia ser uma mulher, por que não? — sugeriu Abatha.

— Uma mulher poderia ter matado Staton, Ashton e os Constante, mas se requer força para segurar Rosen, levantar o corpo e pendurá-lo no ventilador — rebateu-a Amanda.

— Depende. Uma vez que Rosen estava na cama com a corda no pescoço, tudo mais foi questão de içá-la aos poucos — disse Paddington.

— Além disso, a mulher estava drogada quando a estrangularam, por isso não se defendeu.

— Hum... Garrote. Um método bastante exótico... — murmurou Sherlock. — As vítimas foram executadas. Em cada um desses casos, o assassino escolheu uma pena de morte diferente: *coup-de-grace* para Staton, injeção letal para os Constante, eletrocussão para Ashton, garrote ou forca para Rosen.

— Vocês acham que essas pessoas mereciam um tipo particular de execução? — perguntou Esmeralda.

— Isso nós saberemos quando descobrirmos o motivo e a conexão entre as vítimas — replicou Sherlock.

Sexta-feira, 9

Pedro Alarcón chegou ao loft de Miller depois das dez da noite, após ter tentado em vão se comunicar com ele por telefone. Ao meio-dia havia recebido uma ligação de Indiana, muito preocupada com Ryan, porque havia conversado com ele na noite anterior e contara-lhe que ia se casar com Alan Keller.

— Eu achava que você amava Ryan — disse Alarcón.

— Amo-o muito, é um sujeito formidável, mas estou há quatro anos com Alan e temos algo em comum que não tenho com Ryan.

— O quê?

— Não é o caso de falar disso, Pedro. Além do mais, Ryan precisa resolver alguns assuntos do passado, não está preparado para uma relação séria.

— Você é seu primeiro amor, foi o que me disse. Ia se casar com você. É típico de Miller tomar uma decisão sem informar à principal interessada.

— Ele me disse, Pedro. Tudo isso é culpa minha, porque não fui clara com ele. Suponho que eu estava muito mal porque havia rompido com Alan e me aferrei a Ryan como se fosse um salva-vidas. Tivemos algumas semanas ótimas, mas, quando estava com Ryan, pensava em Alan, era inevitável.

— Comparando-os.

— Talvez... Não sei.

— Custa-me acreditar que Keller saísse ganhando com a comparação.

— Não é tão simples, Pedro. Há outro motivo, mas não o contei a Ryan, porque não tem nada a ver com ele. Ficou indignado. Disse que Alan me domina e me manipula, que sou incapaz de tomar uma decisão racional, que ele ia me proteger para impedir que fizesse uma estupidez, começou a gritar e me ameaçou de resolver o assunto à sua maneira. Ficou transtornado, Pedro, ficou louco, como lá no clube de Danny D'Angelo, só que não havia ingerido álcool. Ryan é como um vulcão que explode de repente e cospe lava ardente aos borbotões.

— O que você quer que eu faça, Indiana?

— Vá vê-lo, converse com ele, tente fazê-lo se acalmar; não quis me ouvir e agora não atende o telefone nem responde a meus e-mails.

Alarcón era a única pessoa a quem Miller dera a chave de seu loft, porque cuidava de Atila quando ele viajava; quando se tratava apenas de uma ou duas noites, ficava com o cachorro no loft, mas, se a ausência se prolongasse, levava-o ao seu apartamento. Alarcón tocou a campainha algumas vezes e, como não teve resposta, abriu a porta da antiga gráfica com a chave, subiu no elevador industrial até o único andar ocupado do edifício, usou a chave que Miller lhe dera para abrir as pesadas portas metálicas e se viu no grande espaço vazio que era a casa do amigo.

Estava escuro, não ouviu o cachorro latir e ninguém respondeu a seu chamado. Tateando a parede, encontrou o interruptor, acendeu a luz e se apressou em desconectar o alarme, o sistema de segurança que poderia eletrocutar o intruso que entrasse sem ser convidado, e as câmeras que eram acionadas por qualquer movimento e sempre ficavam ligadas quando Miller saía. A cama estava feita, não havia nem um copo sujo no lava-louças, imperava uma ordem e uma limpeza militares. Alarcón sentou-se para ler um manual dos computadores de Miller enquanto esperava.

Uma hora mais tarde, depois de tentar várias vezes se comunicar com o amigo pelo celular, Alarcón foi ao seu carro buscar o chimarrão e o romance latino-americano que estava lendo e voltou ao apartamento. Colocou na torradeira duas fatias de pão, aqueceu a água para o chimarrão e voltou à poltrona para ler, dessa vez com uma das almofadas e a manta elétrica de Miller, porque o loft estava gelado e ele não conseguira se curar de todo de uma gripe persistente que o incomodava desde o início de janeiro. À meia-noite, cansado, apagou a luz e adormeceu.

Às seis e vinte e cinco da manhã, Alarcón acordou sobressaltado com o cano de uma arma na testa.

— Quase matei você, idiota.

Ao amanhecer daquele dia enevoado, a luz mal penetrava pelas janelas sem cortinas e a figura de Miller parecia gigantesca com a arma nas mãos, o corpo em posição de ataque, a expressão determinada de um assassino. A imagem durou apenas um instante, até que Miller se endireitou e guardou a pistola na cartucheira que usava embaixo da jaqueta de couro, mas ficou retida na mente do amigo com o impacto de uma revelação. Atila observava a cena espreitando do elevador, onde Miller, sem dúvida, lhe dissera para esperar.

— Por onde você andava, homem? — perguntou o uruguaio, com fingida tranquilidade e o coração na boca.

— Não torne a entrar aqui sem me avisar! O alarme e a eletricidade estavam desligados, imaginei o pior.

— Um mafioso russo ou um terrorista da Al-Qaeda? Sinto tê-lo decepcionado.

— Estou falando sério, Pedro. Você sabe que aqui há informações de alta segurança. Não torne a me dar um susto desses.

— Liguei para você até ficar cansado. Indiana também. Vim porque ela me pediu. Repito a pergunta: onde você estava?

— Fui conversar com Keller.

— Armado com uma pistola! Excelente. Suponho que o matou.

— Limitei-me a sacudi-lo um pouco. O que Indiana vê nesse idiota? Poderia ser pai dela.

— Mas não é.

Miller lhe contou que havia ido ao vinhedo de Napa disposto a conversar de homem para homem com Keller. Durante três anos vira-o tratar Indiana como uma amante passageira e semiclandestina, uma de tantas, porque saía com outras, como uma baronesa belga com quem diziam que ia se casar. Quando, por fim, Indiana entendeu a situação e rompeu com ele, Keller passou semanas sem se comunicar com ela, prova de que de fato pouco lhe importava aquela relação.

— Mas, assim que soube que estava comigo, apareceu com um anel e a pediu em casamento, outra de suas táticas para ganhar tempo. Terá de passar por cima do meu cadáver! Vou defender minha mulher de qualquer maneira!

— Os métodos dos *navy seals* podem ser inadequados neste caso — observou Alarcón.

— Você tem uma ideia melhor?

— Procure convencer Indiana em vez de ameaçar Keller. Vou preparar outro chimarrão antes de ir para a universidade. Quer café?

— Não, já comi. Vou fazer meus exercícios de Qigong e depois correr com Atila.

Uma hora depois, o uruguaio estava chegando a Palo Alto, dirigindo pela estrada 280 na companhia da voz sensual de Cesaria Évora; sem pressa, desfrutando o panorama de ondulantes colinas verdes, como fizera diariamente ao longo de anos, sempre com o mesmo efeito benéfico em seu espírito. Naquela sexta-feira, não tinha aula, mas na universidade aguardavam-no dois pesquisadores com quem estava desenvolvendo um projeto, jovens gênios que, com audácia e imaginação, chegavam rapidamente às mesmas conclusões que a ele custavam muito esforço e estudo. O campo da inteligência artificial pertence às novas gerações, que trazem a tecnologia incorporada ao DNA e não a um sujeito como eu, que deveria estar pensando em me aposentar, suspirava Alarcón. Havia passado uma péssima noite no sofá de Miller e só tinha dois chimarrões no corpo, precisaria comer alguma coisa assim que chegasse a Stanford, onde era possível se fartar como a realeza em qualquer uma de suas cafeterias. Foi interrompido pelo celular com o hino nacional do Uruguai.

— Indiana? Ia lhe telefonar para falar de Miller, está tudo bem...

— Pedro! Alan está morto! — interrompeu-o Indiana, e os soluços não lhe permitiram continuar.

O inspetor Bob Martín pegou o telefone das mãos de Indiana e informou que estavam ligando de seu carro, que vinte minutos antes ela recebera um telefonema do Departamento de Polícia de Napa notificando-a de que Alan Keller havia morrido em seu vinhedo. Não quiseram lhe dar detalhes, exceto que não fora de morte natural, ordenaram que se apresentasse para reconhecer o cadáver, embora já o tivessem feito os empregados da casa, e se ofereceram para mandar buscá-la, mas ele decidira levá-la pessoalmente, porque não queria que Indiana enfrentasse a situação sem seu apoio. Seu tom era seco e preciso e desligou antes que Alarcón conseguisse saber mais.

Naquela manhã, Indiana estava saindo do chuveiro, nua e com os cabelos molhados, quando recebeu a ligação da polícia de Napa. Levou meio minuto para reagir e descer correndo à casa do pai enrolada em uma toalha, chamando-o aos gritos. Blake Jackson pegou o telefone e pediu ajuda à primeira pessoa que veio à sua mente naquele transe: seu ex-genro. No tempo que Indiana e seu pai levaram para se vestir e coar café, Bob Martín apareceu com outro policial em uma viatura e partiram à maior velocidade possível, com a sirene ligada, em direção à rodovia 101 norte.

Pelo caminho, o inspetor conversou com seu colega de Napa, o tenente McLaughlin, que não tinha dúvida de que estavam diante de um homicídio, porque não era possível atribuir a causa da morte a um acidente ou a suicídio. Disse que a ligação para o 911 havia sido feita às sete e dezessete da manhã por uma pessoa que se identificara como María Pescadero, empregada doméstica da residência. Ele foi o primeiro a chegar e examinou os fatos, fez uma inspeção sumária, fechou a cena e interrogou os empregados, María e Luis Pescadero, mexicanos, legais, que trabalhavam no vinhedo havia onze anos, primeiro com o dono anterior e depois com o falecido. Falavam mal inglês, mas logo chegou um de seus agentes que falava espanhol e se entendeu com eles. Bob Martín se ofereceu para servir de intérprete, pediu-lhe que limitasse o acesso a toda a propriedade, não somente à casa, e perguntou quem iria examinar o corpo. O tenente replicou que seu condado era muito tranquilo, um lugar onde não apareciam casos como aquele e que não dispunha de um médico patologista ou forense; normalmente um médico local, um dentista, um farmacêutico ou o dono da funerária assinavam o atestado de óbito. Quando havia dúvidas sobre a causa da morte e era necessário fazer uma autópsia, ligavam para alguém de Sacramento.

— Conte com nosso apoio, tenente — disse Bob Martín. — O Departamento de Homicídios de São Francisco está à sua disposição. Temos todos os recursos necessários. O senhor Alan Keller pertencia a uma família distinta de nossa cidade e estava temporariamente no vinhedo. Se concordar, darei uma ordem imediata para que mandem minha equipe forense para examinar o corpo e reunir provas. A família Keller já foi avisada?

— Estamos tentando. Encontramos o nome e o telefone da senhorita Indiana Jackson colados com um ímã na geladeira da casa. Os Pescadero tinham instruções de ligar para ela em caso de emergência.

— Estamos entrando na estrada 29, tenente McLaughlin, logo estaremos aí.

— Vou aguardá-lo, inspetor-chefe.

Indiana disse que Alan temia por sua saúde, verificava a pressão todos os dias e achava que na sua idade poderia ter um enfarte a qualquer momento; além disso, acabara de passar por um grande susto por erro de um laboratório médico, por isso tinha o número de seu telefone na carteira e na geladeira.

— De pouco lhe teria servido, porque você perdeu seu celular ou está sem bateria — comentou o inspetor, mas compreendeu que naquele momento deveria ser mais delicado com Indiana, que não parara de chorar em todo o caminho. Sua ex-mulher amava Keller mais do que o sujeito merecia, concluiu.

No vinhedo, foram recebidos pelo tenente McLaughlin, de uns 50 anos, com aspecto de irlandês, cabelos grisalhos, nariz vermelho de bom bebedor e um barrigão que pendia por cima do cinturão. Andava com a sonolência de uma foca fora d'água, mas sua mente era rápida e tinha uma experiência de 26 anos de carreira na polícia, na qual fora crescendo com paciência e sem brilho até chegar àquele posto em Napa, onde poderia completar com tranquilidade o tempo que lhe faltava para se aposentar.

O assassinato de Keller era um problema, mas encarou a tarefa com a disciplina adquirida na profissão. A presença do inspetor-chefe do Departamento de Homicídios de São Francisco não o intimidou. Bob Martín, por sua vez, tratou-o com grande deferência, para evitar aborrecimentos.

McLaughlin já marcara o perímetro da casa, havia colocado várias viaturas em torno da propriedade para impedir a entrada, e deixara Luis Pescadero na sala de jantar e a mulher dele na cozinha, com o objetivo de interrogá-los separadamente, sem que tivessem oportunidade de combinar as respostas. Só permitiu a Bob Martín que o acompanhasse à sala onde estava o cadáver, para evitar que o espetáculo fosse assistido pela senhorita, como disse, como se tivesse esquecido que ele mesmo a chamara. Deviam esperar a equipe forense que Petra Horr enviara e já estava a caminho.

Alan Keller estava recostado em uma confortável poltrona cor de tabaco, com a cabeça apoiada no respaldo, na posição de alguém que fora surpreendido fazendo a sesta. Era necessário ver seu rosto com o lábio cortado e filetes de sangue e o peito atravessado por uma flecha para compreender que sua morte fora violenta. Bob Martín observou o corpo e o resto da cena, ditando suas primeiras observações a seu gravador de bolso, enquanto McLaughlin o observava do umbral com os braços cruzados em cima da barriga. A flecha penetrara profundamente, cravando seu corpo contra o respaldo da poltrona, o que indicava um atirador experiente ou um disparo feito muito de perto. Deduziu que as manchas de sangue em um dos punhos da camisa correspondiam ao nariz e achou estranho que a ferida da flecha tivesse sangrado tão pouco, mas não podia examinar o corpo antes da chegada dos peritos.

Na cozinha, María havia preparado café para todos e acariciava por turnos a cabeça do labrador cor de baunilha e a mão de Indiana, que mal conseguia abrir as pálpebras inchadas de tanto chorar. Indiana achava que era a última pessoa que vira Alan Keller com vida, além do assassino. Haviam jantado cedo em São Francisco, ele a deixara em casa e tinham se despedido planejando se encontrar no domingo, depois que Amanda voltasse ao colégio. Keller retornara ao vinhedo, uma viagem que não o incomodava, porque à noite não havia trânsito e ele ouvia audiolivros.

Bob Martín e o tenente McLaughlin interrogaram María Pescadero a sós na biblioteca, onde estavam as coleções de cerâmicas e jades em nichos embutidos na parede, protegidos por grossos vidros trancados a chave. María desconectara o alarme para uma primeira inspeção de McLaughlin, mas os advertiu que não tocassem os vidros das coleções, que tinham um sistema de segurança próprio. Keller se confundia com as senhas e frequentemente algum alarme disparava porque não conseguia desconectá-lo, por isso não usava os da casa, só o da biblioteca, onde também havia detectores de movimento e câmeras. Nos vídeos da noite anterior, que McLaughlin já vira, não aparecia nada de anormal, ninguém entrara naquele aposento antes de María abri-lo para a polícia.

A mulher era uma dessas raras testemunhas com boa memória e pouca imaginação, que se limitam a responder às perguntas sem especular. Disse que vivia com o marido em uma casinha dentro da propriedade, a dez minutos a pé da casa principal; ela cuidava da cozinha e de outros afazeres domésticos, e seu marido se ocupava da manutenção e fazia as vezes de zelador, jardineiro e motorista. Davam-se muito bem com Keller, um patrão generoso e pouco exigente com os detalhes. O cachorro era dela, nascera e vivera sempre na propriedade, mas nunca fora um bom guardião já tinha mais de dez anos e tinha dificuldade de andar, dormia em sua varanda no verão e dentro de sua casa no inverno, de modo que não ficara sabendo quando o autor do homicídio entrara na casa grande. Por volta das sete da noite do dia anterior, seu marido levara lenha para a lareira da sala e do quarto de Keller, depois fecharam a casa, sem acionar o alarme, e se foram com o cachorro.

— Notou algo diferente ontem à noite?

— Lá de nossa casa não se vê a entrada do vinhedo nem esta casa. Mas ontem à tarde, pouco antes de Luis chegar com a lenha, um homem apareceu querendo conversar com o senhor Keller; eu lhe disse que não estava, não quis deixar seu nome e foi embora.

— A senhora o conhecia?

— Nunca o tinha visto.

María disse que naquela manhã, às quinze para as sete, ela voltara à casa grande, como todos os dias, para preparar o café e as torradas do desjejum do patrão. Ficara na cozinha e abrira a porta do corredor para o cachorro, porque Keller gostava de acordar com o animal, que subia com dificuldade em sua cama e se atirava em cima dele. Um instante depois, María ouvira os uivos do labrador.

— Fui ver o que estava acontecendo e vi o senhor na poltrona da sala. Fiquei com pena que tivesse dormido ali, descoberto, com a lareira apagada, devia estar com muito frio. Quando me aproximei e vi... vi como estava, voltei para a cozinha e liguei para Luis pelo celular e em seguida para o 911.

Domingo, 11

O corpo de Alan Keller aguardava no necrotério para ser examinado por Ingrid Dunn, enquanto os irmãos do falecido, Mark e Lucille, tentavam por todos os meios a seu alcance abafar o escândalo do que acontecera, que cheirava a gângsteres e bas-fond. Quem poderia saber em que andava metido o artista da família? Indiana, mais tranquila graças a uma combinação de aromaterapia, infusão de canela e meditação, começava a planejar uma cerimônia em homenagem àquele homem que tanto significara em sua vida, já que não haveria funeral em um futuro imediato. Por ocasião do diagnóstico equivocado de câncer de próstata, Keller havia assinado um documento em cartório especificando que não queria ser mantido vivo por meios artificiais, que queria ser cremado e que suas cinzas fossem jogadas no oceano Pacífico. Não imaginara a possibilidade de passar pelo humilhante processo de uma autópsia e ficar congelado no necrotério durante meses até que fossem esclarecidas definitivamente as circunstâncias de sua morte.

A equipe de criminalistas que o inspetor Bob Martín colocara à disposição do tenente McLaughlin desabou em massa em Napa e recolheu uma quantidade fora do comum de evidências na cena do crime e nos arredores. Na terra macia e úmida do quintal e do jardim encontraram marcas de pneus e sapatos, na porta recolheram pelos de animal que não coincidiam com os do labrador dos Pescadero, na campainha, na porta e na sala havia várias impressões digitais que, depois que fossem descartadas as dos habitantes da casa, poderiam ser identificadas. No piso de cerâmica, as marcas dos sapatos sujos haviam deixado impressões claras, que foram identificadas como botas de combate surradas, do tipo que podia ser comprado em qualquer loja de excedentes do Exército e estavam na moda entre os jovens. Não encontraram sinais de arrombamento, e Bob Martín deduziu que Keller conhecia o assassino e abrira a porta. As manchas indicavam que a maior parte do sangue na camisa da vítima provinha do nariz, tal como supunha o inspetor-chefe, e havia escorrido pelo efeito da gravidade quando o homem estava vivo.

Em sua primeira avaliação, Ingrid indicou que Keller estava morto havia um bom tempo quando recebera a flechada porque não se viam borrifos de sangue. A flecha, mais uma pequena seta, fora disparada de frente, de uma distância de aproximadamente um metro e meio, com uma balestra com gatilho, como as que são usadas para o esporte e a caça, uma arma pequena em comparação com outros modelos, mas difícil de esconder por sua forma. Se a vítima tivesse recebido aquele impacto em vida, teria sangrado profusamente.

A descrição que María Pescadero fez da pessoa que chegara ao vinhedo na tarde do crime perguntando por Alan Keller era tão familiar a Bob Martín como se tivessem lhe mostrado uma fotografia de Ryan Miller, de quem não gostava nem um pouco, porque era evidente que estava apaixonado por Indiana. María mencionou uma caminhonete preta com suspensão alta e rodas de caminhão, um cachorro estranho cheio de feridas e cicatrizes, um homem alto e forte, com o cabelo cortado ao estilo militar, que mancava. Tudo coincidia.

Indiana reagiu com absoluta incredulidade à insinuação de que Miller teria estado na casa de Keller, mas teve de aceitar a evidência e não conseguiu evitar que seu ex-marido obtivesse uma autorização para revistar o loft e atirasse metade do Departamento de Homicídios à caça do suspeito, que desaparecera. Segundo Pedro Alarcón e vários sócios do Dolphin Club que foram interrogados, Ryan Miller viajava com frequência por questões de trabalho, mas não puderam lhe dizer onde havia deixado seu cachorro ou sua caminhonete.

Quando ficou sabendo do que acontecera, Elsa Domínguez se instalou na casa dos Jackson para cuidar da família, cozinhar pratos reconfortantes e receber as visitas que desfilaram para dar pêsames a Indiana, desde seus colegas da Clínica Holística até Carol Underwater, que chegou com uma torta de maçã e só ficou cinco minutos. Disse que Indiana não estava em condições de voltar ao trabalho no dia seguinte e se ofereceu para avisar seus pacientes por telefone. Todos concordaram com ela, e Matheus Pereira foi encarregado de colocar um aviso na porta da sala número 8, explicando que estava fechada por motivos de luto e seria reaberta na semana seguinte.

Blake Jackson havia acompanhado seu ex-genro nos últimos dias e tinha material suficiente para alimentar a morbidez dos participantes do *Ripper*, enquanto sua neta sofria o suplício dos remorsos. Mais de uma vez a garota se entretivera planejando uma morte lenta para o amante da mãe e mobilizara as forças sobrenaturais de São Judas Tadeu para que o eliminassem, sem imaginar que o santo levaria aquilo ao pé da letra. Estava esperando o fantasma de Keller, que apareceria à noite para se vingar. Também contribuía para o peso de sua culpa a inevitável excitação que esse novo crime lhe causava, outro desafio para *Ripper*. A neta e o avô já sabiam que haviam sido derrotados pela astrologia: o banho de sangue profetizado por Celeste Roko era um fato inegável.

Sábado, 17

Assim que, em sua casa, os ânimos se tranquilizaram, e sua mãe, que adotara o luto de viúva sem ter tido tempo de se casar, parou de chorar, Amanda convocou o pessoal do *Ripper*. O mínimo que podia fazer para apaziguar o infeliz Keller, que estava procurando por ela com uma flecha enfiada no peito, era descobrir quem a disparara. Alan Keller havia sido o grande amor da vida de sua mãe, como Indiana não se cansava de dizer entre lágrimas, e seu trágico fim era uma afronta à sua família. Contou a seus comparsas o que sabia sobre o "crime da flechada" e lhes ordenou que prendessem o verdadeiro culpado para fazer um favor pessoal a ela e evitar que Ryan Miller pagasse por um delito que não cometera.

Sherlock Holmes sugeriu que revissem as informações disponíveis até aquele momento e anunciou que havia descoberto uma coisa importante depois de estudar milimetricamente várias das fotografias obtidas por Kabel, ampliando-as em seu computador.

— A marca da bebida encontrada na geladeira do ex-alcoólatra Michael Constante é *Crni Vuk*, que significa lobo negro em sérvio — disse Sherlock. — O lobo é mencionado no livro que a mulher de Richard Ashton recebeu pelo correio alguns dias depois do crime. Os psicólogos da polícia procuraram senhas no conteúdo do romance, mas acho que a chave está no título, *O lobo da estepe*. O logotipo do bastão de beisebol do caso de Ed Ashton é o dos Lobos Vermelhos da Universidade de Arkansas.

— Foi o que Abatha disse, era uma mensagem — recordou Amanda.

— Não é uma mensagem nem uma senha, é a assinatura do assassino — afirmou o coronel Paddington. — A assinatura só tem significado para ele.

— Nesse caso, teria assinado todos os crimes. Por que não o fez com Rosen nem com Keller? — interveio Esmeralda.

— Um momento! — exclamou Amanda. — Kabel, ligue para meu pai e pergunte sobre o animal de cristal que a juíza recebeu depois de sua morte.

Enquanto os garotos continuavam especulando, o avô entrou em contato com o ex-genro, que sempre respondia a suas ligações, a não ser quando estava no banheiro ou na cama com alguma mulher, e este lhe respondeu que a figura de Swarovski era um cachorro. Poderia ser um lobo?, insistiu Blake Jackson. Sim, poderia ser: parecia um pastor-alemão com o pescoço esticado, como se estivesse uivando. Fazia parte de uma série antiga, interrompida em 1998, o que agregava valor à peça, que certamente Rosen comprara pela internet, mas não haviam sido encontrados rastros da transação.

— Se é um lobo, temos a assinatura do autor em todos os casos, menos no de Alan Keller — concluiu Amanda.

— Todos os crimes têm semelhanças no *modus operandi*, embora à primeira vista pareçam diferentes, menos o de Alan Keller. Por quê? — perguntou Esmeralda.

— Não há lobo no de Keller e foi cometido a certa distância da baía de São Francisco, o território definido pela profecia astrológica e onde nosso assassino havia agido até agora. Keller foi o único que apanhou antes da morte, mas, como os outros, não se defendeu — disse Amanda.

— Tenho um pressentimento... o autor pode ser o mesmo, mas o motivo, diferente — insinuou Abatha.

— Não temos o motivo em nenhum dos casos — observou Paddington.

— Mas devemos levar em conta o que Abatha disse. Seus pressentimentos quase sempre são corretos — advertiu-os Amanda.

— É porque recebo mensagens do Além. Os anjos e os espíritos falam comigo. Os vivos e os mortos estamos juntos, somos a mesma coisa... — sussurrou Abatha.

— Se eu me alimentasse de ar, também teria visões e ouviria vozes — interrompeu-a Esmeralda, temendo que a outra se perdesse no ocultismo e levasse o jogo a uma direção errada.

— Por que não faz isso? — perguntou a vidente, convencida de que a humanidade evoluiria a um estado superior se parasse de comer.

— Basta, lembrem-se de que estão proibidos de fazer comentários sarcásticos no *Ripper*. Vamos nos ater aos fatos — ordenou a mestra do jogo.

— Pressentimentos não são fatos — resmungou o coronel Paddington.

— Nosso assassino se excedeu com suas vítimas, como Jack, o Estripador, e outros criminosos lendários que estudamos, mas o fez depois de matá-las. Isso é uma mensagem. Assim como plantou sua assinatura, plantou sua mensagem — disse Sherlock.

— Você acha?

— Elementar, Esmeralda. A execução também é uma mensagem. O autor não escolheu a forma da morte ao acaso. É um criminoso organizado e ritualista.

— Planeja cada passo e a retirada, não deixa pistas, deve ter treinamento militar, é um excelente estrategista; seria um magnífico general — disse o coronel, com admiração.

— Em vez disso, este homem é um assassino a sangue-frio — disse Amanda.

— Talvez não seja um homem. Sonhei que era uma mulher — interveio Abatha.

Kabel pediu permissão para falar e, uma vez concedida, colocou em dia os jogadores sobre a investigação do caso de Alan Keller. Pelo ângulo da pancada no rosto, a equipe forense determinou que fora dada de frente, com o punho fechado, por uma pessoa canhota, particularmente forte, que media pelo menos um metro e oitenta, provavelmente um metro e oitenta e cinco, o que coincidia com o tamanho das marcas de botas na entrada da casa e no piso de cerâmica; isso descartava que a autora do atentado fosse mulher. A autópsia revelara que a morte acontecera uma meia hora antes de o corpo ser atravessado pela seta. Pela cor anormalmente rosada da pele de Keller, suspeitou-se que a causa da morte fosse cianureto, o que foi confirmado pela autópsia.

— Explique-nos isso, Kabel — pediu Amanda.

— É complicado, mas vou simplificar. O cianureto é um veneno metabólico rápido e eficiente que impede as células de usar o oxigênio. É como se de repente todo o oxigênio fosse eliminado do corpo. A vítima não consegue respirar, fica enjoada, sente náuseas ou vomita, perde a consciência e pode sofrer convulsões antes da morte.

— Por que a pele fica rosada?

— Por uma reação química entre o cianureto e as moléculas de hemoglobina nas células vermelhas do sangue. A cor do sangue fica vermelha brilhante, intensa, como tinta.

— O sangue na camisa de Keller era assim? — perguntou Esmeralda.

— Nem todo. O homem sangrou pelo nariz antes de ingerir o veneno. Há um pouco de sangue posterior ao cianureto, mas quase nada. Não sangrou pela ferida, porque já estava morto.

— Explique como lhe ministraram o veneno, Kabel — pediu Sherlock.

— Encontram cianureto em um copo de água que estava perto da vítima, assim como em outro copo na mesa de cabeceira do quarto. O assassino colocou uma pitada de pó branco, praticamente invisível à primeira vista, no fundo do copo para ter certeza de que, se Alan Keller não ingerisse o veneno no uísque, que bebia normalmente antes de se deitar, o faria durante a noite.

— O cianureto é extremamente tóxico, basta uma quantidade mínima para provocar a morte em poucos minutos. Também é absorvido pela pele ou quando é aspirado, por isso o assassino teve de se proteger muito bem — explicou Sherlock Holmes.

— Os espiões dos filmes carregam cápsulas de cianureto para se suicidar no caso de que queiram torturá-los. Como se consegue? — perguntou Esmeralda.

— Facilmente. É usado em metais, na extração de ouro e prata, na galvanoplastia desses metais e do cobre e da platina. O assassino pode tê-lo comprado em uma loja de produtos químicos ou pela internet.

— O veneno é uma arma feminina. É um método covarde. Nós, os homens, não matamos com veneno, matamos cara a cara — observou Paddington, e uma gargalhada geral recebeu seu comentário.

— Uma mulher de mais de metro e oitenta, musculosa, com botas de soldado, deve parecer campeã olímpica de levantamento de peso. Alguém assim não precisa recorrer ao veneno. Poderia ter esmagado a cabeça da vítima com um soco — insistiu o coronel.

— Não consideraram a hipótese de que a pessoa que bateu em Keller não tivesse sido a mesma que o matou? — sugeriu Abatha.

— Muito rebuscado, muitas coincidências, não me agrada — replicou o coronel.

— É possível, mas devemos examinar as evidências e levar em conta o que Abatha disse — interveio Sherlock Holmes.

Alguns dias antes, os dois jovens gênios da Inteligência Artificial de Stanford ficaram esperando o professor Pedro Alarcón, que não compareceu à reunião programada. Assim que recebeu a ligação de Indiana anunciando a morte de Alan Keller, o uruguaio voltou a São Francisco. Pelo caminho, fez várias tentativas inúteis de se comunicar com Miller. Chegou ao loft quando Miller acabara de tomar banho e de se vestir depois de correr com Atila e conversar com um general do Pentágono em Washington. A porta metálica do elevador foi aberta e, antes que Miller conseguisse lhe perguntar por que estava de volta, Alarcón lhe deu a notícia, de supetão.

— O que disse? Como Keller morreu?

— Indiana me avisou há uma hora, mas não pudemos conversar. Seu ex-marido, o inspetor Martín, pegou o telefone e ela não me disse mais nada. Estava no carro de Martín. Posso jurar que Indiana me ligou para que eu o avisasse. O que aconteceu com seu telefone?

— Caiu na água. Tenho de comprar outro.

— Se foi um crime, como suspeito, você está metido em uma enrascada, Ryan. Esteve com Keller ontem à noite, foi visitá-lo levando uma pistola e, segundo suas palavras, sacudiu-o um pouco. Isso o coloca no invejável papel de principal suspeito. Onde esteve durante a noite inteira?

— Você está me acusando de alguma coisa? — grunhiu Miller.

— Vim ajudá-lo, cara. Quis chegar aqui antes da polícia.

Miller tentou controlar a raiva que o queimava por dentro. A morte do rival era muito oportuna e não a lamentava, mas Pedro tinha razão, sua situação era grave: ele tivera o motivo e a oportunidade. Contou ao amigo que chegara ao vinhedo de Keller ao entardecer do dia anterior, provavelmente por volta das seis e meia, mas não prestara atenção na hora, encontrara o portão aberto, dirigira por um caminho de uns trezentos metros, vira a casa e uma fonte redonda com água, parara diante da porta e descera com Atila, amarrado à sua correia, porque o cachorro precisava urinar. Tocara a campainha três vezes até que, por fim, abrira uma mulher latina, enxugando as mãos no avental, que lhe dissera que Alan Keller não estava. Não conseguira continuar falando, porque aparecera um cachorro atrás dela, um labrador branco balançando o rabo, parecia manso, mas quando vira Atila começara a latir. Atila, por sua vez, puxara a correia, nervoso, e a mulher fechara a porta na sua cara. Dirigira-se à caminhonete para deixar Atila nela, voltara a tocar a campainha e desta vez ela mal abrira e pela fresta lhe dissera em péssimo inglês que Keller voltaria à noite e que, se quisesse, poderia deixar seu nome; ele lhe respondera que preferia ligar mais tarde. Enquanto isso os cachorros ficaram latindo, um dentro da casa e o outro na caminhonete. Decidira esperar por Keller, mas não podia fazê-lo ali, a mulher não o convidara para entrar e acharia estranho se se instalasse para esperá-lo no automóvel e por isso achara mais prudente aguardar na rua.

Miller havia estacionado com as luzes apagadas em um lugar de onde podia ver claramente a entrada da propriedade, iluminada por lampiões antigos.

— O portão ficou escancarado. Keller estava clamando para ser assaltado, não tomava medidas de precaução, embora tivesse obras de arte e coisas valiosas, conforme parece.

— Continue — disse Alarcón.

— Fiz um reconhecimento mínimo do lugar. Há dez metros de muro em cada lado do portão, mais por decoração do que por segurança, o restante da cerca que limita a propriedade é de roseiras. Notei que havia muitas flores, embora março mal tenha começado.

— A que horas Keller chegou?

— Esperei umas duas horas. Parou o Lexus diante da entrada, desceu para pegar a correspondência na caixa de correio, depois entrou no carro e fechou o portão com o controle remoto. Você sabe que uma cerca de rosas não seria capaz de me deter. Deixei Atila na caminhonete, não queria assustar Keller, e fui até a casa pelo meio do caminho, não vá achar que tentei me esconder ou surpreendê-lo, nada disso. Toquei a campainha e quase imediatamente o próprio Keller abriu a porta. E você não vai acreditar, Pedro. Sabe o que me disse? Boa-noite, Miller, eu o estava esperando.

— A mulher deve ter-lhe dito que um rufião com seu aspecto estava procurando por ele. É fácil descrevê-lo, Miller, sobretudo quando está com Atila. Keller o conhecia. Também é possível que Indiana tivesse dito a ele que você havia ameaçado resolver as coisas à sua maneira.

— Então não teria me convidado para entrar, teria chamado a polícia.

— Como você está vendo, não era tão idiota assim.

Miller lhe contou sucintamente como seguiu Keller até a sala, recusou-se a sentar-se, não aceitou o uísque que ele lhe ofereceu e, em pé, lhe disse o que pensava dele, que havia perdido sua oportunidade com Indiana, agora ela estava com ele e seria melhor que não se metesse, porque as consequências seriam bastante desagradáveis. Se seu rival se assustou, soube dissimular muito bem e lhe respondeu, sem se alterar, que a decisão cabia exclusivamente a Indiana. Que vença o melhor dos dois, dissera em tom brincalhão, e apontara a porta, mas, como ele não se mexera, tentara pegá-lo por um braço. Péssima ideia.

— Minha reação foi instintiva, Pedro. Nem me dei conta quando lhe dei um soco na cara — disse Miller.

— Bateu nele?

— Não bati com força. Cambaleou um pouco e saiu sangue do seu nariz, mas não caiu. Fiquei muito mal. O que está acontecendo comigo, Pedro? Perco o controle por qualquer besteira. Eu não era assim.

— Havia bebido?

— Nem a porra de uma gota, cara, nada.

— O que fez depois?

— Pedi desculpas, ajudei-o a sentar-se numa poltrona e lhe servi água. Havia uma garrafa de água e outra de uísque em cima de um aparador.

Keller limpou o sangue com a manga da camisa, recebeu o copo e o colocou em uma mesa perto da poltrona, apontou a porta para Miller pela segunda vez e lhe disse que não havia motivo para que Indiana ficasse sabendo daquele episódio vulgar. Segundo Miller, isso fora tudo, voltara para sua caminhonete e pegara o caminho de volta para São Francisco, mas estava extenuado, começava a chover e o reflexo das luzes no pavimento o cegava, porque estava sem as lentes de contato que usava quase sempre, e achara prudente descansar um pouco no carro.

— Não estou bem, Pedro. Antes mantinha o sangue-frio sob fogo cruzado e agora uma discussão de cinco minutos me deixa com dor de cabeça — disse.

Acrescentou que saíra da estrada, parara a caminhonete, se acomodara no banco e dormira, quase instantaneamente. Acordara horas mais tarde, quando mal começava a clarear, com as luzes do amanhecer; o céu estava nublado e Atila o arranhava discretamente, desesperado para sair. Dera oportunidade ao cachorro de levantar a pata em um matagal, fora até o primeiro McDonald's que encontrara aberto àquela hora, comprara um hambúrguer para Atila, tomara o café da manhã e seguira para seu loft, onde encontrara Alarcón esperando por ele.

— Eu não o matei, Pedro.

— Se achasse que o tivesse matado, não estaria aqui. Você deixou uma trilha de pistas, inclusive suas impressões digitais na campainha, no copo, na garrafa de água e quem sabe mais onde

— Não tinha nada a esconder, por que iria pensar na porra das minhas impressões? A não ser por um pouco de sangue do nariz, Keller estava perfeitamente bem quando fui embora.

— Terá dificuldade de convencer a polícia disso.

— Nem penso em tentar. Bob Martín me detesta, e o sentimento é mútuo, nada lhe daria tanto prazer como me responsabilizar pela morte de Keller e, se pudesse, pelo resto dos crimes recentes. Sabe que eu e Indiana somos amigos e suspeita que fomos amantes. Quando nos encontramos, o ar fica elétrico e pulam fagulhas, às vezes nos vemos no polígono de tiro e ele fica louco porque sou um atirador muito melhor do que ele, mas o que mais o irrita é que sua filha goste de mim. Amanda, que nunca tolerou nenhum pretendente da mãe, ficou feliz quando soube que Indiana estava comigo. Bob Martín não me perdoa.

— O que vai fazer?

— Resolver da minha maneira, como sempre fiz. Vou encontrar o assassino de Keller antes que Martín me prenda e dê o caso por resolvido. Tenho de desaparecer.

— Você está louco? Fugir é prova de culpa, é melhor procurarmos um bom advogado.

— Não irei para longe. Preciso de sua ajuda. Temos algumas horas até que identifiquem minhas impressões digitais e venham me buscar. Preciso transferir todo o conteúdo dos meus computadores para um USB e apagar os discos rígidos, porque serão a primeira coisa que confiscarão, e as informações são ultrassecretas. Isso vai levar um tempo.

Pediu ao amigo que nesse ínterim lhe conseguisse um barco com cabine e um bom motor, mas que não o comprasse em uma loja, porque suspeitariam do pagamento em dinheiro e poderiam informar à polícia; tinha de ser uma embarcação usada e em perfeitas condições. Também precisava de tambores de gasolina para vários dias e de dois celulares novos para se comunicar, já que o dele estava quebrado e Alarcón precisava de outro só para falar com ele.

O *navy seal* abriu um cofre escondido na parede e tirou vários maços de cédulas, cartões de crédito e carteiras de motorista. Entregou ao uruguaio quinze mil dólares em notas de cem presas com um elástico.

— Olha isso! Confirma o que sempre pensei: você é espião — exclamou Alarcón, com um assovio de admiração.

— Gasto pouco e me pagam bem.

— A CIA ou os Emirados Árabes?

— Ambos.

— Você é rico?

— Não. Nem queria ser. O que está no cofre é quase tudo o que tenho. O dinheiro nunca me interessou, Pedro, nisso sou parecido com Indiana. Temo que juntos acabaríamos transformados em um casal de mendigos.

— O que lhe interessa, então?

— As aventuras. Quero que você leve tudo o que está no cofre, para que a polícia não confisque. Vamos ter algumas despesas. Se acontecer alguma coisa comigo, entregue o resto a Indiana, compreendeu?

— Nem pensar. Será tudo meu e ninguém ficará sabendo. Com certeza, esse dinheiro é ilegal ou falsificado.

— Obrigado, Pedro, sei que posso confiar em você.

— Se alguma coisa acontecer com você, Ryan, será por arrogância. Você não tem noção de realidade, acha que é o Super-Homem. Ora! Estou vendo que tem cinco passaportes com nomes diferentes, todos com a sua fotografia — disse Alarcón, olhando os documentos.

— Nunca se sabe quando podem ser úteis. É como as armas: embora eu não as use, sinto-me mais seguro com elas. Sou arrogante, mas também precavido, Pedro.

— Se você não fosse militar, seria mafioso.

— Sem dúvida. Estarei no cais de Tiburón dentro de três horas; esperarei por você até as duas da tarde. É importante não deixar vestígios da compra do barco. Depois terá de dar sumiço na minha caminhonete. Tudo isso o transformará em meu cúmplice. Algum problema?

— Nenhum.

Segunda-feira, 19

Duas semanas depois, quando o longo braço da profecia astrológica alcançou sua família, o inspetor se reprovaria por não ter dado importância às repetidas advertências da filha. Amanda colocara-o a par, passo a passo, das descobertas de *Ripper*, que a seu ver não era mais do que cinco crianças e um avô se divertindo com um jogo de representações, até que a contragosto teve de lhe dar razão e admitir que os espetaculares crimes de São Francisco eram obra de um serial killer. Até a morte de Alan Keller, o trabalho do Departamento de Homicídios consistira em analisar as provas e procurar uma conexão entre os casos, diferentemente do método usual, que começava por descobrir o motivo. Havia sido impossível adivinhar as razões que levavam o criminoso a escolher vítimas tão díspares. Depois do homicídio de Keller, no entanto, a investigação adquirira outro aspecto: não se tratava mais de encontrar o culpado seguindo pistas às cegas, mas de provar que um determinado suspeito era o culpado e prendê-lo. O suspeito era Ryan Miller.

A autorização para revistar a antiga gráfica, onde Miller morava, demorou vários dias, porque incluía até as menores exigências legais. Isso garantia que as provas obtidas pudessem ser usadas no tribunal. Poucos juízes estavam dispostos a assinar uma ordem tão extensa. O suspeito era um ex-*navy seal*, um herói de guerra que aparentemente trabalhava em projetos secretos do governo e do Pentágono; um equívoco no procedimento legal poderia ser grave, mas as consequências de impedir a prisão de um suposto assassino eram mais ainda. Por fim, o juiz cedeu à pressão inclemente do inspetor-chefe, que, assim que obteve a autorização, encabeçou uma equipe de dez pessoas e invadiu o loft de Miller equipado com a mais moderna tecnologia.

O inspetor tinha a intenção de confirmar que as provas que estavam em seu poder correspondiam às evidências que encontraria no loft. Contava com a descrição que María Pescadero fizera do homem e do cachorro na tarde do crime, que caía como uma luva em Ryan Miller e naquele animal de pesadelo que sempre o acompanhava. Na cena do crime haviam encontrado pelos de cachorro, identificados como de pastor-belga malinois, marcas de botas na entrada e no piso de lajota, impressões digitais na porta, na campainha, na garrafa e no copo d'água, fibras de um material sintético que correspondia a uma pelúcia rosada e várias amostras, como restos de pele e penugem, deixados pelo soco que Keller recebera na cara, que serviam para identificar o DNA. Ao revistar o loft, encontraram pelos correspondendo ao mesmo tipo de cachorro, fibras rosadas, marcas de botas no piso, frascos semi-vazios de Xanax e Lorazepam, armas de fogo e um arco de tiro ao alvo, modelo de competição, com um sistema de alavanca de cordas e polias. As munições das armas eram diferentes da bala da cabeça de Ed Staton e as flechas tampouco eram como a seta que atravessara Keller, mas sua existência indicava que o dono estava familiarizado com seu uso.

Os computadores confiscados foram levados ao laboratório correspondente, mas antes que os engenheiros da polícia pudessem abri-los chegou uma ordem de Washington para que fossem lacrados até que se tomasse uma decisão. Era bem provável que Miller tivesse instalado um programa de autodestruição, mas, se não fosse assim, somente a autoridade responsável poderia ter acesso ao conteúdo. Ao ser interrogado, Pedro Alarcón disse que seu amigo colaborava com empresas de segurança de Dubai e às vezes se ausentava por algumas semanas, mas ninguém havia saído do país com o passaporte de Ryan Miller.

— Miller não é o culpado, papai — disse Amanda quando ficou sabendo da revista por Petra Horr. — Você acha que ele tem cara de serial killer?

— Tem cara de suspeito da morte de Alan Keller.

— Por que faria uma coisa dessas?

— Porque está apaixonado por sua mãe — disse Bob Martín.

— Desde Shakespeare, ninguém mata por ciúmes, papai.

— Você está enganada, este é o principal motivo de homicídio entre casais.

— Está certo. É possível que Miller tivesse um motivo no caso de Keller, mas me explique a sua participação nos outros crimes. Não há dúvida de que todos foram cometidos pela mesma pessoa.

— Foi treinado para a guerra e para matar. Não digo que todos os soldados sejam assassinos em potencial, pelo contrário, mas existem homens transtornados que entram nas Forças Armadas, onde recebem medalhas pelos mesmos atos que na vida civil os levariam ao cárcere ou a um manicômio. E também existem homens normais que ficam transtornados na guerra.

— Ryan Miller não está louco.

— Você não é uma especialista nesse assunto, Amanda. Não sei por que gosta tanto desse sujeito. Ele é perigoso.

— Você não gosta de Ryan porque ele é amigo da minha mãe.

— Sua mãe e eu estamos divorciados, Amanda. Os amigos dela não me interessam, mas Miller tem um histórico de trauma físico e emocional, depressão, alcoolismo, vício em drogas e violência. Medica-se com ansiolíticos e soníferos, a mesma droga que nocauteou os Constante.

— Segundo meu avô, muita gente toma esses remédios.

— Por que você o defende, filha?

— É uma questão de bom senso. Em todos os crimes, o autor teve muito cuidado para não deixar marcas, certamente se cobriu com plástico da cabeça aos pés, limpou tudo o que tocou, inclusive o que enviou pelo correio, como o livro de Ashton e o lobo de cristal de Rosen. Você acha que esse mesmo homem limparia suas impressões da flecha e as deixaria em todos os cantos da casa de Alan Keller, inclusive no copo com água envenenada? Não faz sentido.

— Há casos em que o assassino perde o controle de sua vida e começa a semear pistas, porque, no fundo, quer ser detido.

— É isso o que dizem seus psicólogos criminalistas? Ryan Miller morreria de rir dessa teoria. Para manipular cianureto é preciso usar luvas de borracha. Você acha que Miller as calçou para verter o veneno e as tirou para pegar o copo? Nem se fosse um imbecil!

— Ainda não sei como as coisas aconteceram, mas você tem de prometer que vai me avisar imediatamente se Miller tentar entrar em contato com a sua mãe.

— Não me peça isso, papai, porque um homem inocente poderia acabar condenado à morte.

— Amanda, não estou para brincadeira. Miller terá oportunidade de provar sua inocência, mas no momento temos que considerá-lo muito perigoso. Mesmo que não seja o autor dos outros crimes, tudo aponta para ele no caso de Keller. Você me entendeu?

— Sim, papai.

— Me prometa

— Prometo.

— O quê?

— Que avisarei você se ficar sabendo que Ryan Miller está em contato com a minha mãe.

— Você cruzou os dedos nas costas?

— Não, papai, não estou enganando você.

Ao prometer a seu pai que delataria Ryan Miller, Amanda não tinha a menor intenção de cumprir sua palavra, porque uma promessa quebrada pesaria menos em sua consciência do que arruinar a vida de um amigo — dos males o menor —, mas para evitar problemas, pediu à mãe que não lhe contasse se o *navy seal* reaparecesse em seu consultório ou em seu panorama sentimental. Indiana deve ter visto alguma coisa na expressão da filha, porque se limitou a assentir, sem fazer nenhuma pergunta.

Indiana sabia que a polícia se mobilizara para prender Miller como o único suspeito da morte de Alan Keller, porém, ela, como Amanda, não achava que ele fosse capaz de cometer um crime a sangue-frio. Ninguém desejava mais do que ela que o culpado fosse preso, mas aquele amigo, aquele amante de duas semanas, aquele homem que ela conhecia a fundo e havia percorrido com suas mãos de curandeira e seus beijos de mulher enamorada, não era culpado. Indiana se sentiria em apuros para dar uma resposta razoável se lhe tivessem perguntado como podia ter tanta certeza da inocência de Miller — um ex-soldado que tinha ataques de cólera, disparara contra civis, inclusive mulheres e crianças, e torturara prisioneiros para arrancar confissões —, mas não lhe perguntaram e, além de Pedro Alarcón, ninguém conhecia o passado do soldado. A certeza de Indiana era baseada no que lhe dizia sua intuição e no julgamento dos planetas, que nessas circunstâncias mereciam mais a sua confiança do que os critérios de seu ex-marido. Bob nunca tivera simpatia por nenhum dos homens pelos quais ela se interessara desde que haviam se divorciado, mas tinha um receio particular de Ryan Miller, que Amanda resumia em poucas palavras: são dois machos alfa, não podem compartilhar território, são como orangotangos. Indiana, por sua vez, comemorava as conquistas do ex-marido com a esperança de que, de tanto testar mulheres, encontraria a madrasta ideal para Amanda e assentaria a cabeça. O perfil astrológico feito por Celeste Roko não mencionava que Ryan Miller tivesse tendências homicidas, um traço de caráter que sem dúvida apareceria no mapa astral de alguém que cometesse atos tão pavorosos.

Não foi necessário que Indiana escondesse alguma coisa de Amanda nem que esta mentisse a seu pai, porque, se Ryan Miller não se comunicara com a mãe, o fez indiretamente com a filha. Pedro Alarcón apareceu no colégio da garota na saída da aula, esperou que os ônibus e automóveis partissem e pediu para conversar com ela sobre um vídeo. Foi recebido pela irmã Cecile, encarregada das internas, uma escocesa alta e forte, que não aparentava ter seus 66 anos, com olhos azul-cobalto capazes de detectar as travessuras das alunas antes que as cometessem. Assim que o relacionou com o projeto de sua aluna sobre o Uruguai, conduziu-o à Sala do Silêncio, como era chamado um pequeno anexo da capela. A política ecumênica do estabelecimento pesava mais do que sua tradição católica, e as meninas de outras religiões, assim como as agnósticas, dispunham de um espaço para suas práticas espirituais e para ficarem a sós, uma peça desprovida de móveis, com piso de madeira encerada, pintada de um aprazível azul-acinzentado, com várias almofadas redondas para meditar e pequenos tapetes enrolados em um canto para as duas alunas muçulmanas. Naquela hora, estava vazia, quase na penumbra, iluminada apenas pela luz da tarde, que entrava em tênues pinceladas por duas janelas. Contra os vidros se recortavam os delgados galhos dos cedros do jardim, e o único som que chegava àquele santuário eram os acordes distantes de um piano. Com uma emoção que travou sua garganta, Alarcón se viu transportado a outro tempo e a outro lugar, tão distante que já estavam quase esquecidos: sua infância, antes de a guerrilha ter acabado com sua inocência, na capela de sua avó, na estância familiar de Paysandú, terra de gado, extensas planícies de pastos selvagens contra um horizonte interminável de céu azul-turquesa.

A irmã Cecile trouxe duas cadeiras dobráveis, ofereceu ao visitante uma garrafa de água, foi chamar a aluna e depois os deixou a sós, mas manteve a porta aberta e deu a entender que estava por perto, porque Alarcón não fazia parte da lista de pessoas autorizadas a visitar a menina no colégio.

Amanda apareceu com uma câmera de vídeo, tal como haviam combinado por e-mail, instalou-a em um tripé e abriu seu caderno de anotações. Conversaram sobre o Uruguai durante quinze minutos e gastaram outros dez falando em sussurros a respeito do fugitivo. Em janeiro, quando soubera que os jogadores de *Ripper* tinham começado a analisar os crimes de São Francisco, Alarcón logo se interessara, não só porque o intrigava que cinco pirralhos solitários, introvertidos e sabichões competissem com o enorme aparato de investigação da polícia, mas porque as funções do cérebro humano eram sua especialidade. Inteligência artificial, como explicava a seus alunos no primeiro dia de aula, é a teoria e o desenvolvimento de um sistema de computação capaz de realizar tarefas que normalmente requerem inteligência humana. Existe diferença entre a inteligência humana e a artificial? Uma máquina pode criar, sentir emoções, imaginar, ter consciência? Ou só pode imitar e aperfeiçoar certas capacidades humanas? Dessas perguntas derivou uma disciplina acadêmica que fascinava o professor, a ciência cognitiva, cuja premissa, similar à da inteligência artificial, é que a atividade cerebral humana é de natureza computacional. O objetivo dos cientistas cognitivos é desvelar os mistérios do aparelho mais complicado que conhecemos: o cérebro humano. Quando Alarcón dizia que provavelmente o número de estados de uma mente humana era maior do que o número de átomos no universo, qualquer ideia preconcebida a respeito da inteligência artificial que seus estudantes tivessem desmoronava. Os pirralhos do *Ripper* raciocinavam com uma lógica que a máquina poderia incrementar de forma inverossímil, mas contavam com algo privativo do ser humano, a imaginação. Jogavam com plena liberdade, pela simples vontade de se divertir, e assim acessavam espaços interiores que por ora a inteligência artificial não alcançava. Pedro Alarcón sonhava com a possibilidade de colher esse esquivo elemento da mente humana e aplicá-lo a um computador.

De nada disso suspeitava Amanda, que mantivera Alarcón em dia com os progressos do *Ripper* só porque era amigo de Miller e porque ele e seu avô eram os únicos adultos que haviam demonstrado algum interesse pelo jogo.

— Onde está Ryan? — perguntou Amanda ao uruguaio.

— Em movimento. Um alvo em movimento é mais difícil de caçar. Miller não é Jack, o Estripador, Amanda.

— Eu sei. Como posso ajudá-lo?

— Descobrindo logo o assassino. Você e o pessoal do *Ripper* podem ser o cérebro desta operação e Miller, o braço executor.

— Algo assim como o agente 007.

— Mas sem artefatos de espião. Nada de raios mortais na lapiseira ou motores a retropropulsão nos sapatos. Só dispõe de Atila e seu equipamento de *navy seal*.

— Em que consiste?

— Não sei, suponho que de uma sunga de praia, para não ter de nadar pelado, e de um facão, para o caso de ser atacado por um tubarão.

— Está morando em um barco?

— Isso é confidencial.

— Este colégio tem quarenta hectares de parque e floresta em estado selvagem. Há coiotes, cervos, guaxinins, gambás e um ou outro gato montês, mas nenhum ser humano anda por aqui. É um bom lugar para se esconder e eu poderia levar para ele comida da cafeteria. Come-se bem aqui.

— Obrigado, vamos considerar a oferta. Por ora, Ryan não pode se comunicar com você nem com ninguém. Eu serei o contato. Vou lhe dar um número secreto. Disque, deixe tocar três vezes e desligue. Não deixe mensagens. Eu darei um jeito de localizá-la. Tenho de agir com cuidado, pois estou sendo vigiado.

— Por quem?

— Por seu pai. Quer dizer, pela polícia. Mas não é grave, Amanda, consigo despistá-los, passei vários anos da minha juventude enganando a polícia de Montevidéu.

— Por quê?

— Por idealismo, mas me curei disso faz tempo.

— Antigamente era mais fácil enganar a polícia do que agora, Pedro.

— Continua sendo, não se preocupe.

— Você sabe entrar em computadores alheios, como um hacker?

— Não.

— Eu achava que você era um gênio da cibernética. Não trabalha com inteligência artificial?

— Os computadores são a inteligência artificial, como os telescópios na astronomia. Para que você precisa de um hacker? — perguntou o uruguaio.

— É um bom recurso para a minha linha de investigação. Um hacker seria muito útil ao pessoal do *Ripper*.

— Quando chegar o momento, poderei lhe conseguir um.

— Vamos usar o meu ajudante como mensageiro. Kabel e eu temos um código. Kabel é meu avô.

– Eu sei. É de confiança?

Amanda lhe respondeu com um olhar gélido. Despediram-se formalmente na porta do colégio, observados de perto pela irmã Cecile. A mulher tinha um afeto especial por Amanda Martín porque compartilhavam o gosto pelos romances escandinavos de crimes truculentos e porque, em um ataque de confiança, que depois lamentou, a garota lhe contara que estava investigando o banho de sangue anunciado por Celeste Roko. Lamentou porque, a partir daquele momento, a irmã Cecile, que teria dado ouro para participar do jogo se as crianças tivessem permitido, passou a insistir em acompanhar passo a passo o progresso da investigação e dava muito trabalho esconder alguma coisa dela ou enganá-la.

— Muito agradável o cavalheiro uruguaio — comentou com um tom que deixou Amanda imediatamente em estado de alerta. — Como você o conheceu?

— É amigo de um amigo da minha família.

— Tem algo a ver com o *Ripper*?

— Que ideia, irmã! Veio pelo meu trabalho para a aula de Justiça Social.

— Por que ficaram cochichando? Percebi certa cumplicidade...

— Deformação profissional, irmã. Suspeitar é o seu trabalho, não é mesmo?

— Não, Amanda. Meu trabalho é servir a Jesus e educar meninas — sorriu a escocesa com seus dentes do tamanho de peças de dominó.

Sábado, 24

Na primeira semana de sua nova vida de fugitivo da justiça, Ryan Miller navegou pela baía de São Francisco na lancha que Alarcón lhe conseguira, uma Bellboy de dezesseis pés, com meia cabine, um poderoso motor Yamaha e licença sob nome falso. Parava à noite em enseadas, onde às vezes descia com Atila para correr alguns quilômetros na escuridão, único exercício que podiam fazer, além de nadar com a máxima discrição. Teria conseguido continuar flutuando naquelas águas ao longo de anos sem se ver obrigado a mostrar a licença do barco e sem ser interceptado, desde que não atracasse nas marinas mais populares, porque as embarcações da Guarda Costeira não podiam navegar em águas pouco profundas.

Seu conhecimento da baía, onde remara tantas vezes, passeara de veleiro e pescara esturjão e robalo com Alarcón, facilitava sua vida de proscrito. Sabia que estava a salvo em lugares como a Riviera Desdentada, apelido de um minúsculo porto de embarcações desmanteladas e casas flutuantes, onde os poucos moradores, com seus péssimos dentes e cobertos de tatuagens, mal conversavam entre si e não olhariam um estranho nos olhos; ou em certos povoados na embocadura dos rios, onde os moradores plantavam maconha ou cozinhavam metanfetamina e ninguém queria chamar a atenção da polícia. No entanto, muito depressa a lancha estreita ficou intolerável tanto para o homem como para o cachorro e começaram a se esconder em terra, acampando nas florestas. Miller tivera pouco tempo para planejar a fuga, mas contava com o indispensável: seu laptop, diferentes documentos de identidade, dinheiro vivo em uma bolsa à prova d'água e de fogo, e parte de seu equipamento de *navy seal*, mais por motivos sentimentais do que pela intenção de usá-lo.

Escondeu-se com o cachorro durante três dias em Wingo, uma aldeia fantasma de Sonoma, com uma velha ponte em desuso, corroída pela ferrugem, passarelas de madeira desbotadas pelo sol e casas em ruínas. Teriam ficado mais tempo, acompanhados por patos, roedores, cervos e a discreta presença das almas que aprestavam sua reputação a Wingo, mas Miller temeu que a proximidade da primavera atraísse pescadores, caçadores e turistas. À noite, enfiado em seu saco de dormir, imaginava que Indiana estava a seu lado, apertada contra ele, a cabeça em seu ombro, um braço atravessado sobre seu peito, seus cabelos cacheados roçando sua boca.

Em sua terceira noite na aldeia abandonada, Miller se atreveu a chamar Sharbat pela primeira vez. Ela demorou um pouco a chegar, mas, quando o fez, não era a imagem borrada ou ensanguentada de seus pesadelos, mas a menina de suas recordações, intacta, com sua expressão assustada, seu lenço florido e seu irmãozinho nos braços. Então, conseguiu pedir-lhe perdão e prometer que atravessaria o mundo para buscá-la, e, em um interminável monólogo, dizer-lhe aquilo que nunca diria a ninguém, somente a ela, porque ninguém quer conhecer a realidade da guerra, apenas a versão heroica depurada do horror, e ninguém quer ouvir um soldado falar de seu tormento; contar-lhe, por exemplo, que, depois da Segunda Guerra Mundial, descobrira-se que somente um de cada quatro soldados disparava para matar. O treinamento militar fora mudado para destruir essa repulsa instintiva e criar a resposta automática de apertar o gatilho sem vacilar diante do menor estímulo, um reflexo gravado na memória muscular, e assim se conseguira que 95% dos soldados matassem sem pensar, um verdadeiro êxito; mas o método ainda não fora aperfeiçoado para calar as badaladas que repicam na consciência mais tarde, depois do combate, quando cabe se reincorporar ao mundo normal e há pausas para a reflexão, quando começam os pesadelos e a vergonha que o álcool e as drogas não conseguem mitigar. E quando não há onde descarregar a raiva acumulada, alguns terminam procurando confusão em bares e outros batendo na mulher e nos filhos.

Contou a Sharbat que fazia parte de um grupo de guerreiros especializados, os melhores do mundo. Cada um deles era uma arma letal, seu ofício era a violência e a morte, mas, às vezes, a consciência conseguia ser mais forte do que o treinamento e todos os estupendos motivos para a guerra — dever, honra, pátria —, e alguns viam a destruição que causavam onde quer que fossem combater, viam os companheiros se esvaindo por causa de uma granada inimiga e civis envolvidos na luta, mulheres, crianças, velhos, e se perguntavam por que guerreavam, que propósito tinha aquela guerra, a ocupação de um país, o sofrimento de gente igual a eles, e o que aconteceria se tropas invasoras entrassem com tanques em seu bairro, destruíssem suas casas, e os cadáveres pisoteados fossem os de seus filhos e esposas, e também se perguntavam por que se deve mais lealdade à nação do que aos seus ou ao próprio senso do bem e do mal, e por que continuavam com aquele afã de morte, e como iriam conviver com o monstro em que se transformaram.

A menina de olhos verdes o ouviu calada e atenta, como se entendesse o idioma em que ele falava e soubesse que chorava, e ficou com ele até que adormecesse em seu saco de dormir, extenuado, com um braço sobre o corpo do cachorro que vigiava seu sono.

Quando a fotografia de Ryan Miller apareceu nos meios de comunicação com um pedido ao público para que informasse à polícia sobre seu paradeiro, Pedro Alarcón entrou em contato com sua amiga Denise West, em cuja discrição confiava sem reservas, e lhe expôs a necessidade de ajudar um fugitivo procurado por suspeita de homicídio premeditado, como lhe disse em tom de brincadeira, mas sem minimizar os riscos. Ela se entusiasmou com a ideia de escondê-lo, porque era amiga de Alarcón e porque Miller não tinha aparência de criminoso, e porque partia da premissa de que o governo, a justiça em geral e a polícia em particular eram corruptos. Acolheu o *navy seal* em sua casa, que Alarcón havia escolhido pela vantagem de ficar em uma zona de propriedades agrícolas e nas proximidades do delta do rio Napa, que desembocava na baía de São Paulo, na parte norte da baía de São Francisco.

Denise tinha uma horta de verduras e flores numa área de quatro acres para seu deleite pessoal, assim como um asilo para cavalos velhos, que os donos lhe entregavam em vez de sacrificá-los quando não lhes serviam mais, e uma indústria caseira de frutas em conserva, frangos e ovos, que vendia nas feiras livres e nas lojas de produtos orgânicos. Havia quarenta anos vivia na mesma propriedade, cercada pelos mesmos vizinhos, tão pouco sociáveis como ela, dedicada a seus animais e à sua terra. Nesse modesto refúgio, criado sob medida e protegido do ruído e da vulgaridade do mundo, recebeu Ryan Miller e Atila, que tiveram de se adaptar a uma existência rural muito diferente da que levavam antes, em uma casa sem televisão nem aparelhos eletrodomésticos, mas com bom sinal de internet, entre mimados animais de estimação e cavalos aposentados. Nunca tinham vivido em companhia de uma mulher e, surpresos, descobriram que era menos terrível do que imaginavam. Desde o começo, Atila demonstrou sua disciplina militar ao resistir estoicamente à tentação de devorar os frangos, que andavam soltos bicando a terra, e atacar os gatos, que o provocavam com óbvio descaramento.

Além de lhe oferecer hospedagem, Denise se prestou a representar Miller no *Ripper*, já que ele não podia mostrar a cara. Amanda lhe pediu que participasse, porque precisava, e criaram às pressas um personagem para o jogo, uma detetive particularmente talentosa chamada Jezabel. Os únicos que conheciam sua identidade eram a mestra do jogo e seu fiel ajudante Kabel, mas nenhum dos dois sabia onde se escondia o *navy seal* nem quem era a mulher madura com uma longa trança cinza que posava de Jezabel. Os outros jogadores de *Ripper* não foram consultados a respeito dela, porque Amanda se tornara mais despótica à medida que os crimes se complicavam, mas aqueles que objetaram no começo muito depressa puderam constatar que a nova jogadora valia seu peso em ouro.

— Estive revendo os dossiês da polícia a respeito dos casos — anunciou a mestra do jogo.

— Como os conseguiu? — perguntou Esmeralda.

— Meu ajudante tem acesso aos arquivos e sou amiga de Petra Horr, a assistente do inspetor-chefe, que me mantém informada. Passamos uma cópia de tudo a Jezabel.

— Nenhum jogador deve ter vantagem sobre os demais! — objetou o coronel Paddington.

— Certo. Peço desculpas, não tornará a acontecer. Mas vejamos o que diz Jezabel.

— Encontrei uma coisa que se repete em todos os casos, menos no de Alan Keller. As cinco primeiras vítimas trabalhavam com crianças. Ed Staton era empregado do reformatório do Arizona, os Constante ganhavam a vida com um lar para crianças enviadas pelo Serviço de Proteção à Infância, Richard Ashton era especializado em psiquiatria infantil, e Rachel Rosen era juíza do Juizado de Menores. Pode ser uma coincidência, mas não acredito. Keller, por sua vez, nunca teve nada a ver com crianças, nem sequer quis ter filhos.

— Este é um ponto muito interessante. Se a motivação do assassino tem relação com crianças, podemos supor que não matou Keller — disse Sherlock Holmes.

— Ou matou-o por outro motivo — interrompeu-o Abatha, que aventara antes essa possibilidade.

— Não estamos falando de crianças comuns, mas de crianças com distúrbios de comportamento, órfãs ou de alto risco. Isso reduz as opções — disse o coronel Paddington.

— O próximo passo será averiguar se as vítimas se conheciam e por quê. Creio que deve haver uma ou várias crianças que conectam os casos — disse Amanda.

Segunda-feira, 26

Os crimes que afligiam o inspetor Bob Martín alcançaram certa notoriedade nos meios de comunicação de São Francisco, mas não chegaram a alarmar a população, porque a existência de um serial killer não ultrapassou o âmbito restrito do Departamento de Homicídios. A imprensa tratou os crimes isoladamente, sem relacioná-los. No resto do país, eles não tiveram repercussão. O público, que raramente se comovia quando um racista ou um estudante armado para o Apocalipse se excedia executando inocentes, se interessara muito pouco por seis cadáveres californianos. A única pessoa que os mencionou duas vezes foi um famoso locutor de rádio de extrema direita, para o qual os crimes eram um castigo divino ao homossexualismo, ao feminismo e à ecologia de São Francisco.

Bob Martín esperava que a indiferença nacional lhe permitisse realizar o seu trabalho sem a interferência das agências federais, e de fato foi assim até duas semanas depois de as suspeitas terem se voltado para Ryan Miller; então, logo se apresentaram em seu escritório dois agentes do FBI cercados de tanto segredo que cabia perguntar se seriam impostores. Infelizmente, suas credenciais eram legítimas, e ele recebeu instruções superiores para lhes dar todo o apoio, ordem que cumpriu a contragosto. O Departamento de Polícia de São Francisco fora criado em 1849, nos tempos da febre do ouro, e, de acordo com um articulista daquela época, era formado por bandidos mais temíveis do que os ladrões, interessados em livrar seus velhos amigos de um merecido castigo e não em defender a lei; a cidade era um caos, e seriam necessários muitos anos até que a ordem se estabelecesse. No entanto, o corpo de polícia se endireitou em menos tempo do que o previsto pelo autor do artigo, e Bob Martín tinha orgulho de pertencer a ele. Seu Departamento tinha reputação de ser duro com o crime e indulgente com delitos menores, e não era possível acusá-lo de brutalidade, corrupção e incompetência, como acontecia com a polícia de outros lugares, embora recebesse um excesso de queixas por suposto mau comportamento. Muito pouco dessas denúncias tinha fundamento. O problema, segundo Martín, não estava na polícia, mas na maldita vontade de desafiar a autoridade que caracterizava a população de São Francisco; ele confiava plenamente na eficiência de sua equipe; por isso, lamentou a presença dos agentes federais, que só complicariam as investigações.

Apresentaram-se na sala de Bob Martín os agentes Napoleon Fournier III, afro-americano da Louisiana, que havia trabalhado na Narcóticos, Imigração e Aduanas antes de ser transferido para o serviço secreto, e Lorraine Barcott, da Virgínia, uma celebridade dentro da Agência, porque se destacara por heroísmo em uma operação antiterrorismo. A agente, de cabelos pretos e olhos castanhos de longos cílios, era muito mais atraente em pessoa do que nas fotografias. Bob Martín quis seduzi-la com seu sorriso de bigode viril e dentes claros, mas desistiu quando o apertão de mão da Barcott quase quebrou seus dedos; aquela mulher chegara com uma determinada missão e não parecia disposta a se distrair admirando-o. Ofereceu-lhe uma cadeira com a gentileza aprendida de sua família mexicana e ela se sentou em outra. Petra Horr, que observava a cena, pigarreou para dissimular o riso.

O inspetor mostrou aos visitantes as pastas dos seis crimes e colocou-os a par da investigação e de suas próprias conclusões, sem mencionar as contribuições de sua filha Amanda e de seu ex-sogro, Blake Jackson, porque os recém-chegados poderiam achar que se tratava de nepotismo. Essa preocupação com o nepotismo ele devia ao falecido Alan Keller, a quem intrigava a relação incestuosa da família de Indiana; antes de ouvi-la de Keller e de procurá-la no dicionário, ele não conhecia aquela palavrinha.

Barcott e Fournier começaram certificando-se de que ninguém havia metido a mão nos computadores de Ryan Miller, que estavam em lugar seguro na sala blindada do Departamento, e depois se trancaram para estudar as provas à procura de um detalhe que revelasse uma conspiração dos inimigos habituais dos Estados Unidos. A única explicação que deram a Bob Martín foi que o *navy seal* era colaborador de uma companhia de segurança privada a serviço do governo norte-americano no Oriente Médio; essa era a informação oficial e não convinha divulgar o resto. Seu trabalho era confidencial e abarcava certas áreas nebulosas nas quais tornava-se necessário agir à margem das convenções para garantir a eficácia. Em uma situação tão complexa como a daquela região, devia-se colocar na balança, por um lado, a obrigação de proteger os interesses americanos e, por outro, os tratados internacionais, que limitavam além do razoável a capacidade de agir. O governo e as Forças Armadas não podiam se ver envolvidos em certas atividades vedadas pela Constituição e contrárias à índole do povo; por isso, recorriam à contratação de terceiros. Era claro que Miller trabalhava para a CIA, mas a Agência não podia atuar em território nacional, coisa que cabia ao FBI. Os dois agentes federais não tinham o menor interesse nas seis vítimas de São Francisco; sua tarefa era recuperar as informações que Ryan Miller possuía antes que caíssem nas mãos do inimigo e encontrar o *navy seal* para que respondesse a algumas perguntas e o retirassem de circulação.

— Miller comete delitos em nível internacional? — perguntou Bob Martín, admirado.

— Missões, não delitos — replicou Fournier III.

— E eu achava que era apenas um serial killer!

— O senhor não tem provas disso e não gosto de seu tom sarcástico, inspetor Martín — espetou-o Barcott.

— Na pasta de Keller há provas contundentes contra ele — lembrou o inspetor-chefe.

— Provas de que esteve na casa de Alan Keller, mas não de que o matou.

— Deve ter motivo para ter fugido.

— Já pensou na hipótese de que nosso homem tenha sido sequestrado? — perguntou a mulher.

— Não, francamente não me havia ocorrido — replicou o policial, dissimulando a duras penas um sorriso.

— Ryan Miller é um elemento valioso para o inimigo.

— De que inimigo estamos falando?

— Não podemos revelar — disse Lorraine Barcott.

Dos escritórios do FBI em Washington também mandaram um especialista em computação avançada para analisar os equipamentos que haviam sido confiscados na casa de Miller. O inspetor Martín oferecera a Fournier III e a Barcott seu próprio pessoal para essa tarefa, tão experts como os de Washington, mas lhe responderam que o conteúdo era confidencial. Tudo era confidencial.

Não haviam se passado nem 24 horas desde que os federais tinham chegado, e a paciência de Bob Martín já estava se esgotando. Fournier III mostrou ser um sujeito obsessivo, incapaz de delegar, que, pelo afã de se inteirar de cada minúsculo detalhe, atrasava o trabalho dos outros; não se deu bem com Lorraine Barcott desde o começo, e suas tentativas posteriores de se entender com ela foram infrutíferas; aquela mulher era imune aos seus encantos e, inclusive, à simples camaradagem.

— Não se ofenda, chefe; não percebeu que a Barcott é lésbica? — consolou-o Petra Horr.

O especialista em computação se dedicou a analisar os discos rígidos, tentando recuperar alguma coisa, embora supusesse que Miller sabia muito bem apagar todo o conteúdo. Enquanto isso, Bob Martín fazia um relato a Fournier III e a Barcott das diligências que o Departamento de Homicídios vinha fazendo havia doze dias para encontrar Miller. Na primeira semana, tinham se limitado a pedir a ajuda da polícia da área da baía e a recorrer aos informantes habituais, mas depois publicaram a fotografia e a descrição de Miller nos meios de comunicação e na Internet. Desde então, tinham recebido dúzias de denúncias de pessoas que viram vagando um indivíduo manco, com pinta de gorila, acompanhado por uma fera, mas nenhuma dera em nada. Por engano, dois mendigos e seus cachorros foram detidos em ocasiões diferentes e imediatamente liberados. Um veterano da guerra do Golfo Pérsico se apresentara na delegacia de Richmond dizendo que era Ryan Miller, mas não o levaram a sério porque seu cão era da raça jack russell terrier e do sexo feminino.

Haviam interrogado pessoas que tinham relações com o fugitivo, como Frank Rinaldi, o administrador do Dolphin Club, onde Miller nadava regularmente; o proprietário do imóvel onde ele morava; alguns garotos carentes a quem treinava em natação; Danny D'Angelo, do Café Rossini; os inquilinos da Clínica Holística; e, muito especialmente, seu amigo mais próximo, Pedro Alarcón.

Bob Martín havia conversado com Indiana, mas só a mencionou de passagem aos agentes do FBI, como mais uma dos terapeutas da Clínica Holística; nada mais distante de suas intenções do que chamar a atenção dos agentes para alguém de sua própria família. Sabia que ela tivera um breve romance com Miller, coisa que por algum motivo ele próprio não conseguia entender e que o alterava mais do que os quatro anos que ela passara ao lado de Alan Keller. Ficou ruminando que virtudes de Miller poderiam atrair Indiana e concluiu que, decididamente, ela se deitara com ele por pena; devido ao seu caráter, Indiana não conseguiria rejeitar um mutilado. Era preciso ver como aquela mulher era tola. Como seria fazer amor com uma perna a menos? Um espetáculo de circo; as possibilidades eram limitadas, melhor nem imaginar. Sua determinação de prender o fugitivo era puro zelo profissional, nada a ver com as safadezas que pudesse ter feito com a mãe de sua filha.

— Esse Alarcón é comunista? — perguntou Lorraine Barcott, que havia demorado quarenta segundos para encontrar o uruguaio na base de dados do FBI de seu celular.

— Não. É professor da Universidade de Stanford.

— Isso não significa que não possa ser comunista — insistiu ela.

— Ainda existem comunistas? Eu achava que haviam saído de moda. Grampeamos o telefone de Alarcón e ele está sendo vigiado. Até agora, não descobrimos nada que o relacione com o Kremlin e nada ilegal ou suspeito em sua vida atual.

Os agentes do FBI disseram ao inspetor que o suposto fugitivo era um *navy seal* treinado para sobreviver nas mais árduas condições — esconder-se, enganar o inimigo ou enfrentar a morte — e seria muito difícil pegá-lo. A única coisa que se conseguiria alertando a população era disseminar o pânico; convinha, pois, evitar mencionar o assunto aos meios de comunicação e continuar investigando de forma discreta, com a ajuda indispensável que eles lhe dariam. Insistiram na necessidade imperiosa de que não se divulgasse nada relativo às atividades de Ryan Miller e à empresa de segurança internacional.

— Meu dever não é proteger os segredos do governo, mas continuar investigando, resolver os seis crimes pendentes e impedir que outros sejam cometidos — disse Bob Martín.

— É claro, inspetor — replicou Napoleon Fournier III. — Não pretendemos interferir em seu trabalho, mas o advirto que Ryan Miller é uma pessoa instável, com um possível transtorno nervoso, que pode ter cometido os assassinatos que estão lhe atribuindo em um estado mental alterado. De qualquer forma, para nós está queimado.

— Ou seja, não lhes serve mais, transformou-se em um problema e não sabem o que fazer com ele. Miller é descartável. É isso o que está me dizendo, agente Fournier?

— É o senhor quem está dizendo, não eu.

— Recordemos que Miller está fortemente armado e é violento — acrescentou Lorraine Barcott. — Foi soldado durante toda a vida, está habituado a disparar primeiro e perguntar depois. Eu o aconselho a fazer o mesmo, pense na segurança de seus agentes e na dos civis.

— Não convém que Miller seja preso e comece a falar, não é mesmo?

— Estou vendo que estamos nos entendendo, inspetor-chefe.

— Acho que não estamos nos entendendo, agente Barcott. Acho que os métodos de sua Agência diferem dos nossos — replicou Martín, mordido. — Ryan Miller é inocente até que se prove o contrário. Nossa intenção é detê-lo para interrogá-lo como suspeito e o faremos com o menor dano possível para ele e para terceiros. Está claro?

Na saída da reunião, Petra Horr, que, como sempre, xeretava de seu cubículo, pegou o inspetor pela manga, empurrou-o para trás de uma porta e se empinou para beijá-lo na boca.

— É assim que se fala! Estou orgulhosa de você, chefe.

Bob Martín, surpreso, não conseguiu se recompor antes que a assistente desaparecesse como o duende que era. Ficou grudado na parede com o sabor daquele beijo, chiclete de canela, e um calor tardio no corpo.

Sábado, 31

A primeira a se alarmar com a ausência de Indiana foi sua filha, porque conhecia seus hábitos melhor do que ninguém e achou estranho que naquela sexta-feira não tivesse chegado para jantar com ela e seu avô, um costume que se mantinha imutável, com raríssimas exceções, desde que entrara para o internato, quatro anos antes. Mãe e filha esperavam desde a segunda-feira para se ver, especialmente quando cabia a Amanda passar o sábado e o domingo com o pai. Sem Alan Keller em sua vida — ele lhe pedira em poucas ocasiões que o acompanhasse em uma sexta-feira, como na viagem à Turquia ou a um espetáculo especial —, Indiana não tinha pretextos para se ausentar na hora do jantar. Terminava de atender o último paciente, subia na bicicleta, pegava a Broadway Street, com seus clubes de striptease e bares, seguia pela Columbus Avenue, onde ficava a famosa livraria City Lights, ninho dos beatniks, passava diante do notável edifício revestido de cobre de Francis Ford Coppola, continuava até a praça Portsmouth, nos limites de Chinatown, onde velhos se juntavam para praticar tai chi e apostar em jogos de tabuleiro, e dali ao edifício da Transamérica, a característica pirâmide do perfil de São Francisco. Era a hora em que o aspecto do distrito financeiro mudava, porque os escritórios fechavam e começava a vida noturna. Passava por baixo da Bay Bridge, que ligava São Francisco a Oakland, diante do novo estádio de beisebol, e dali ao seu bairro levava menos de dez minutos. Às vezes, parava para comprar alguma coisa para o jantar e logo estava em casa, pronta para se sentar à mesa. Como ela chegava tarde e o avô e Amanda não cozinhavam, dependiam do entregador de pizza ou da boa vontade de Elsa Domínguez, que, em geral, deixava alguma comida na geladeira. Naquela sexta-feira, o avô e a neta esperaram Indiana até as nove da noite antes de se resignar a esquentar a pizza, dura como papelão.

— Será que aconteceu alguma coisa com ela? — perguntou Amanda.

— Já está chegando. Sua mãe tem mais de 30 anos, é normal que, de vez em quando, saia com uns amigos para beber alguma coisa depois de uma semana de trabalho.

— Mas poderia ter ligado para a gente! Qualquer um desses supostos amigos poderia lhe emprestar seu celular.

O sábado amanheceu com o céu alaranjado, a primavera se anunciando nos brotos de magnólias e os beija-flores suspensos em pleno voo, como minúsculos helicópteros, no meio das fúcsias do jardim. Amanda acordou assustada, com um mau pressentimento, e se sentou na cama, tremendo pela ressaca de um pesadelo no qual Alan Keller tentava arrancar a flecha do peito. Seu quarto estava iluminado por tênues raios dourados que penetravam através da cortina, e Salve-o-Atum, leve como espuma, dormia seu sono de gata feliz enrolada no travesseiro. A menina pegou-a no colo e afundou o nariz em sua barriga morna, murmurando um encantamento para se livrar das persistentes visões noturnas.

Descalça, com uma camiseta do avô fazendo o papel de pijama, foi à cozinha dar leite à gata e esquentar uma xícara de chocolate, seguindo o rastro do cheiro de café e pão torrado que flutuava na casa. Blake já estava ali, assistindo às notícias, de pantufas e vestido com seu velho roupão de flanela, o mesmo que usava quando sua mulher estava viva, dezessete anos atrás. Amanda colocou a gata em seu colo e subiu à caverna da bruxa pela escada em caracol, que a unia à casa principal. Em um minuto estava de volta na cozinha gritando que no quarto de sua mãe não havia ninguém e que a cama não estava desfeita. Era a primeira vez desde que o avô e a neta conseguiam lembrar que Indiana não aparecia para dormir em casa sem ter avisado.

— Aonde pode ter ido, vovô?

— Não se preocupe, Amanda. Vista-se tranquilamente, vou deixá-la com seu pai e depois passar pelo consultório de Indiana. Tenho certeza de que há uma explicação para isso.

Mas não havia. Ao meio-dia, depois de procurá-la nos lugares que frequentava e de se comunicar sem resultado com seus amigos próximos, inclusive com dona Encarnación, a quem não desejava assustar além da conta, e com a temível Celeste Roko, que atendeu o telefone no meio de uma massagem porque reconheceu o número do homem com quem pensava se casar, Jackson ligou para Bob Martín e lhe perguntou se deveria ir à polícia. Seu ex-genro lhe recomendou que esperasse um pouco, porque a polícia não se mobilizava com o suposto desaparecimento de um adulto que não fora dormir uma noite em casa, e acrescentou que faria algumas investigações e ligaria para ele assim que tivesse notícias. Ambos temiam que Indiana estivesse com Ryan Miller. Conhecendo-a como a conheciam, podiam enumerar várias razões para justificar esse temor, desde sua desatinada compaixão, que a levaria a socorrer um fugitivo da lei, até seu coração alvoroçado, que a faria procurar outro amor para substituir o que acabara de perder. A possibilidade que nenhum dos dois se atrevia a considerar ainda era que Indiana estivesse com Ryan Miller contra a sua vontade, na qualidade de refém. Bob Martín supôs que neste caso ficariam sabendo muito depressa, quando tocasse o telefone e o sequestrador apresentasse suas exigências. Deu-se conta de que estava suando.

O celular secreto de Pedro Alarcón começou a vibrar no bolso de sua calça quando estava na metade dos seis quilômetros que corria diariamente no parque Presidio, treinando para o triatlo do qual participaria com Ryan Miller, se a agenda deste não tivesse se complicado. Somente duas pessoas podiam ligar para aquele número, seu amigo fugitivo e Amanda Martín. Constatou que era a menina, mudou de direção e continuou correndo até que chegou ao café Starbucks mais próximo, onde comprou um frapuccino, beberagem que não podia ser comparada a um bom chimarrão, mas servia para despistar quem o tivesse seguido até ali, pediu emprestado o celular de outro cliente e ligou para Amanda, que chamou o avô. A conversa com Blake Jackson consistiu em quatro palavras: quarenta minutos, Dolphin Club. Alarcón foi correndo até seu carro e de lá ao Parque Aquático. Teve a sorte inesperada de encontrar um lugar para estacionar e se dirigiu ao clube com sua bolsa a tiracolo e o passo rápido como fazia todos os sábados.

Jackson chegou de táxi na praça Ghirardelli e caminhou até o clube, misturado com os turistas e as famílias que passeavam aproveitando o dia ensolarado, um daqueles dias em que a luz da baía parecia com a da Grécia. Alarcón o aguardava no escuro vestíbulo do clube, aparentemente absorto na folha quadriculada onde os membros do Clube Polar anotavam a distância que haviam nadado naquele inverno. Fez um sinal para Blake e este o seguiu aos estreitos camarins do segundo andar.

— Onde está a minha filha? — perguntou ao uruguaio.

— Indiana? Como eu posso saber?

— Está com Miller, tenho certeza. Não aparece em casa desde ontem e nem telefonou, isso nunca aconteceu antes. A única explicação é que está com ele e não entrou em contato com a gente por precaução, para protegê-lo. Você sabe onde Miller está escondido, dê a ele um recado de minha parte.

— Se conseguir, darei. Mas posso jurar que Indiana não está com ele.

— Nada de juramentos, primeiro fale com o seu amigo. Você é cúmplice de um fugitivo, culpado de obstruir a justiça, et cetera. Diga a Miller que, se Indiana não me telefonar até hoje à noite, será você quem pagará as consequências.

— Não me ameace, Blake. Estou do seu lado.

— Sim, sim, me perdoe, Pedro. Estou um pouco nervoso — balbuciou o avô, pigarreando para dissimular a angústia que travava sua garganta.

— Será muito difícil falar com Miller; ele está sempre em movimento, mas vou tentar. Espere o meu telefonema, Blake; assim que eu souber de alguma coisa, entrarei em contato com você de um telefone público.

Alarcón guiou Blake pelo corredor que conectava o Dolphin Club com o clube rival, o South End, para que saísse por uma porta diferente da que havia entrado, e depois foi até a praia, onde poderia falar em paz. Ligou para o amigo e lhe explicou a situação e, tal como esperava, Miller afirmou que não sabia de Indiana. Disse que a última vez que conversara com ela tinha sido de seu loft, na sexta-feira, 9 de março, o dia em que fora descoberto o cadáver de Alan Keller. Nos dias em que estava escondido, estivera mil vezes prestes a telefonar para ela, inclusive arriscar tudo e aparecer diante dela na Clínica Holística, porque aquele estranho silêncio que os separava se tornava a cada dia mais intolerável; precisava vê-la, abraçá-la, reafirmar que a amava mais do que a ninguém e a nada em sua vida e que jamais desistiria dela. Mas não podia transformá-la em sua cúmplice. Não tinha nada a lhe oferecer, primeiro precisava pegar o assassino de Alan Keller e limpar seu nome. Contou a Alarcón que, depois de destruir o conteúdo de seus computadores e antes de abandonar seu loft, telefonara para Amanda, porque tinha certeza de que Indiana havia esquecido o celular ou estava sem bateria.

— Estavam juntas e consegui falar com Indiana; expliquei-lhe que não matei Keller, embora fosse verdade que tivesse lhe dado um soco e que teria de me esconder, porque isso me incriminava.

— O que ela disse?

— Que eu não lhe devia explicações, porque ela jamais havia desconfiado de mim, e me suplicou que fosse à polícia. Logicamente, eu me neguei, e a fiz prometer que não me delataria. Era o momento menos apropriado para mencionar nossa relação, Keller tinha morrido havia poucas horas, mas não consegui evitar e lhe disse que a adorava e, assim que se esclarecesse a situação, iria tentar por todos os meios conquistá-la. Nada disso importa agora, Pedro. A única coisa que importa agora é resgatá-la.

— Ela sumiu apenas há algumas horas...

— Está em grave perigo! — exclamou Miller.

— Você acha que seu desaparecimento está relacionado com a morte de Keller?

— Sem dúvida, Pedro. E, pelas características do homicídio de Keller, tenho certeza de que estamos diante do autor dos crimes anteriores.

— Não vejo relação entre Indiana e esse serial killer.

— Por ora eu também não, mas acredite em mim, Pedro, essa relação existe. Temos de encontrar Indiana imediatamente. Coloque-me em contato com Amanda.

— Amanda? A menina está muito abalada com o que aconteceu, não sei como poderá ajudá-lo.

— Logo você verá.

ABRIL

Domingo, 1º

O inspetor-chefe, vestido com a roupa que usava para fazer ginástica e acompanhado por sua filha, que se recusou a ficar para trás e levava Salve-o-Atum em sua bolsa, partiu para North Beach. Do carro ligou para Petra Horr, contou-lhe o que acontecera, consciente de que aos domingos sua assistente estava de folga e não tinha obrigação de atendê-lo, e pediu que conseguisse os nomes e os telefones de todos os terapeutas da Clínica Holística, assim como os dos pacientes de Indiana, e o de Pedro Alarcón, que estavam registrados no Departamento de Homicídios desde que haviam começado a procurar Miller. Dez minutos depois, estacionou em fila dupla diante do edifício verde com janelas da cor de cocô de galinha. Encontrou a porta principal aberta, porque vários praticantes atendiam nos fins de semana. Seguido por Amanda, que voltara à infância — estava cabisbaixa, chupando o dedo, com o capuz do blusão enfiado até os olhos, prestes a começar a chorar —, o inspetor subiu aos saltos os dois andares e trepou pela escada portátil que levava à água-furtada de Matheus Pereira para lhe pedir a chave do consultório de Indiana.

O pintor, que, evidentemente, havia sido arrancado da cama, apareceu pelado, salvo por uma toalha desfiada enrolada na cintura para cobrir suas vergonhas; tinha as rastas da cabeça agitadas como as serpentes da Medusa e a expressão vazia de quem fumara algo mais do que tabaco e não lembra em que ano está, mas o desalinho não retirava a galhardia daquele homem de olhos líquidos, lábios sensuais, belo como uma escultura em bronze de Benvenuto Cellini.

A água-furtada do brasileiro passaria despercebida em qualquer bairro miserável de Calcutá. Pereira a construíra aos poucos no terraço do imóvel, entre a caixa-d'água e a escada externa de incêndio, com a mesma liberdade com que produzia suas obras de arte. O resultado era um organismo vivo, de formas oscilantes, composto basicamente de papelão, plástico, folhas de zinco e painéis de aglomerado, com piso de cimento em uma das partes, de linóleo mal colocado em outras e alguns tapetes esfarrapados. Por dentro, a casa era um enredo de espaços disformes, que cumpriam diversos papéis e podiam ser modificados em um abrir e fechar de olhos tirando um pedaço de encerado, afastando um biombo ou simplesmente reorganizando as caixas e gavetas que constituíam a maior parte do mobiliário. Bob Martín definiu-a à primeira vista como uma guarida de hippie, sufocante, imunda, mas teve de admitir para seus botões que tinha lá seu encanto. A luz do dia, filtrada pelos painéis de plástico azul, dava ao ambiente um aspecto de aquário; os quadros grandes de cores primárias, que no saguão do edifício tinham ares agressivos, na água-furtada pareciam infantis; e a desordem e a sujeira, que em outro lugar seriam repulsivas, ali eram aceitas como uma extravagância do artista.

— Segure a toalha, Pereira, pois estou com a minha filha — ordenou Bob Martín.

— Olá, Amanda — saudou o pintor, bloqueando a passagem para que os visitantes não vissem a plantação de maconha atrás de uma divisória feita com cortinas de banheiro.

Bob Martín já a vira, assim como sentira o inconfundível cheiro adocicado que impregnava a água-furtada, mas se fez de desentendido, uma vez que estava ali por causa de outro assunto. Explicou-lhe os motivos de sua intempestiva visita, e Pereira lhe contou que havia conversado com Indiana na tarde de sexta-feira, quando ela estava indo embora.

— Disse que ia encontrar uns amigos no Café Rossini e iria para casa quando o trânsito diminuísse.

— Mencionou o nome dos amigos?

— Não me lembro; a verdade é que lhe dei pouca atenção. Foi a última a sair do edifício. Fechei a porta principal por volta das oito ou talvez fossem nove... — replicou Pereira, pouco disposto a dar informações ao policial, porque achava que Indiana estava aprontando alguma travessura e ele não pensava em facilitar ao ex-marido a tarefa de encontrá-la.

Mas a atitude do inspetor indicava que seria melhor colaborar, pelo menos aparentemente; vestiu seus eternos jeans, pegou um molho de chaves e os levou à sala número 8. Abriu a porta e, a pedido de Martín, que não sabia o que iria encontrar lá dentro, ficou esperando no corredor com Amanda. No consultório de Indiana estava tudo na mais perfeita ordem, as toalhas empilhadas, os lençóis limpos sobre a cama de massagem, os frascos de óleos de essências, os ímãs, as velas e os incensos prontos para serem acesos na segunda-feira e a plantinha que o brasileiro lhe levara de presente na moldura da janela, com sinais de que havia sido regada recentemente. Amanda viu do corredor o laptop na mesa da recepção e perguntou ao pai se poderia ligá-lo, porque sabia a senha. O inspetor lhe disse que poderia apagar as impressões digitais e desceu até seu carro para buscar as luvas e uma bolsa de plástico. Na rua, lembrou-se do bicicletário e se dirigiu a um lado do edifício, onde havia uma grade de ferro para estacionar as bicicletas. Constatou com um calafrio que ali estava, acorrentada, a de Indiana. Sentiu um gosto de bile na garganta.

Naquele dia, Danny D'Angelo não estava trabalhando no Café Rossini, mas Bob Martín conseguiu interrogar outros empregados, que não tinham certeza de ter visto Indiana, porque na noite de sexta-feira o local estivera lotado. O inspetor fez circular uma fotografia de Indiana, que Amanda tinha no celular, entre o pessoal da cozinha e os clientes que se deleitavam àquela hora com café italiano e a melhor pastelaria de North Beach. Havia vários clientes assíduos que a conheciam, mas não se lembravam de tê-la visto na sexta-feira. Pai e filha estavam prestes a ir embora, quando se aproximou um homem de cabelos avermelhados com a roupa amarrotada, que estivera escrevendo em um bloco amarelo em uma das mesas do fundo.

— Por que estão procurando Indiana Jackson? — perguntou.

— O senhor a conhece?

— Digamos que sim, embora não tenhamos sido apresentados.

— Sou o inspetor-chefe do Departamento de Homicídios, Bob Martín, e esta é minha filha Amanda — disse o policial, exibindo seu distintivo.

— Samuel Hamilton Jr., detetive particular.

— Samuel Hamilton? Como o famoso detetive dos romances de Gordon? — perguntou o inspetor.

— Era meu pai. Não era detetive, mas jornalista, e temo que suas proezas tenham sido um pouco exageradas pelo autor. Isso foi nos anos 1960. Meu velho já morreu, mas por muitos anos viveu da recordação de suas glórias passadas, ou melhor, de suas glórias romanceadas.

— O que você sabe de Indiana Jackson?

— Bastante, inspetor; sei, inclusive, que foi casada com o senhor e é mãe de Amanda. Permita-me explicar. Há quatro anos, o senhor Alan Keller me contratou para vigiá-la. Para minha desgraça, boa parte de minhas receitas provém de pessoas ciumentas que suspeitam de seus companheiros; esse é o aspecto mais entediante e desagradável do meu trabalho. Não pude fornecer nenhuma informação interessante ao senhor Keller, que suspendeu a vigilância, mas de meses em meses voltava a me procurar com outro ataque de ciúme. Nunca se convenceu de que a senhorita Jackson lhe era fiel.

— Sabe que Alan Keller foi assassinado?

— Sim, é claro, saiu em todos os meios de comunicação. Sinto pela senhorita Jackson, ela gostava muito dele.

— Estamos procurando-a, senhor Hamilton. Está desaparecida desde ontem. Parece que a última pessoa a vê-la foi um pintor que mora na Clínica Holística.

— Matheus Pereira.

— O próprio. Disse que a viu à tarde e que ela viria aqui encontrar alguns amigos. Pode nos ajudar?

— Eu não estava aqui ontem, mas posso lhe dar uma lista dos amigos que a senhorita Jackson frequentou nos últimos quatro anos. As informações estão na minha casa, moro aqui perto.

• • •

Meia hora depois, Samuel Hamilton apareceu com uma pasta grossa e um laptop no Departamento de Polícia, entusiasmado porque, pela primeira vez em muitos meses, tinha alguma coisa interessante nas mãos, algo mais do que perseguir pessoas que violavam a liberdade condicional, espionar casais com um telescópio e ameaçar pobres coitados que não pagavam o aluguel ou o dinheiro que deviam a um agiota. Seu trabalho era um tédio, não tinha nada de poético ou romanesco, como o dos livros.

Petra Horr desistira de seu dia de folga e estava no trabalho tentando animar Amanda, que se acocorara no chão, muda e reduzida à metade de seu tamanho normal, abraçada à bolsa de Salve-o-Atum. Naquela manhã, a assistente estava no banheiro tingindo os cabelos com três cores quando recebera a ligação de seu chefe e mal tivera tempo de enxugá-los e de se vestir às pressas antes de sair em disparada em sua motocicleta. Sem o gel que normalmente mantinha seus cabelos eriçados, e vestida com bermudas, camiseta desbotada e tênis, Petra parecia ter 15 anos.

O inspetor já havia convocado o pessoal do laboratório forense para que examinasse as impressões do computador de Indiana e depois fosse à Clínica Holística recolher provas. Amanda ia se afundando mais e mais no refúgio de seu capuz à medida que ouvia as instruções do pai, embora Petra Horr tivesse lhe explicado que eram medidas básicas para reunir informações e não significavam que alguma coisa grave tivesse acontecido com sua mãe. Amanda lhe respondeu com queixumes, chupando o polegar freneticamente. Ao constatar que a idade da menina ia retrocedendo com o passar das horas e temendo que acabasse usando fraldas, Petra pegou o telefone por iniciativa própria e ligou para o avô.

— Ainda não sabemos de nada, senhor Jackson, mas o inspetor chefe está inteiramente dedicado a procurar sua filha. Poderia vir ao Departamento? Sua neta se sentiria melhor se o senhor estivesse aqui. Vou mandar uma viatura buscá-lo. Hoje é a maratona do Dia dos Inocentes e o tráfego foi interrompido em muitas ruas.

Nesse meio-tempo, Samuel Hamilton espalhara na escrivaninha de Bob Martín o copioso conteúdo de sua pasta, que continha o histórico completo da vida privada de Indiana: anotações sobre suas idas e vindas, transcrições de conversas telefônicas interceptadas e dúzias de fotografias, a maioria tiradas a certa distância, mas bastante claras quando eram ampliadas da tela. Ali estavam os membros de sua família, clientes do consultório, inclusive o poodle, amigos e conhecidos. Bob Martín sentiu uma mistura de repulsa por aquele homem espionar Indiana daquela maneira, de desprezo por Alan Keller, que o havia contratado, de interesse profissional por aquele valioso material e de inevitável angústia ao ver exposta diante de seus olhos a intimidade da mulher por quem sentia um afeto terrivelmente protetor. As fotografias o comoveram até os ossos: Indiana na bicicleta, atravessando a rua com sua bata de enfermeira, em um piquenique na floresta, abraçada a Amanda, conversando, falando ao telefone, fazendo compras no supermercado, cansada, alegre, adormecida no balcão de seu apartamento em cima da garagem do pai, carregando um bolo descomunal para dona Encarnación, discutindo com ele na rua, com as mãos na cintura, irritada. Indiana, com seu ar de vulnerabilidade e inocência, com seu frescor de garota, pareceu-lhe tão bela como aos 15 anos, quando ele a seduzira atrás das grades do ginásio da escola com a mesma pachorra e inconsciência com que fazia tudo naquela época, e se odiou por não tê-la amado e cuidado como merecia, e por ter perdido a oportunidade de construir com ela um lar amável, onde Amanda tivesse florescido.

— O que o senhor sabe a respeito de Ryan Miller? — perguntou a Hamilton.

— Além de que está sendo procurado pela morte do senhor Keller, sei que teve um romance com a senhorita Jackson. Durou muito pouco e aconteceu quando ela e o senhor Keller haviam rompido, de maneira que não foi uma infidelidade e não a mencionei ao senhor Keller. Gosto da senhorita, é uma boa pessoa, não há muitas dessas no mundo.

— Qual é a sua opinião a respeito de Miller?

— O senhor Keller tinha ciúme de meio mundo, mas especialmente de Miller. Perdi centenas de horas vigiando-o. Sei algumas coisas de seu passado e conheço seus hábitos, mas a forma como ganha a vida é um mistério. Tenho certeza de que conta com algo mais do que sua pensão de veterano, vive bem e viaja para fora do país. Seu apartamento é protegido por medidas de segurança extremas, possui várias armas, todas legais, e duas vezes por semana vai treinar pontaria em um campo de tiro. Não se separa nunca de seu cachorro. Aqui tem poucos amigos, mas mantém contato com seus camaradas, outros *navy seals* da mesma equipe, a Seal Team 6. Rompeu há poucos meses com sua amante, Jennifer Yang, sino-americana, solteira, 37 anos, executiva de um banco, que apareceu no consultório de Indiana Jackson e ameaçou jogar ácido em seu rosto.

— Como foi isso? Indiana nunca me contou — interrompeu-o Martín.

— Naquele momento, Indiana e Miller eram apenas amigos. Suponho que Miller havia contado a Indiana que tinha essa namorada, para chamá-la de alguma maneira, mas não a havia apresentado, de modo que, quando Jennifer Yang chegou ao consultório dando gritos destemperados, Indiana pensou que a mulher havia se enganado de porta. Matheus Pereira desceu do sótão ao ouvir o escândalo e expulsou Yang do edifício.

— Essa mulher tem antecedentes policiais?

— Nada. A única coisa estranha em seu comportamento é que todos os anos participa da feira sadomasoquista da rua Folsom. Tenho duas fotografias dela recebendo chicotadas sobre o chassi de um Buick antigo. Interessam a você?

— Só se tornou a incomodar Indiana.

— Não. Eu, se fosse o senhor, inspetor, não perderia tempo com Jennifer Yang. Continuemos com Ryan Miller, vou resumir o máximo que puder. Seu pai chegou a ocupar altos postos na Marinha, onde tinha reputação de ser rigoroso e até cruel com seus subordinados; sua mãe se suicidou com a pistola de serviço do pai, mas a família sempre disse que foi um acidente. Miller entrou na Marinha seguindo os passos do pai, excelente folha de serviço, medalhas de coragem, deu baixa porque perdeu uma perna no Iraque em 2007, recebeu a condecoração correspondente, mas logo se perdeu em drogas, álcool... enfim, o usual nestes casos. Reabilitou-se e trabalha para o governo e o Pentágono, mas não saberia lhe dizer em que, provavelmente em espionagem.

— Na noite de 18 de fevereiro, Miller foi preso por violência em um clube. Três pessoas acabaram no hospital por culpa dele. O senhor o considera capaz de ter matado Keller?

— Poderia tê-lo feito em um ataque de cólera, mas não dessa forma. É um *navy seal*, inspetor. Teria enfrentado seu rival e lhe dado a oportunidade de se defender. Jamais teria usado veneno.

— Não foi publicado nada a respeito do veneno, como ficou sabendo disso?

— É meu trabalho, sei de muitas coisas.

— Então, talvez saiba onde Miller está escondido.

— Não saí para procurá-lo, inspetor, mas se saísse certamente o encontraria.

— Então faça isso, senhor Hamilton, precisamos de qualquer ajuda que possamos obter.

Bob Martín fechou a porta de sua sala para que Amanda não o ouvisse e confessou a Samuel Hamilton sua suspeita de que Miller poderia ter sequestrado Indiana.

— Olhe, inspetor, desde que soube que a polícia estava procurando Miller, eu me dediquei a seguir a senhorita Jackson, pela possibilidade de que se encontrassem. Tenho pouco trabalho neste momento, está me sobrando tempo. Vigiei-a tantas vezes que a considero quase uma amiga. Miller está apaixonado por ela e achei que tentaria se aproximar, mas, até onde sei, não se comunicaram — disse Hamilton.

— E por que diz isso?

— O senhor conhece a senhorita melhor do que eu, inspetor: ela é transparente. Se estivesse ajudando Miller, não conseguiria disfarçar. Além disso, seus hábitos não mudaram. Tenho experiência nisso, sei quando uma pessoa está escondendo alguma coisa.

Enquanto Bob Martín revisava as anotações do detetive particular, Blake Jackson chegou apressado e sem fôlego à pequena sala de Petra Horr, onde encontrou sua neta como um nó no chão, com a testa nos joelhos, tão encolhida que parecia uma pilha de trapos. Sentou-se ao seu lado, sem tocá-la, porque sabia o quanto inacessível ela podia ser, e aguardou em silêncio. Cinco minutos depois, que a Petra pareceram horas, Amanda tirou uma das mãos das dobras de sua roupa e tateou o ar procurando a do avô.

— Salve-o-Atum precisa respirar, comer e fazer suas necessidades. Vamos, lindinha, temos muito o que fazer — disse o avô no tom de quem acalma um animal assustado.

— Minha mãe...

— É a isso que estou me referindo, Amanda. Precisamos encontrá-la. Chamei o pessoal do *Ripper* para que nos reunamos dentro de duas horas. Todos estão de acordo que isto tem prioridade e já entraram em ação. Vamos, levante-se, menina, venha comigo.

O avô a ajudou a ficar em pé, ajeitou um pouco sua roupa, pegou a bolsa com a gata e, no momento em que estava saindo, segurando-a pela mão, Petra, que falava ao telefone, deteve-os com um gesto.

— No laboratório já recolheram as impressões do computador e vão trazê-lo em um instante.

Um agente subiu com o laptop na mesma bolsa de plástico em que Bob Martín o colocara algumas horas antes e lhes entregou o laudo do laboratório; só havia impressões digitais de Indiana. O inspetor tirou o aparelho da bolsa e todos se reuniram em volta da escrivaninha, enquanto Amanda, que estava tão familiarizada com seu conteúdo como sua dona, começava a abri-lo com luvas de borracha. Ao se sentir útil, saíra da paralisia em que estava presa e afastara o capuz do rosto, mas sua expressão de desolação não mudara. Indiana, muito desajeitada em relação a equipamentos mecânicos ou eletrônicos, usava um percentual mínimo da capacidade de seu computador para se comunicar, guardar o histórico e o tratamento de cada paciente, sua contabilidade e pouco mais. Leram as mensagens dos últimos 23 dias, desde a morte de Alan Keller, e só encontraram correspondência banal com os destinatários habituais. Bob pediu a Petra que as copiasse, deveriam estudá-las procurando qualquer detalhe revelador. De repente, a tela ficou preta e Amanda resmungou uma maldição, porque já tivera esse problema.

— O que está acontecendo? — perguntou o inspetor.

— O Marquês de Sade. É o pervertido pessoal de minha mãe. Preparem-se, porque vão ver as porcarias que este desgraçado lhe envia.

Não acabara de falar quando a imagem voltou à tela, mas, em vez dos turvos atos de crueldade e sexo que Amanda esperava, apareceu um vídeo de uma paisagem de inverno, iluminada pela lua, em algum lugar ao norte do mundo, um claro bosque de pinheiros, neve, gelo, e o som do vento. Segundos mais tarde, destacou-se entre as árvores uma figura solitária, que a princípio parecia ser apenas uma sombra, mas, ao avançar sobre a neve, definiu-se como a silhueta de um cachorro grande. O animal fuçou o chão, andando em círculos, depois se sentou, levantou a cabeça para o céu e saudou a lua com um uivo interminável.

A cena durou menos de dois minutos e deixou todos desconcertados, exceto Amanda, que ficou em pé cambaleando com os olhos fora de órbita e um grito rouco atravessado na garganta.

— O lobo, a assinatura do assassino — conseguiu balbuciar antes de se dobrar e vomitar na cadeira ergonômica de seu pai.

Mais de uma vez você me disse que confia em sua boa sorte, Indiana, acredita que o espírito de sua mãe vela por sua família. Isso explica que não faça planos para o futuro, não economize nem um centavo, viva apertada, alegremente, como uma cigarra. Inclusive se livrou das preocupações de qualquer mãe normal, tem certeza de que

Amanda seguirá em frente por seus próprios méritos ou com a ajuda do pai e do avô; até nisso você é irresponsável. Eu a invejo, Indiana. A sorte não me favorece e nem conto com anjos da guarda. Gostaria de acreditar que o espírito da minha mãe cuida de mim, mas isso é criancice. Cuido de mim sem a ajuda de ninguém. Tomo precauções, porque o mundo é hostil e me tratou mal.

Você está muito quieta, mas sei que me ouve. Está tramando alguma coisa? Esqueça. Na primeira vez que acordou, na noite de sábado, estava tão escuro, úmido e frio, e o silêncio era tão absoluto que você achou que estava morta e sepultada. Não estava preparada para o medo. Eu, de minha parte, conheço bem o que é o medo. Você havia dormido 24 horas e estava confusa; desde então acho que teve poucos momentos de lucidez. Deixei-a gritar e gritar por um tempo, para que compreendesse que ninguém viria ajudá-la, e, quando ouviu o eco de sua voz rebatendo na imensidão desta fortaleza, o pânico fechou sua boca. Por precaução, tenho de amordaçá-la quando saio, embora não quisesse fazê-lo, porque a cola da fita adesiva vai irritar sua pele. É possível que na minha ausência você recupere a consciência por momentos e torne a perdê-la. É o efeito do medicamento que estou lhe dando para que fique confortável. É para o seu bem. É só benzodiazepina, nem um pouco nociva, embora tenha de lhe dar uma dose alta. As únicas complicações poderiam ser convulsões ou uma parada respiratória, mas isso raramente acontece. Você é forte, Indi, e eu sei muito a respeito, porque há anos estou estudando e pesquisando. Você se lembra de como chegou aqui? Certamente não lembra de nada. A cetamina que lhe apliquei na sexta-feira provoca amnésia, é uma coisa normal. É uma droga muito útil, a CIA fez experiências com ela para usá-la em interrogatórios, causa menos problemas que a tortura. Pessoalmente odeio a crueldade, ver sangue me dá enjoo, nenhum dos malfeitores executados por mim sofreu além do indispensável. No seu caso, os soníferos são convenientes, ajudam-na a passar as horas, mas amanhã começarei a reduzir a dose para evitar riscos e para que possamos conversar. Ainda a ouço murmurar alguma coisa sobre um mausoléu, acha que está enterrada, embora eu tenha lhe explicado a situação. A dor de barriga vai passar, também estou lhe dando analgésicos e antiespasmódicos, preocupo-me com o seu bem-estar. Repito que isto não é um pesadelo, Indiana, tampouco você ficou louca. É normal que não saiba o que aconteceu com você nos últimos dias, mas logo se lembrará de quem é e começará a sentir falta de sua filha, de seu pai, de sua vida anterior. A fraqueza também é normal e vai passar, tenha paciência, mas não vai melhorar se não comer. Precisa comer um pouco. Não me obrigue a tomar medidas desagradáveis. Sua vida não lhe pertence mais, sua vida é minha e estou cuidando de sua saúde, eu decidirei como e quanto você vai viver.

Terça-feira, 3

Graças ao *Ripper*, que a manteve ocupada, Amanda conseguiu sair do estado de terror em que a mergulhara a certeza de que O Lobo estava com a sua mãe. Nenhum argumento do pai conseguiu convencê-la de que a ausência de Indiana não tinha relação com os crimes anteriores; na verdade, ele tampouco acreditava nos raciocínios com que tentava tranquilizar a filha. O símbolo do lobo era a única conexão que havia entre Indiana e o assassino, mas era muito clara para ignorá-la. Por que Indiana? Por que Alan Keller? O inspetor-chefe pressentia que não lhe serviriam de nada os conhecimentos ou a experiência acumulada ao longo dos anos de sua carreira e suplicava que seu faro de policial, de que tanto se orgulhava, não falhasse.

Como Amanda continuava tendo ataques de pânico, Blake Jackson ligou para o colégio e explicou à irmã Cecile o drama de sua família, e disse que a neta não estava em condições de voltar às aulas. A religiosa autorizou a menina a se ausentar pelo tempo que fosse necessário, disse que rezaria com as outras irmãs por Indiana e pediu que a mantivessem informada. Blake tampouco foi trabalhar, dedicado inteiramente a cuidar da neta e a participar do jogo, que deixara de ser uma diversão e se transformara em uma pavorosa realidade. Os membros do *Ripper* enfrentavam a "mãe de todos os jogos", como apelidaram a procura desesperada por Indiana Jackson.

Bob Martín concluiu que o assassino era um psicopata de inteligência excepcional, metódico e implacável, um dos criminosos mais complexos e diabólicos de que tivera notícia. Afirmava que seu trabalho rotineiro era fácil, porque contava com uma rede de informantes que o mantinham a par do que ocorria nas quadrilhas, e porque a maioria dos delinquentes comuns têm ficha, são reincidentes, perversos, viciados, alcoólatras ou simplesmente idiotas, porque deixam uma trilha de pistas, tropeçam na própria sombra, traem-se, e uns delatam os outros e acabam caindo por seu próprio peso; o problema eram os criminosos de alto escalão, os que causam danos catastróficos sem sujar as mãos, escapam da justiça e morrem de velhice em suas camas. Mas, ao longo de anos de trabalho, ele nunca tivera de lidar com ninguém como O Lobo, não sabia como classificá-lo, o que o motivava, como escolhia suas vítimas e planejava cada crime. Sentia como se um punho estivesse apertando seu estômago, achava que O Lobo estava muito perto, era um inimigo pessoal. A morte de Alan Keller fora uma advertência, e o desaparecimento de Indiana, uma afronta dirigida a ele;

a espantosa possibilidade de que maltratasse Amanda o empapava de suor gelado.

Desde o desaparecimento de Indiana, o inspetor não voltara a seu apartamento, comia em uma lanchonete ou o que Petra lhe trazia, dormia numa poltrona e tomava banho no ginásio do Departamento. Na segunda-feira, Petra teve de ir à sua casa buscar roupa limpa e levar a usada à lavanderia. Ela tampouco se permitia descansar, porque nunca o vira obcecado a ponto de negligenciar a aparência, e isso a preocupava. Martín mantinha seu físico de jogador de futebol nos equipamentos do ginásio, cheirava a uma colônia que custava duzentos dólares, pagava muito pelo corte de cabelo, mandava fazer camisas sob medida de linho egípcio, seus ternos e sapatos eram exclusivos. Quando Bob Martín queria, o que vivia acontecendo, seduzia qualquer mulher, menos ela, naturalmente. Na terça-feira, bem cedo, quando Petra chegou ao escritório e viu seu chefe, soltou um palavrão de espanto: o bigode, cultivado com cuidado durante uma década, desaparecera.

— Não tenho tempo de me ocupar com os pelos da cara — resmungou o inspetor.

— Gostei, chefe. Parece mais humano. O bigode lhe dava uma aparência de Saddam Hussein. Vamos ver o que Ayani vai achar.

— O que isso importaria para ela?

— Bem, imagino que deva ser diferente com as cócegas do bigode... sabe o que estou querendo dizer.

— Não, Petra. Não tenho a menor ideia do que está querendo dizer. Minha relação com a senhora Ashton se limita à investigação da morte do marido.

— Se é assim, eu o felicito, chefe. Não lhe convinha estar envolvido com uma suspeita.

— Você sabe muito bem que não é mais suspeita. A morte de Richard Ashton está ligada aos outros casos, as semelhanças entre os crimes são evidentes. Ayani não é uma serial killer.

— Como você sabe?

— Pelo amor de Deus, Petra!

— Bem, não fique irritado. Posso lhe perguntar por que romperam?

— Não pode, mas vou lhe responder. Nunca ficamos juntos da maneira que você acha. E aqui termina este interrogatório absurdo, certo?

— Sim, chefe. Só mais uma pergunta. Por que não deu certo com Ayani? Simples curiosidade.

— Ela está traumatizada física e emocionalmente, tem impedimentos para... para o amor. No dia em que Elsa Domínguez apareceu para falar das rinhas de cachorro e você me telefonou, eu estava com Ayani. Havíamos jantado em sua casa, mas depois, em vez de ter um momento romântico, como eu esperava, ela me mostrou um longo documentário sobre mutilação genital e me falou das complicações que sofreu por causa disso, inclusive duas cirurgias. Não mantinha relações íntimas com Richard Ashton, coisa que estava estipulada no contrato matrimonial. Ayani se casou para dispor de segurança econômica e ele para exibi-la como um objeto de luxo e causar inveja.

— Mas certamente, durante a convivência, Ashton não respeitou as condições do contrato e por isso brigavam tanto — deduziu Petra.

— É o que eu acho, embora ela não tenha dito nada. Agora entendo o papel de Galang; é o único homem que tem acesso à intimidade de Ayani.

— Já lhe disse isso, chefe. Quer café? Vejo que passou de novo a noite aqui. Está com olheiras de guaxinim. Vá para casa descansar, e, se eu tiver notícias, aviso-o imediatamente.

— Não quero café, obrigado. Estive pensando que o autor dos crimes cometidos em São Francisco não é o mesmo que matou Keller em Napa. É só uma intuição, mas é possível que Ryan Miller tenha matado Alan Keller por ciúme e copiado o método do Lobo para despistar. Amanda pode ter lhe contado os detalhes que não foram publicados. Minha filha está metida até o pescoço neste assunto e tem simpatia por Miller, vá-se lá saber por quê, deve ser por causa daquele cachorro.

— Se Amanda tivesse se comunicado com Miller, já teríamos sabido.

— Tem certeza? Essa garota é capaz de enganar todos nós.

— Duvido que Miller tivesse despachado Alan Keller de uma forma tão pouco característica de um soldado e que deixasse a cena semeada de provas contra ele. É um homem inteligente, treinado para o sigilo e o segredo, com sangue-frio para as missões mais difíceis da guerra. Não se incriminaria de uma maneira tão tola.

— É o que Amanda acha — admitiu o policial.

— Se não foram O Lobo nem Miller, quem matou Keller?

— Não sei, Petra. Tampouco sei quem é o responsável pelo desaparecimento de Indiana. Miller continua sendo o suspeito mais óbvio. Coloquei Samuel Hamilton para investigar uma coisa que Amanda me sugeriu: Staton, os Constante, Ashton e Rosen trabalhavam com crianças. Essa pista pode nos levar ao Lobo.

— Por que recorreu a Hamilton? — perguntou Petra.

— Porque pode investigar sem usar os serviços do Departamento, que são limitados, e porque tem experiência. Esse homem me inspira confiança.

• • •

Os jogadores de *Ripper*, inclusive Jezabel, haviam abandonado suas rotinas e atividades normais para se dedicar por completo a estudar os casos, cada um com suas habilidades particulares. Mantinham-se em contato permanente pelos celulares e se reuniam em videoconferência assim que descobriam uma nova pista, muitas vezes de madrugada. Diante da urgência da tarefa, Abatha começou a comer para que não lhe faltasse energia, e sir Edmond Paddington se atreveu a sair de seu aposento, onde estava trancado havia anos, para conversar pessoalmente com um velho policial irlandês de Nova Jersey, já aposentado, expert em serial killers. Esmeralda e Sherlock Holmes, um em Auckland, Nova Zelândia, e o outro em Reno, Nevada, analisavam as informações disponíveis mais uma vez, partindo do zero. E foi Abatha quem encontrou a chave para abrir a caixa de Pandora.

— Tal como nos disse Sherlock Holmes em uma partida anterior, todos os corpos, menos o de Rachel Rosen, que foi encontrado três dias após a sua morte, apresentavam *rigor mortis*, o que permite calcular a hora do crime. Sabemos com certeza que cinco vítimas morreram por volta da meia-noite, e podemos admitir que o mesmo aconteceu com Rosen — disse Jezabel, no papel de Miller e Alarcón.

— Para que nos serve isso? — perguntou Esmeralda.

— Significa que o assassino só age à noite.

— Pode ser que trabalhe de dia — disse Sherlock Holmes.

— É por causa da lua — interveio Abatha.

— Como por causa da lua? — perguntou Esmeralda.

— A lua é misteriosa, indica os movimentos da viagem da alma de uma reencarnação a outra, representa o feminino, a fertilidade, a imaginação e as cavernas obscuras do inconsciente. A lua afeta a menstruação e as marés — explicou a vidente.

— Pare, Abatha, vamos ao ponto — interrompeu-a sir Edmond Paddington.

— O Lobo ataca na lua cheia — concluiu Abatha.

— Explique-se, Abatha, você está divagando.

— Posso falar? — perguntou Kabel.

— Ajudante, ordeno que, de agora em diante, você fale quando tiver alguma coisa a dizer sem pedir permissão — disse a mestra do jogo, impaciente.

— Obrigado, mestra. Prestaram atenção que aconteceu um assassinato por mês? Talvez Abatha tenha razão — sugeriu o ajudante.

— Todos os crimes aconteceram na lua cheia — disse Abatha, com mais firmeza do que habitualmente, porque havia comido meia rosquinha.

— Tem certeza? — perguntou Esmeralda.

— Vejamos. Tenho aqui os calendários de 2011 e 2012 — interveio Jezabel.

— O Lobo cometeu os assassinatos em 11 de outubro e 10 de novembro do ano passado, 9 de janeiro, 7 de fevereiro e 8 de março deste ano — disse Sherlock Holmes.

— Lua cheia! Em todos os casos a lua estava cheia! — exclamou Jezabel.

— Vocês acham que estamos diante de um ser que é metade humano e metade besta, e se transforma nas noites de lua cheia? — sugeriu Esmeralda, entusiasmada com essa possibilidade.

— Eu e meu avô estudamos os licantropos quando nos cansamos dos vampiros, você se lembra, Kabel? — disse Amanda.

— O lobisomem é o mais inteligente e agressivo dos licantropos — recitou o avô. — Tem três formas de licantropia: humana, híbrida e lobo. Não é sociável, vive sozinho, age à noite. Em sua forma híbrida ou de lobo, é carnívoro e muito selvagem, mas em sua forma humana não se distingue de outras pessoas.

— Isso é fantasia e não estamos mais brincando, isto é real — observou o coronel Paddington.

— No hospital onde me internaram no ano passado havia um sujeito que se transformava em homem aranha. Ficava amarrado para que não saísse voando pela janela. Nosso assassino acha que é lobisomem — insistiu Abatha.

— Você quer dizer que está louco — disse Amanda.

— Louco? Não sei. Também dizem que estou louca — replicou Abatha.

Enquanto os jogadores digeriam essas informações, fez-se um longo silêncio, interrompido por uma das perguntas típicas de Esmeralda.

— O que aconteceu na lua cheia de dezembro?

O inspetor-chefe teve um momento de pânico quando Amanda ligou para ele às cinco da madrugada com a história do lobisomem e da lua cheia; sua filha era muito mais estranha do que todos supunham e havia chegado o momento de recorrer a um psiquiatra. No entanto, ao comparar, momentos mais tarde, as datas dos crimes com as fases da lua, que ela lhe explicara aos borbotões, admitiu reexaminar os fatos policiais de 10 de dezembro do ano anterior, noite de lua cheia, e do restante daquela semana. O assunto tinha um aspecto tão insensato que não se atreveu a delegá-lo a um de seus detetives que, além disso, estavam ocupados com as investigações pendentes e com os dois agentes do FBI, que haviam alterado o ritmo do Departamento de Homicídios, e por isso o encomendou a Petra Horr. Trinta e cinco minutos depois, a assistente colocou as informações solicitadas em sua escrivaninha.

Na noite em questão, aconteceram vários falecimentos por causas não naturais em São Francisco, brigas, acidentes, suicídio e overdoses; enfim, as desgraças de rotina, mas apenas um caso mereceu a atenção do inspetor e de sua assistente, um acidente ocorrido na única área de camping da cidade, em Rob Hill, e descrito na sucinta linguagem dos boletins policiais. Na manhã de 11 de novembro, as poucas pessoas que estavam acampadas no Rob Hill Camp Ground se queixaram ao zelador que havia cheiro de gás perto de um dos trailers. Como ninguém respondeu quando bateram na porta, o zelador forçou a entrada e encontraram os corpos de um casal de turistas, Sharon e Joe Farkas, provenientes de Santa Bárbara, Califórnia, asfixiados com monóxido de carbono. Não foram feitas autópsias, pois a causa da morte parecia óbvia: um acidente produzido porque o casal estava embriagado e não percebera um vazamento de butano no fogareiro. Havia uma garrafa de genebra pela metade no trailer. A polícia localizou um irmão de Joe Farkas em Eureka, o qual se apresentou dois dias depois para identificar os corpos. O homem quis levar o trailer, mas este foi confiscado pela polícia até que fossem concluídos os procedimentos do caso.

Bob Martín designou um detetive para procurar o irmão de Joe e entrar em contato com a polícia de Santa Bárbara para obter informações sobre as vítimas, e ordenou à sua equipe de investigadores forenses que varresse o trailer dos Farkas à procura de qualquer coisa que pudesse ser útil. Depois telefonou para a filha, agradeceu-lhe pela pista que lhe dera e informou-a sobre o casal que falecera na lua cheia de dezembro.

— É outra execução, como as anteriores, papai. O trailer foi a câmara de gás dos Farkas.

— Alan Keller foi envenenado.

— Também é uma forma de execução. Lembre-se de Sócrates.

— De quem?

— De Sócrates, um grego que morreu há muito tempo. Obrigaram-no a beber cicuta. Os nazistas também executaram com cianureto vários generais que caíram em desgraça. Mas nada disso nos ajuda a encontrar minha mãe.

— O sequestro é um crime federal. Toda a polícia do país está procurando Indiana. Ligue a televisão e verá a fotografia de Indiana em todos os canais — disse o inspetor.

— Eu já vi, papai. Várias pessoas telefonaram para nos dar as condolências, e Elsa veio ficar com a gente até mamãe aparecer. Você interrogou os pacientes dela?

— É claro, é de rotina, mas ninguém sabe de nada. Ninguém está na categoria de suspeito. Diga com franqueza, filha: você acha que Indiana foi embora com Ryan Miller? Os dois desapareceram.

— O Lobo está com ela. Como você não consegue entender?

— Essa é apenas uma teoria, mas estou considerando-a muito seriamente.

— Faltam três dias para a lua cheia, papai. O Lobo atacará de novo — disse a menina, e um soluço cortou sua voz.

Bob Martín prometeu mantê-la a par de cada passo da investigação. Quando ela lhe respondeu que procuraria a mãe por conta própria, ele imaginou que se referia ao *Ripper* e sentiu uma vaga sensação de alívio, como se o céu tivesse lhe enviado uma ajuda mágica. Começava a levar aquelas crianças a sério.

Quarta-feira, 4

Cumprindo o que prometera, o inspetor-chefe entrou em contato com a filha às sete da manhã para lhe revelar os detalhes das investigações de Samuel Hamilton. O segurança, Ed Staton, que havia sido acusado em várias ocasiões de abusar fisicamente dos meninos sob sua responsabilidade no Boys Camp e que fora despedido devido à morte de um garoto em 2010, pouco depois conseguira trabalho em uma escola de São Francisco, graças a uma carta de recomendação da juíza Rachel Rosen.

A mulher, apelidada de a Carniceira pelas sentenças draconianas que impunha aos jovens que passavam por seu juizado, recebia frequentes convites para fazer conferências em reformatórios, alguns denunciados centenas de vezes por maus-tratos aos internos. Seus honorários eram de dez mil dólares por palestra. A Califórnia, que carregava uma crescente população penal, subcontratava os serviços correcionais para menores em outros estados e, graças a Rosen, o Boys Camp e outros estabelecimentos privados semelhantes contavam com um fluxo ininterrupto de clientes. Não era possível acusá-la de receber comissões ou subornos; as vantagens que obtinha eram os pagamentos por suas conferências e presentes: entradas de teatro, caixas de bebidas, férias no Havaí, cruzeiros pelo Mediterrâneo e Caribe.

— Outra coisa que vai lhe interessar, Amanda, é que Rachel Rosen e Richard Ashton conheciam-se profissionalmente. O psiquiatra fazia a avaliação psicológica de crianças e jovens que passavam pelos Juizados e pelo Serviço de Proteção à Infância — disse o inspetor-chefe.

— E suponho que o lar dos Constante recebia crianças enviadas por Rosen.

— Isso não cabe ao juiz, e sim ao Serviço de Proteção à Infância, mas é possível dizer que havia uma relação indireta entre eles — explicou seu pai. — Ouça isto, Amanda. Em 1997, houve uma denúncia contra Richard Ashton, rapidamente abafada, por usar eletrochoques e drogas experimentais no tratamento de menores. Os métodos de Ashton eram duvidosos, para dizer o mínimo.

— É preciso investigar os Farkas, papai.

— Já estamos fazendo isso, filha.

Você deveria estar mais desperta, Indi, estou vendo que é muito sensível aos medicamentos. Poderia me demonstrar um pouco de gratidão, tento lhe proporcionar o máximo de conforto, dadas as circunstâncias. Embora não possamos comparar isto com o Hotel Fairmont, você conta com uma cama decente e comida fresca. A cama estava aqui, é a única, tudo mais são macas para os feridos, dois paus e uma lona. Eu trouxe outra caixa de emplastos e um antibiótico para a febre. Esta febre complica um pouco meus planos, já está na hora de acordar, porque não está realmente drogada, só estou lhe dando um coquetel de analgésicos, sedativos e soníferos para mantê-la tranquila, são doses adequadas, nada que justifique seu estado de prostração.

Faça um esforço para voltar ao presente. Como está a sua memória? Lembra-se de Amanda? É uma menina curiosa. A curiosidade é a mãe de todos os pecados, mas também de todas as ciências. Sei muito a respeito de sua filha, Indiana; por exemplo, sei que, neste momento, ela se dedica a procurá-la e, se for tão esperta como todos acreditam, será capaz de entender as indicações que lhe dei, mas acho que jamais as descobrirá a tempo. Pobre Amanda, tenho pena dela, passará o resto da vida culpando-se por isso.

Você deveria ver como está limpa, Indiana. Tive trabalho para lhe dar banhos de esponja e, se cooperasse um pouco, poderia lavar seus cabelos. Minha mãe dizia que a virtude começa pela higiene: corpo limpo, mente limpa. Mesmo nos períodos em que vivíamos em um automóvel ou em uma caminhonete, ela sempre dava um jeito para que pudéssemos tomar banho todos os dias; para ela, isso era tão importante quanto a alimentação. Aqui temos cem tambores de água, lacrados desde a Segunda Guerra Mundial, e, você não vai acreditar, também há um belo móvel de madeira talhada com um espelho de cristal biselado, intacto, sem uma rachadura. Os edredons também são dessa época, é admirável que estejam limpos e em bom estado, vê-se que não há traças. Confie em mim, não vou permitir que tenha piolhos ou pegue uma infecção, também a protejo dos insetos; suponho que neste lugar deve haver todo tido de bichos asquerosos, especialmente baratas, embora eu tenha dedetizado muito bem este quartinho antes de trazê-la para cá. Não poderia dedetizar tudo, é claro, este lugar é enorme. Não há ratos, porque as corujas e os gatos se encarregam de eliminá-los. Há centenas de corujas e gatos, que vivem aqui há gerações. Sabia que lá fora também há muitos pavões selvagens?

Depois de lavá-la, vesti-a com sua camisola elegante, aquela que Keller lhe deu de presente e estava reservada para ocasiões especiais. O que poderia ser mais especial do que esta? Tive de jogar sua calça no lixo, estava ensanguentada e não posso ficar lavando roupa. Sabia que tenho a chave do seu apartamento? As roupas de baixo que desapareceram de seu closet estão comigo, queria ter uma lembrança sua e peguei-as sem imaginar que nos serviriam agora. As voltas que a vida dá! Posso entrar quando quiser em seu apartamento, o alarme que seu ex-marido instalou é um brinquedo; de fato, estive lá no domingo e desci à casa de seu pai, dei uma olhada em Amanda, que dormia abraçada com a gata, e achei que estava bem, embora saiba que tem estado muito nervosa e por isso não tem ido ao colégio; não é para menos, pobre garota. Também tenho a chave de seu consultório e a senha de seu computador; eu a pedi para comprar entradas para o cinema e você me deu sem vacilar; é muito descuidada, mas também é verdade que não tinha motivos para suspeitar de mim.

Vou ter de amordaçá-la de novo. Tente descansar, eu voltarei à noite, porque não posso entrar e sair a qualquer hora. Embora não acredite, lá fora é de manhã. As paredes deste quarto são cortinas de um material estranho, como borracha preta ou lona emborrachada, pesadas, porém mais ou menos flexíveis, impermeáveis, por isso você acha que é sempre noite. O teto afundou em algumas partes da fortaleza, e durante o dia penetra um pouco de luz, mas não chega até aqui. Você haverá de entender que não posso lhe deixar um abajur, seria perigoso. Sei que as horas lhe parecem eternas e que fica me esperando, ansiosa. Certamente tem medo de que eu a esqueça ou de que aconteça alguma coisa comigo e eu não consiga regressar, então você morreria de inanição, amarrada na cama. Não, Indi, não vai acontecer nada comigo, eu voltarei, prometo. Vou lhe trazer comida e não quero obrigá-la a comer à força. O que você gostaria de comer? Peça-me o que quiser.

• • •

O relógio de parede do inspetor-chefe era uma relíquia dos anos 1940, que o Departamento de Homicídios preservava por razões históricas e por sua infalível precisão suíça. Bob Martín, que o tinha diante de sua escrivaninha ao lado de várias fotografias de cantores mexicanos, entre eles seu pai com seu grupo de mariachis, sentia que sua pressão subia à medida que os ponteiros metálicos marcavam o passar do tempo. Se Amanda estivesse certa — e certamente estava —, dispunha apenas de dois dias e algumas horas, só até a noite de sexta-feira, para encontrar Indiana com vida. Sua filha o convencera de que encontrar sua mãe também significaria pegar o psicopata sanguinário que andava solto pela cidade, embora não conseguisse estabelecer uma relação entre Indiana e o criminoso.

Às nove da manhã, recebeu um telefonema de Samuel Hamilton, que no dia anterior se dedicara a comparar a lista de amigos do laptop de Indiana com a sua. Às 9h05, o inspetor vestiu o paletó, ordenou a Petra Horr que o acompanhasse e partiu para North Beach em uma viatura da polícia.

Na Clínica Holística, todos já tinham visto a fotografia de Indiana Jackson na televisão ou nos jornais, e vários de seus colegas estavam comentando o fato no corredor do segundo andar, diante da porta do consultório número 8, lacrado com a fita amarela da polícia. Petra Horr ficou com eles, anotando seus dados, enquanto o inspetor subia correndo ao terceiro andar e trepava com a agilidade de um símio pela escadinha que levava à água-furtada. Não bateu na porta desconjuntada, abriu-a com um pontapé, entrou bufando de impaciência e foi até a cama onde Matheus Pereira dormia, completamente vestido e de botas, o doce sono de seu cachimbo. O pintor acordou suspenso no ar pelas manzorras de jogador de futebol americano de Bob Martín, que o sacudiam como se fosse um fantoche.

— Você vai me dizer com quem Indiana saiu na sexta-feira!

— Já lhe disse tudo o que sei... — replicou Pereira, que ainda não acordara inteiramente.

— Quer passar os próximos dez anos na prisão por tráfico de drogas? — ameaçou o inspetor a poucos centímetros de sua cara.

— Saiu com uma mulher, não sei como se chama, mas a vi várias vezes por aqui.

— Descreva-a.

— Se me soltar, poderei fazer seu retrato — sugeriu o brasileiro.

Pegou um carvão e, em poucos minutos, entregou ao inspetor o retrato de uma babushka russa.

— Está gozando com a minha cara, desgraçado? — rugiu Martín.

— É ela, eu lhe garanto.

— Chama-se Carol Underwater? — perguntou o inspetor. Era o nome que Samuel Hamilton lhe dera e que não estava nas mensagens eletrônicas de Indiana, que Petra havia copiado antes de o computador ter sido guardado com o resto das evidências.

— Sim, tenho quase certeza de que se chama Carol — assentiu Pereira. — É amiga de Indiana. Saíram juntas, eu estava lá embaixo, no saguão, e as vi sair.

— Disseram alguma coisa?

— Carol me disse que iam ao cinema.

O policial desceu para o segundo andar e fez circular o desenho entre os inquilinos da Clínica Holística, que ainda estavam no corredor com Petra; vários confirmaram que, em algumas oportunidades, tinham visto a mulher na companhia de Indiana. Yumiko Sato acrescentou que Carol Underwater padecia de câncer e havia perdido os cabelos na quimioterapia; isso explicava o lenço de camponesa russa na cabeça.

Ao chegar ao escritório, o inspetor colocou o esboço feito por Matheus Pereira no painel da parede diante de sua escrivaninha, onde havia espalhado o restante das informações que poderiam orientá-lo na procura do Lobo e de Indiana. Dessa maneira, com ela diante de seus olhos o tempo todo, alguma coisa lhe ocorreria. Sabia, porque havia acontecido com ele em várias ocasiões, que o excesso de dados e a pressão para resolver um problema a curto prazo costumavam impedi-lo de raciocinar com clareza. Neste caso, somava-se a angústia que sentia. Comparava-se a um cirurgião forçado a fazer uma cirurgia grave em um ser querido: a vida de Indiana dependia da sua habilidade. No entanto, confiava em seu instinto de caçador, como chamava aquela parte de seu cérebro que lhe permitia descobrir pistas invisíveis, adivinhar os passos que sua presa teria dado e daria, chegar a conclusões sem fundamento lógico e quase sempre corretas. O painel na parede lhe servia para relacionar os diversos aspectos da investigação, mas, sobretudo, para estimular o instinto de caçador.

Desde que sua filha começara a falar de um serial killer, ele havia se reunido várias vezes com os psicólogos forenses de seu Departamento para estudar casos semelhantes ocorridos nos últimos vinte anos, em especial na Califórnia. Essa forma de assassinato sistemático não era uma conduta espontânea, correspondia a fantasias recorrentes que iam se gestando ao longo de anos até que alguma coisa desencadeava a decisão de agir. Alguns pretendiam castigar homossexuais ou prostitutas, outros eram impelidos pelo ódio racial ou algum tipo de fanatismo, mas as vítimas do Lobo eram tão distintas umas das outras que pareciam escolhidas ao acaso. Perguntou-se que convicções e que imagem de si mesmo teria O Lobo, se por acaso se achava vítima ou justiceiro. Todos somos heróis de nossa própria história. Qual seria a do Lobo? Para pegá-lo, o inspetor precisava pensar como ele, devia se transformar no Lobo.

Ao meio-dia, Petra Horr lhe disse que não haviam encontrado um único indício de que Carol Underwater existisse. Não havia carteira de motorista, veículo, propriedade, cartão de crédito, conta bancária, telefone ou emprego sob esse nome, tampouco tinha sido registrada como paciente de câncer em nenhum hospital nem clínica da baía de São Francisco e arredores. Como se comunicava com Indiana? Talvez alguém com acesso ao laptop tivesse apagado as mensagens, da mesma forma como havia enfiado a cena do lobo, ou que só conversassem por telefone. Como não encontraram o celular de Indiana, Bob Martín pediu imediatamente uma ordem judicial para que a companhia telefônica rastreasse as chamadas daquele número, mas isso demoraria dois dias. Por ora, Carol Underwater, a quem tantas pessoas tinham visto nos últimos meses, era um fantasma.

Ninguém teve a delicadeza de dizer a Celeste Roko que Indiana havia desaparecido. Ela ficou sabendo alguns dias depois por um telefonema histérico de sua amiga Encarnación Martín, que havia negociado com São Judas Tadeu que encontrasse a mãe de sua neta.

— Você não viu Indiana na tevê? Minha pobre Amanda! Não sabe como isto afetou a menina! Está meio sem juízo, acha que a mãe foi sequestrada por um lobisomem — disse Encarnación.

Celeste, que duas semanas antes vira a fotografia de Ryan Miller na televisão, apresentou-se no Departamento de Homicídios determinada a conversar com o inspetor-chefe e, quando Petra Horr tentou impedi-la, encostou-a na parede com um empurrão. O enorme respeito que a astrologia lhe inspirava impediu a assistente de usar seus conhecimentos de artes marciais para detê-la. Roko irrompeu na sala de Bob Martín brandindo, a milímetros de seu nariz, uma pasta que continha dois mapas astrais e um resumo da leitura comparada de ambos, que acabara de realizar. Explicou-lhe que, em seus longos anos dedicados ao estudo dos astros e da psicologia humana segundo a escola de Carl Gustav Jung, nunca lhe coubera ver duas pessoas mais compatíveis psiquicamente do que Indiana Jackson e Ryan Miller. Haviam estado juntos em vidas anteriores. Sem ir mais longe, recentemente tinham sido mãe e filho, e estavam destinados a se encontrar e se separar até que conseguissem resolver seus conflitos espirituais e psíquicos. Nesta reencarnação, tinham uma verdadeira oportunidade de romper esse ciclo.

— Não me diga! — replicou o policial, indignado com a interrupção.

— É isso mesmo. Estou lhe avisando, Bob, porque, se Indiana e Ryan escaparam juntos, como deve ter acontecido, pois está escrito na configuração dos astros, e você tentar separá-los, vai sujar gravemente seu carma.

— Que meu carma se foda! Estou tentando fazer o meu trabalho e você vem me aborrecer com essas idiotices. Indiana não fugiu com Miller, foi sequestrada pelo Lobo! — gritou Bob Martín, fora de si.

Pela primeira vez em muito tempo, Celeste Roko, pasma, não soube o que responder. Quando conseguiu reagir, colocou os mapas astrais na pasta, recuperou sua bolsa de couro de crocodilo e recuou, equilibrando-se em seus saltos altos.

— Você sabe, por acaso, qual é o signo zodiacal desse lobisomem? — perguntou timidamente da porta.

Abra os olhos, Indi, tente prestar atenção no que estou lhe dizendo. Olhe, a fotografia desta carteira de motorista de 1985 é a única da minha mãe; se existiram outras, ela as destruiu, era muito cuidadosa com sua privacidade. Não há também fotos minhas anteriores aos 11 anos. Esta foto é péssima, todo mundo parece delinquente na carteira de motorista, minha mãe está gorda e despenteada, embora não fosse assim. Tinha vários quilos a mais, é verdade, mas nunca teve essa cara de louca e andava sempre impecável, sem um único fio de cabelo fora do lugar, nisso era obsessiva e, além do mais, seu trabalho o exigia. Os hábitos inculcados por ela guiam minha vida: limpeza, exercício, comida saudável, nada de fumar nem de beber álcool. Quando criança, eu não podia sair para praticar esportes, como outras crianças, tinha de ficar dentro de casa, mas ela me ensinou os benefícios da ginástica e isso é até hoje a primeira coisa que faço quando acordo. Logo você terá de fazer um pouco de exercício, Indiana, precisa se mexer, mas vamos esperar que pare de sangrar e que tenha recuperado o equilíbrio.

Tive a melhor mãe que se pode ter, completamente dedicada a mim, que me adorava, cuidava de mim, protegia. O que teria sido de mim sem essa santa mulher? Ela foi mãe e pai para mim. À noite, depois de jantar e revisar meus deveres, lia uma história para mim, rezávamos e depois ela me cobria na cama, me beijava na testa e me dizia que eu era a sua menina linda e boa. De manhã, antes de sair para trabalhar, ela me dizia o que eu deveria estudar, despedia-se com um abraço apertado, como se temesse que não tornássemos a nos ver, e, se eu não chorasse, me dava uma bala.

— Vou voltar logo, meu amor, comporte-se bem, não abra a porta para ninguém, não atenda o telefone e não faça barulho, porque os vizinhos começam a cochichar, você sabe como as pessoas são más.

As medidas de segurança eram para o meu próprio bem, lá fora existiam inúmeros perigos, crimes, violência, acidentes, germes, não se podia confiar em ninguém, foi o que me ensinou. O dia me parecia longo. Não me lembro de como eu passava as horas em meus primeiros anos, parece que ela me deixava em um cercado ou me amarrava ao pé de um móvel com uma corda na cintura, como um cachorrinho, para evitar que eu me machucasse, e me deixava brinquedos e comida ao alcance da mão, mas, assim que fiz uso da razão, isso não foi mais necessário, porque aprendi a me entreter sozinha. Em sua ausência, eu limpava o apartamento e lavava a roupa, mas não cozinhava porque ela temia que eu me cortasse ou queimasse. Também via televisão e brincava, mas, antes de qualquer coisa, fazia meus deveres. Estudava em casa; minha mãe era uma boa professora e eu aprendia depressa, e assim, quando finalmente fui para a escola, estava muito mais preparada do que as outras crianças. Por isso, fui mais tarde.

Você quer saber há quanto tempo está aqui, Indiana? Há apenas cinco dias e seis noites, que, no lapso de uma vida, não é nada, sobretudo se os passou dormindo. Tive de colocar fraldas em você. A princípio, era melhor que dormisse, porque a alternativa teria sido mantê-la com um capuz na cabeça e algemada, como os presos de Guantánamo e Abu Ghraib. O capuz é asfixiante, há pessoas que enlouquecem com isso, e as algemas são muito incômodas, as mãos incham, os dedos ficam roxos, o metal se incrusta nos pulsos e, às vezes, as feridas infeccionam. Em suma: um problema. Você não está em condições de suportar nada disso e não pretendo fazê-la sofrer mais do que o necessário, mas precisa colaborar comigo e se comportar bem. É o mais conveniente.

Eu estava lhe falando da minha mãe. Disseram que era paranoica, que sofria de mania de perseguição, que por isso me mantinha trancada e vivíamos fugindo. Não é verdade. Minha mãe tinha bons motivos para fazer o que fazia. Eu adorava aquelas viagens: os postos de gasolina, os lugares onde parávamos para comer, as eternas rodovias, as paisagens diferentes. Às vezes, dormíamos em motéis, outras vezes acampávamos. Que liberdade! Viajávamos sem um plano, parando em qualquer lugar; quando gostávamos de um lugar, ficávamos lá por um tempo, instalávamo-nos como podíamos, dependendo do dinheiro que tivéssemos, primeiro em um quarto e depois, quando ela encontrava emprego, nos mudávamos para alguma coisa melhor. Para mim sempre dava no mesmo onde estivéssemos, todos os quartos eram parecidos. Minha mãe sempre conseguia trabalho, pagavam-lhe bem, e era muito organizada, gastava pouco, economizava, e assim sempre estava preparada quando precisávamos ir para outro lugar.

Naquele mesmo momento, os participantes do *Ripper* se apresentavam novas questões. A mestra do jogo os informara de cada detalhe da investigação policial e o último que tinham nas mãos era o mistério de Carol Underwater, a quem Amanda devia nada menos que Salve-o-Atum.

— Achei curioso que houvesse uma denúncia contra Richard Ashton por ter maltratado um menino em 1997 e outra contra Ed

Staton em 1998. Mandei meu ajudante fazer certas averiguações — disse Amanda.

— Não quis incomodar o inspetor-chefe, que está cheio de trabalho, mas Jezabel, que tem acesso a todo tipo de informação, me ajudou. Não sei como você faz, Jezabel, você deve ser uma hacker experiente, uma pirata da informática de primeira ordem...

— Isso tem algo a ver com o tema em discussão, ajudante? — perguntou Esmeralda.

— Perdão. A mestra do jogo achou que havia uma conexão entre as duas denúncias e, graças a Jezabel, confirmo que há, sim. Além disso, existe uma conexão com a juíza Rachel Rosen. As duas denúncias foram feitas ao Juizado de Menores por uma assistente social e se referem ao mesmo menino, um tal de Lee Galespi.

— O que se sabe dele? — perguntou Esmeralda.

— Era órfão — disse Denise West em seu papel de Jezabel, lendo o papel que Miller lhe dera. — Passou por vários orfanatos, mas em todos teve problemas, era um garoto difícil, com diagnóstico de depressão, fantasias delirantes, incapaz de se relacionar. Richard Ashton foi designado para ser seu psiquiatra e o tratou por um tempo, mas a assistente social o denunciou por usar eletrochoque. Galespi era um menino tímido, traumatizado, vítima dos garotos cruéis da escola, aqueles brutos que nunca faltam. Aos 15 anos, foi acusado de provocar um incêndio no banheiro da escola, onde estavam os garotos que o molestavam. Ninguém ficou machucado, mas Galespi foi mandado para um reformatório.

— Suponho que foi Rachel Rosen quem o condenou e que o reformatório era o Boys Camp do Arizona, onde estava Ed Staton — interveio Sherlock Holmes.

— Bem pensado — disse Jezabel. — A mesma assistente social denunciou Ed Staton por abusar sexualmente de Lee Galespi, mas Rosen não o tirou do Boys Camp.

— Podemos falar com essa assistente social? — perguntou Esmeralda.

— Ela se chama Angelique Larson, aposentou-se e está morando no Alasca, onde trabalha como professora — informou Jezabel.

— Para isso existe o telefone. Ajudante, consiga o número dessa senhora — ordenou a mestra.

— Não será necessário, já o tenho — anunciou Jezabel.

— Maravilhoso, por que não telefonamos para ela? — perguntou Esmeralda.

— Porque não vai responder a perguntas de um bando de crianças como a gente. Seria diferente se a polícia ligasse — disse o coronel Paddington.

— Não custa nada tentar, quem se atreve? — perguntou Abatha.

— Eu me atrevo, mas acho que a voz do meu avô, digo, a voz de Kabel parecerá mais convincente. Adiante, ajudante, ligue e diga que é da polícia, tente falar com tom de autoridade.

Blake Jackson, sem querer se passar por policial, pois talvez fosse ilegal, apresentou-se como escritor, uma meia mentira, porque já estava pensando seriamente em realizar o sonho de sua vida e se transformar em romancista. Por fim tinha um tema: O Lobo, como lhe sugeriu sua neta. Angelique Larson era uma pessoa tão aberta e amável que o ajudante lamentou tê-la enganado, mas já era tarde para se retratar. A mulher se lembrava muito bem de Lee Galespi, porque ele ficara vários anos sob sua responsabilidade e seu caso fora o mais interessante de sua carreira.

Conversou durante 35 minutos com Blake Jackson, contou-lhe o que sabia de Galespi e lhe disse que não ouvia nada a seu respeito desde 2006, mas que antes dessa data sempre se comunicavam no Natal. Angelique e Blake se despediram como velhos amigos. Ela se ofereceu para voltar a conversar com ele quando quisesse e lhe desejou boa sorte com seu romance.

Angelique Larson recordava detalhadamente sua primeira impressão de Lee Galespi e a repassava amiúde em sua mente, porque aquele menino chegara a representar a síntese de seu trabalho de assistente social, com todas as suas frustrações e raros momentos de satisfação. Centenas de criaturas como Galespi eram resgatadas pelo Serviço Social de alguma situação espantosa e em pouco tempo voltavam em piores condições, mais feridas e com menos esperança, cada vez mais inacessíveis, até que completavam 18 anos e perdiam a pouca proteção que haviam recebido e eram jogadas na rua. Para Angelique, todas aquelas crianças se fundiam em Galespi e passavam por etapas semelhantes: timidez, angústia, tristeza e terror, que, com o tempo, se tornavam rebeldia e raiva e, por fim, cinismo e frieza; então, já não havia mais nada a fazer, tinha de se despedir delas com a sensação de que as estava atirando às feras.

Larson disse a Blake Jackson que, no verão de 1993, uma mulher sofrera um enfarte em um ponto de ônibus e, em meio à comoção que houve na rua, antes que chegassem a polícia e uma ambulância, alguém lhe arrancou a bolsa. Foi internada inconsciente, em estado grave e sem documentos, no Hospital Geral de São Francisco. A mulher ficou em coma três semanas e morreu de um segundo enfarte fulminante. Então, a polícia interveio e conseguiu identificá-la: Marion Galespi, 61 anos, enfermeira temporária do hospital Laguna Honda, residente em Daly City, no sul de São Francisco. Dois agentes se apresentaram em seu endereço, um modesto prédio de pessoas de baixa renda, e, como ninguém respondeu à campainha, chamaram um serralheiro, que não conseguiu abrir a porta porque estava trancada com dois ferrolhos por dentro. Alguns vizinhos apareceram no corredor para ver o que estava acontecendo e assim ficaram sabendo da morte da mulher que ocupara aquele apartamento. Não haviam sentido sua falta, disseram, porque Marion Galespi estava havia poucos meses no edifício, não era amistosa e quase não cumprimentava quando topavam com ela no elevador. Um dos curiosos perguntou onde estava a filha e explicou aos policiais que ali também vivia uma menina, que não fora vista por ninguém porque não ia a lugar nenhum. Segundo sua mãe, a menina sofria de problemas mentais e de uma doença de pele que se agravava com o sol, por isso não ia à escola e estudava em casa; era muito tímida e obediente, ficava tranquila quando ela ia ao trabalho.

Uma hora mais tarde, os bombeiros instalaram uma escada telescópica na rua, quebraram uma janela, entraram no apartamento e abriram a porta para os policiais. A modesta habitação consistia em uma sala, um quarto pequeno, uma cozinha embutida em uma parede e um banheiro. Continha um mínimo de móveis; no entanto, havia várias malas e caixas e nenhum objeto pessoal, salvo uma imagem colorida do Sagrado Coração de Jesus e uma estatueta em gesso da Virgem Maria. Cheirava a mofo e parecia desabitada, de maneira que não se entendia por que a porta estava trancada. Na cozinha, encontraram restos de embalagens de cereais, latas de conservas, duas garrafas de leite e uma de suco de laranja, todas vazias. Os únicos sinais da existência da menina eram roupas e cadernos escolares; não encontraram um único brinquedo. Os policiais estavam dispostos a ir embora quando ocorreu a um deles dar uma última olhada no armário, afastando a roupa pendurada. Ali estava a menina, escondida embaixo de uma pilha de panos, agachada como um animal. Ao ver o homem, a criatura começou a gemer, tão aterrorizada que ele não quis arrancá-la de seu refúgio à força e pediu ajuda. Logo chegou uma policial feminina, que, depois de passar um bom tempo suplicando, conseguiu convencer a menina a sair. Estava imunda, desgrenhada, fraca e com expressão enlouquecida. Antes que conseguisse dar três passos, a mulher teve de sustentá-la, porque desmaiou em seus braços.

Angelique Larson viu Lee Galespi pela primeira vez no hospital, horas depois de seu dramático resgate do apartamento de Daly City. Estava em uma maca do pronto-socorro, conectada a um tubo de soro, semiadormecida, mas atenta a qualquer um que se aproximasse. A médica residente disse que parecia famélica e desidratada, havia devorado biscoitos, mingau, gelatina, tudo que colocaram na sua frente, mas vomitou imediatamente. Apesar de seu estado de fraqueza, defendeu-se como uma gata raivosa quando tentaram tirar seu vestido para examiná-la, e a doutora decidiu que não valia a pena violentá-la; era preferível esperar que o tranquilizante que lhe ministrara fizesse efeito. Larson comentou que a menina berrava quando um homem se aproximava. A assistente social pegou a mão de Lee, disse-lhe quem era, por que estava ali, garantiu-lhe que não tinha nada a temer e que ficaria a seu lado pelo tempo necessário, até que chegasse sua família.

— Minha mãe, quero minha mãe — repetia a menina, e Angelique Larson não teve coração para lhe dizer naquele momento que sua mãe havia morrido.

Lee Galespi dormia profundamente quando a despiram para que a doutora pudesse examiná-la. Então constataram que era um menino.

Galespi foi internado no Departamento de Pediatria do hospital enquanto a polícia tentava em vão localizar algum parente; Marion Galespi e seu filho pareciam ter saído do nada, não tinham família, passado nem raízes. O menino sofria de eczema de origem alérgica e alopecia nervosa, precisava de tratamento odontológico, ar, sol e exercício, mas não apresentava nenhum indício de enfermidade física ou mental, como acreditavam seus vizinhos de Daly City. Sua certidão de nascimento, assinada por um tal de doutor Jean-Claude Castel, com data de 23 de julho de 1981, indicava que o parto ocorrera em casa, em Fresno, Califórnia, sexo masculino, raça caucasiana, pesava 3 quilos e duzentos e media 50 centímetros.

Em janeiro de 1994, o doutor Richard Ashton entregou ao Tribunal de Menores sua primeira avaliação psiquiátrica de Lee Galespi. O menino tinha o desenvolvimento físico adequado à puberdade, um coeficiente intelectual algo superior ao normal, mas estava limitado por sérios problemas emocionais e sociais, padecia de insônia e dependência de tranquilizantes, com os quais sua mãe o sedava para que suportasse o isolamento. Tiveram de travar uma verdadeira batalha para convencê-lo a cortar os cabelos e usar roupas masculinas. Insistia que era menina e que "os meninos eram maus". Sentia falta da mãe, urinava na cama, chorava com frequência, parecia sempre atemorizado, sobretudo em relação aos homens, e devido a isso a relação terapeuta-paciente era conflituosa e foi necessário recorrer à hipnose e a drogas. Sua mãe o criara trancado em casa e vestido de menina, ensinara-lhe que as pessoas eram perigosas e o mundo acabaria em um futuro próximo. Mudavam de casa constantemente, o menino não recordava ou não sabia em que cidades tinham morado, só conseguia dizer que sua mãe trabalhava em hospitais ou em clínicas geriátricas e mudava de emprego "porque tinham de ir embora". Para concluir, o psiquiatra indicava que, devido aos sintomas, o paciente Lee Galespi requeria eletroconvulsoterapia.

A assistente social disse no tribunal que a psicoterapia seria contraproducente, porque o menino tinha pavor do doutor Ashton, mas Rachel Rosen não pediu uma segunda opinião, ordenou que o tratamento tivesse continuidade e que Galespi fosse colocado em um lar e frequentasse a escola. Em um informe de 1995, Angelique Larson atestou que o menino era bom estudante, mas não tinha amigos, zombavam dele chamando-o de afeminado, e os professores consideravam-no pouco cooperativo. Aos 13 anos foi transferido para a casa de Michael e Doris Constante.

Sei que você está com sede, Indi. Como prêmio por estar se comportando bem, vou lhe dar suco de laranja. Não tente se levantar, use o canudo. Assim. Mais? Não, um copo é o bastante por ora. Antes de ir embora eu lhe darei mais, desde que coma o que lhe trouxe, é feijão com arroz, você precisa recuperar as forças. Está tremendo, deve estar gelada, este lugar é muito úmido, há partes inundadas, porque a água penetra pelo chão. Quem sabe há quantas horas você está meio morta de frio. Deixei-a bem abrigada, com várias mantas e até lhe calcei meias de lã, mas você começou a se mexer e conseguiu se descobrir, tem de ficar quieta quando eu não estou, não ganha nada se balançando, as correias são firmes e, por mais que tente, não conseguirá se soltar. Não posso vigiá-la o tempo todo, tenho uma vida lá fora, como você pode imaginar. Já lhe expliquei a situação várias vezes, mas você não me ouve, ou se esquece. Repito que aqui não aparece ninguém, estamos em um descampado e este lugar está abandonado há muitos anos, a propriedade está cercada e é impenetrável; se não estivesse amordaçada, poderia gritar até se esgoelar e ninguém a ouviria. Talvez não precise de mordaça, porque estou vendo que ficou muda, como um coelho, mas não quero correr riscos. O que está pensando? É melhor que descarte qualquer ilusão de fugir, se é nisso que está pensando, porque, no caso improvável de que consiga se manter em pé, será impossível sair daqui. As paredes deste compartimento são quatro panos pretos, mas fica em um imenso subterrâneo de concreto armado e pilastras de ferro. A porta também é de ferro, e eu controlo o cadeado.

Você está muito atordoada, talvez esteja mais doente do que imagino, pode ser devido à perda de sangue. O que está acontecendo com você, Indiana? Por acaso não sente mais medo? Está resignada? Seu silêncio me incomoda, porque o objetivo de tê-la aqui é que possamos conversar e consigamos nos entender. Você parece um desses monges tibetanos que fogem do mundo meditando; dizem que alguns conseguem controlar o pulso, a pressão, as batidas do coração, que até mesmo podem morrer por livre vontade. Será verdade? Esta é sua oportunidade de colocar em prática os métodos que recomenda a seus pacientes: meditar, relaxar, enfim, a besteirada New Age de que você tanto gosta. Posso lhe trazer ímãs e aromaterapia, se quiser. E, já que está meditando, aproveite para pensar nas razões pelas quais está aqui, em como é malvada e caprichosa. Está arrependida, eu sei, mas é tarde para recuar, pode me garantir que entende seus erros e vai se emendar, pode me prometer o que bem quiser, mas eu teria de ser uma idiota para acreditar. E lhe garanto que não sou.

Quinta-feira, 5

Depois de ouvir o resto da história de Lee Galespi, os jogadores de *Ripper* decidiram, por unanimidade, informar o inspetor-chefe sobre a sua descoberta. Na primeira hora, Amanda ligou para o celular do pai e, como não obteve resposta, telefonou para Petra Horr, que lhe disse que os agentes do FBI haviam convocado todo o Departamento para uma reunião.

— Acham que os estamos sabotando no caso de Miller. Perderam tempo sem conseguir nada. Eu os aconselhei a aproveitar para fazer turismo e me levaram a mal. São muito chatos – disse Petra.

— Talvez Miller tenha ido para o Afeganistão. Sempre falava de uma dívida de honra pendente nesse país — sugeriu Amanda, com a intenção de despistá-la.

— Querem que procuremos Miller, como se não tivéssemos mais nada a fazer. Por que eles não o encontram? Para isso vigiam todo o mundo. Não existe mais nada privado na porra deste país, Amanda, cada vez que você compra alguma coisa, usa o seu telefone, a internet ou um cartão de crédito, cada vez que assoa o nariz, você deixa um rastro e o governo fica sabendo.

— Tem certeza? — perguntou Amanda, alarmada, porque, se o governo e seu pai ficassem sabendo que ela estava jogando *Ripper* com Ryan Miller, acabaria na prisão.

— Absoluta.

— Diga a meu pai que me telefone assim que sair da reunião, é urgente.

Bob Martín ligou para sua filha vinte minutos depois. Nos últimos dias cochilara no sofá de sua sala, alimentara-se de sanduíches de pão de fôrma e não tivera tempo de ir à academia de ginástica, sentia o corpo rígido como uma armadura e estava tão irritadiço que a reunião terminara aos gritos. Odiava Lorraine Barcott, aquela mulher amargurada, e Napoleon o deixava louco com suas manias. A voz de Amanda, que ainda tinha o poder de emocioná-lo como quando era pequena, acalmou um pouco seu mau humor.

— Queria me dizer alguma coisa? — perguntou à filha.

— Primeiro me dê suas notícias.

— Estamos com o trailer dos Farkas no depósito desde dezembro, mas ninguém o examinou, temos outras prioridades no Departamento. Analisamos o conteúdo da garrafa de genebra que havia dentro e está batizada com Xanax. E sabe qual foi a outra coisa que achamos, Amanda?

— Um lobinho de pelúcia — replicou ela.

— Um álbum com fotos turísticas dos lugares onde os Farkas estiveram; viajaram por vários estados antes de se estabelecerem na Califórnia. Havia um cartão-postal interessante, assinado pelo irmão de Joe, com data de 14 de novembro do ano passado, convidando-os para se encontrarem em São Francisco em dezembro.

— O que isso tem de interessante?

— Dois pontos. Primeiro: a imagem do cartão é um lobo. Segundo: o irmão de Sharon afirma que nunca o enviou.

— Ou seja, O Lobo convidou-os para matá-los.

— Certamente, mas como prova esse cartão é insuficiente, não resistiria ao menor escrutínio.

— Agregue o Xanax e a lua cheia.

— Digamos que O Lobo apareceu no trailer com alguma desculpa, certamente levando a garrafa de genebra de presente, porque sabia que gostavam de beber. A bebida continha a droga. Esperou que fossem nocauteados e abriu a válvula do gás antes de ir embora. Deixou a garrafa para que parecesse um típico acidente com um casal de bêbados, e foi exatamente essa a conclusão da polícia.

— Isso não nos aproxima do Lobo, papai. Só nos restam 39 horas para salvar minha mãe.

— Eu sei, filha.

— Eu também tenho novidades para você — disse Amanda com aquele tom exaltado que nas últimas semanas ele aprendera a respeitar.

As novidades de sua filha não decepcionaram o inspetor-chefe. Ligou imediatamente para a diretora do Serviço de Proteção à Infância e esta lhe enviou por mensageiro o dossiê de Lee Galespi que Angelique Larson reunira nos sete anos em que cuidara do garoto.

Em uma folha solta escrita à mão, a assistente social observava que Lee Galespi havia sofrido muito, e o Serviço Social, como o resto das pessoas que deveriam ajudá-lo, falhara uma e outra vez; ela mesma sentia que conseguira fazer muito pouco por ele. A única coisa boa que acontecera a Lee em sua desgraçada existência fora o seguro de vida de 250 mil dólares que sua mãe lhe deixara. O Tribunal de Menores estabeleceu um fundo fiduciário, e ele poderia receber o dinheiro quando completasse 18 anos.

• • •

Para levantar seu ânimo, eu trouxe chocolates, os mesmos que Keller lhe dava de presente. Estranha mistura, chocolate com pimenta. O açúcar é nocivo e engorda, embora você não se preocupe com os quilos, acha que são sensuais, mas aviso que aos 40 se transformam em simples gordura. Por ora seus quilos a deixam graciosa. Você é muito bonita. Não acho estranho que os homens fiquem loucos por você, Indiana, mas a beleza não é um dom, como nos contos de fadas, é uma maldição, lembre-se do mito de Helena de Troia, que provocou uma cruenta guerra entre os gregos. Quase sempre a maldição se vira contra a bela, como aconteceu com Marilyn Monroe, símbolo sexual por excelência, depressiva e drogada, que morreu abandonada e se passaram três dias até que alguém reclamasse seu cadáver. Eu sei muito a respeito, as mulheres fatais me fascinam e repelem, me atraem e me dão medo, como os répteis. Você está tão habituada a chamar a atenção, a ser admirada e desejada, que nem se dá conta do sofrimento que provoca. As mulheres coquetes como você andam soltas pelo mundo provocando, seduzindo e martirizando outras pessoas sem nenhum senso de responsabilidade ou de honra. Não há nada mais terrível do que o amor rejeitado, digo isso por experiência, é um suplício atroz, uma morte lenta. Pense, por exemplo, em Gary Brunswick, aquele bom homem que lhe oferecia um amor desinteressado, ou em Ryan Miller, que você descartou como se fosse lixo, para não falar de Alan Keller, que morreu por você. Não é justo. Você tem de pagar por isso, Indiana. Nesses dias eu a estudei com atenção, primeiro seu caráter, mas, sobretudo, seu corpo, que conheço em detalhes, desde a sua cicatriz na nádega até as dobras de sua vulva. Cheguei, inclusive, a contar suas sardas.

• • •

Lee Galespi passou dois anos com os Constante, até que um exame de saúde revelou que o garoto tinha queimaduras de cigarro. Embora Galespi tenha se negado a dizer o que havia acontecido, Angelique Larson concluiu que esse devia ser o método didático dos Constante para lhe ensinar a não urinar na cama e retirou o menino dali, mas não conseguiu que a licença dos Constante fosse revogada. Pouco depois, Galespi foi enviado por um ano ao Boys Camp do Arizona. Angelique Larson suplicou à juíza Rachel Rosen que reconsiderasse sua decisão, porque aquele estabelecimento com disciplina paramilitar, famoso por sua brutalidade, era o menos adequado para um garoto vulnerável e traumatizado como Galespi, mas Rosen ignorou seus argumentos.

Tendo em vista que as raras cartas que recebera do menino haviam sido censuradas com marcador de texto preto, a assistente decidiu ir visitá-lo no Arizona. No Boys Camp, não admitiam visitas, mas ela conseguiu uma autorização do Juizado. Lee estava pálido, magro e retraído, com hematomas e cortes nos braços e nas pernas, que, de acordo com o orientador, um ex-soldado chamado Ed Staton, eram normais, porque os garotos faziam exercícios ao ar livre e, além disso, Lee brigava com seus companheiros, que o detestavam por ser lamuriento e chorão, um maricas. "Mas, como me chamo Ed Staton, vou fazer dele um homem", acrescentara o orientador. Angelique exigiu que lhe permitissem falar a sós com Lee, mas não conseguiu arrancar nada dele; a todas as suas perguntas ele respondia, como um robô, que não tinha queixas. Interrogou a enfermeira do reformatório, uma mulher grosseira e antipática, por quem ficou sabendo que Galespi havia se declarado em greve de fome, que não era o primeiro a usar esse tipo de truque, mas desistira rapidamente ao constatar que era muito desagradável ser alimentado à força através de um tubo colocado na garganta. Em seu informe, Larson escrevera que Lee Galespi estava em péssimas condições, "parecia um zumbi", e recomendava que fosse retirado imediatamente do Boys Camp. Mais uma vez, Rachel Rosen fez ouvidos moucos ao seu pedido, então ela formalizou uma denúncia por conta própria contra Ed Staton, mas também não serviu para nada. Lee Galespi cumpriu sua sentença de um ano no inferno.

Quando voltou à Califórnia, Larson o colocou no lar de Jane e Edgar Fernwood, uma família evangélica que o acolheu com a compaixão que ele não esperava mais de ninguém. Edgar Fernwood, que trabalhava na construção civil, transformou-o em seu ajudante, e o garoto começou a aprender um ofício; por fim, parecia ter encontrado um lugar seguro no mundo. Nos dois anos seguintes, Lee Galespi tirou boas notas no secundário e trabalhou com Fernwood. Tinha um rosto agradável, cabelos claros, era baixo e magro para um menino americano de sua idade, tímido e solitário, entretinha-se com gibis, videogames e filmes de ação. Certa vez, Angelique Larson lhe perguntou se ainda achava que "os meninos eram maus e as garotas boas", mas Galespi não soube a que se referia; bloqueara em sua memória a época em que quisera ser menina.

No dossiê havia várias fotografias de Lee Galespi, a última tirada em 1999, quando completara 18 anos e o Serviço de Proteção à Infância deixou de ser responsável por ele. Rachel Rosen decidiu que, devido aos problemas de conduta que apresentara, só receberia o dinheiro que sua mãe lhe deixara quando completasse 21 anos. Nesse ano, Angelique Larson se aposentou e foi morar no Alasca.

O inspetor-chefe colocou seu pessoal para procurar Lee Galespi, Angelique Larson e os Fernwood.

• • •

Eu lhe trouxe Coca-Cola, você precisa tomar muito líquido, e um pouco de cafeína lhe fará bem. Não quer? Vamos, Indi, não se faça de difícil. Se se nega a comer e a beber porque acha que estou lhe dando drogas, pense um pouco: posso injetá-las, como fiz com o antibiótico. Foi uma boa medida, sua febre baixou e está sangrando menos, logo conseguirá dar alguns passos.

Vou continuar com a minha história, porque é importante que você me conheça e compreenda a minha missão. Este recorte de jornal é de 21 de julho de 1993. O título diz: "Menina quase morre de fome encarcerada pela mãe", e depois há dois parágrafos repletos de mentiras. Diz que uma mulher sem identificação morreu em um hospital sem revelar a existência de sua filha, e um mês depois a polícia descobriu uma menina de 11 anos que havia sido mantida prisioneira trancada durante toda sua vida e... Diz que encontraram uma cena macabra. Mentira! Eu estava lá e lhe asseguro que tudo estava limpo e em ordem, não havia nada que fosse macabro. Além disso, não foi um mês, apenas três semanas, e minha pobre mãe não teve culpa do que aconteceu. Seu coração falhou e ela nunca recuperou a consciência, como iria explicar que eu ficara sozinha? Lembro muito bem o que aconteceu. Ela saiu de manhã, como sempre, deixou-me o almoço pronto e lembrou-me de que eu deveria passar os ferrolhos na porta e não abrir para ninguém por nenhum motivo. Quando não voltou na hora habitual, pensei que havia se atrasado no trabalho, comi um prato de cereal com leite e fiquei vendo televisão até que adormeci. Acordei muito tarde e ela ainda não havia voltado, então comecei a ficar assustada, porque minha mãe nunca me deixava sozinha por tanto tempo e nunca havia passado uma noite fora. No outro dia, eu a esperei olhando para o relógio, rezando e rezando, chamando-a com o coração. Eu tinha instruções dela para nunca atender o telefone, mas decidi fazê-lo caso tocasse, porque, se alguma coisa havia acontecido com mamãe, ela certamente me telefonaria. Mas não me telefonou e tampouco voltou à noite nem na manhã seguinte; assim foram se passando os dias, que eu contava de um em um no calendário que tínhamos colado da geladeira. Acabou toda a comida, no final comecei a comer pasta de dente, sabonete, papel molhado, enfim, o que pudesse colocar na boca. Nos últimos cinco dias, eu me mantive só com água. Estava desesperada, não conseguia imaginar por que minha mãe havia me abandonado. Imaginei todo tipo de explicações: tratava-se de um teste para medir a minha obediência e a minha força; minha mãe havia sido atacada por bandidos ou presa pela polícia; era um castigo por alguma coisa ruim que eu fizera sem querer. Quantos dias mais eu conseguiria resistir? Calculava que muito poucos, que a fome e o medo acabariam comigo. Eu rezava e chamava mamãe. Chorei muito e dediquei minhas lágrimas a Jesus. Naquela época, eu era muito crente, como minha mãe, mas hoje não acredito em mais nada; vi muita maldade neste mundo para ter fé em Deus. Depois, quando me acharam, todos me perguntaram a mesma coisa: por que você não saiu do apartamento? Por que não pediu ajuda? A verdade é que não havia a quem recorrer. Não tínhamos parentes nem amigos, não conhecíamos os vizinhos. Eu sabia que em uma emergência se deve ligar para o 911, mas nunca havia usado o telefone, e a ideia de falar com um estranho me aterrorizava.

Finalmente, 22 dias depois, apareceu ajuda. Senti as batidas na porta e ouvi os gritos para que abrisse, que era a polícia. Isso me assustou ainda mais, porque minha mãe havia me repetido mil vezes que a coisa mais temível de todas era a polícia, que jamais, em nenhuma circunstância, devemos nos aproximar de alguém de uniforme. Fiquei escondida no armário, que havia transformado em minha guarida, fiz ali um ninho com as roupas. Entraram pela janela, quebraram um vidro, invadiram o apartamento... Depois me levaram para um hospital, trataram-me como se fosse um animal de laboratório, submeteram-me a exames humilhantes, obrigaram-me a me vestir como menino, ninguém se compadeceu de mim. O mais cruel foi Richard Ashton, que fez experiências comigo: ele me dava drogas, me hipnotizava, confundia a minha mente e depois diagnosticava que eu estava louca. Você sabe o que é a eletroconvulsoterapia, Indi? Uma coisa espantosa, indescritível. Era justo que Ashton a sofresse na própria carne, por isso foi executado com eletricidade.

Estive em vários lares, mas não suportei nenhum, porque estava habituada ao carinho de minha mãe, que havia me criado sozinha; os outros meninos me molestavam, eram sujos e desorganizados, roubavam minhas coisas. O lar dos Constante foi o pior. Naquela época, Michael Constante ainda bebia e, quando estava bêbado, era terrível; cuidava de seis meninos, todos mais malcriados do que eu, mas tinha uma raiva particular de mim, não podia me ver; se você soubesse como me castigava... Sua mulher era tão má quanto ele. Os dois mereciam a pena de morte por seus crimes, foi o que lhes disse. Estavam drogados, mas conscientes, reconheceram-me e entenderam o que ia acontecer com eles. Cada um dos oito condenados teve tempo de me ouvir, e expliquei a cada um por que ia morrer, menos a Alan Keller, porque o cianureto foi muito rápido.

Você sabe que dia é hoje, Indiana? Quinta-feira, 5 de abril. Amanhã será Sexta-feira Santa e os cristãos comemorarão a morte de Jesus na cruz. Nos tempos dos romanos, a crucificação era uma forma comum de execução.

• • •

Blake Jackson, que há vários dias estava sem ir ao trabalho, passou voando pela farmácia para verificar se estava tudo em ordem; tinha empregados de confiança, mas o olho do chefe era sempre necessário. Em um momento de inspiração, resolveu telefonar de novo para Angelique Larson, com quem estabelecera uma inusitada afinidade. Não era homem de arroubos românticos, sentia verdadeiro pavor de relações sentimentais, mas com Angelique isso não apresentava o menor perigo: estavam separados por mais ou menos cinco mil quilômetros de alucinada geografia. Imaginava-a coberta de peles ensinando o alfabeto a crianças inuítes, com seu trenó puxado por cachorros na entrada de um iglu. Trancou-se em seu pequeno escritório e discou o número. A mulher não pareceu achar estranho que o suposto escritor estivesse ligando para ela pela segunda vez em poucas horas.

— Estava pensando em Lee Galespi... — disse Blake, furioso com ele mesmo por não ter pensado em uma pergunta inteligente.

— É uma história tão triste! Espero que sirva para seu romance.

— Será a coluna vertebral do meu livro, Angelique, posso lhe assegurar.

— Fico contente de ter contribuído de alguma forma.

— Mas devo lhe confessar que ainda não escrevi o livro, estou na etapa de planejamento do conteúdo.

— Ah! E já tem título?

— *Ripper.*

— É um romance policial?

— Digamos que sim. Gosta desse gênero?

— Prefiro outros, para ser franca, mas, de qualquer maneira, lerei seu livro.

— Eu o enviarei assim que for publicado. Diga, Angelique, lembra-se de mais alguma coisa a respeito de Galespi que possa me servir?

— Hum... Sim, Blake. Há um detalhe que talvez não tenha importância, mas mesmo assim vou contá-lo. Está gravando?

— Estou tomando nota, se não se importa. Qual é esse detalhe?

— Sempre duvidei de que Marion Galespi fosse a mãe de Lee. Quando ela morreu, estava com 61 anos e o menino tinha 11, o que significa que deu à luz aos 50 anos, a menos que houvesse algum erro nas certidões de nascimento.

— Pode acontecer, agora existem tratamentos de fertilidade. Na Califórnia, vemos a toda hora mulheres de 50 anos empurrando um carrinho com trigêmeos.

— Aqui no Alasca, não. No caso de Marion, acho pouco provável que tenha feito um tratamento de fertilidade, porque não tinha boa saúde e era solteira. Além disso, a autópsia revelou uma histerectomia. Ninguém averiguou onde nem quando foi operada.

— Por que não revelou suas suspeitas, Angelique? Poderiam ter examinado o DNA do menino.

— Por causa da história do seguro de vida. Achei que, se existissem dúvidas a respeito da identidade do beneficiário, Lee poderia perder o dinheiro que Marion lhe deixara. Na última vez que falei com Lee, no Natal de 2006, disse-lhe que Marion era obesa, tinha diabetes, pressão alta e problemas cardíacos, e que frequentemente essas condições são hereditárias. Ele me garantiu que tinha uma saúde excelente. Mencionei o fato de que Marion o tivera em uma idade em que a maioria das mulheres já deixara para trás a menopausa e lhe perguntei pela histerectomia. Respondeu que não sabia de nada disso, mas também chamara sua atenção que a mãe fosse tão velha.

— Você tem uma fotografia boa do garoto, Angelique?

— Tenho várias, mas a melhor é uma que os Fernwood me mandaram, no dia em que Lee conseguiu receber o cheque do seguro de vida. Posso enviá-la agora mesmo por e-mail.

— Não é necessário que lhe diga o quanto me ajudou, Angelique. Posso voltar a telefonar se me ocorrer alguma pergunta?

— Claro, Blake. É um prazer falar com você.

O avô desligou e ligou para o ex-genro e a neta. Bob Martín já tinha em sua escrivaninha o primeiro informe sobre os Farkas e, enquanto ouvia, ia comparando o que Blake Jackson lhe dizia com o que sabia dos Farkas. Sem largar o telefone, escreveu os nomes de Marion Galespi e da cidade de Tuscaloosa, seguidos de um ponto de interrogação, e o entregou a Petra Horr, que se conectou com a base de dados. O inspetor contou a seu ex-sogro que os Farkas eram de Tuscaloosa, Alabama, que haviam tido pequenos problemas com a lei — posse de drogas, furto, direção sob efeito de álcool — e que tinham vivido temporariamente em vários estados. Em 1986, em Pensacola, uma filha de cinco semanas havia morrido, asfixiada por uma manta, enquanto eles estavam em um bar; tinham deixado a menina sozinha. Cumpriram um ano de prisão por negligência. Mudaram-se para Del Rio, Texas, onde viveram três anos, depois para Socorro, Novo México, onde ficaram até 1997. Joe conseguia trabalhos esporádicos como operário, e Sharon como garçonete. Continuaram se mudando para o oeste, ficando ali e acolá por pouco tempo, até que, em 1999, instalaram-se em Santa Bárbara.

— Preste atenção nisso, Blake: em 1984 um filho de 2 anos foi raptado em condições suspeitas — acrescentou o inspetor. — O menino foi internado três vezes no hospital, primeiro aos dez meses com um braço quebrado e equimoses; os pais disseram que havia caído. Oito meses depois, teve pneumonia, foi levado para o pronto-socorro com febre e muito desnutrido. A polícia interrogou os pais, mas não houve acusações contra eles. Na terceira vez, o menino estava com 2 anos e apresentava uma lesão no crânio, hematomas e costelas quebradas; segundo os pais, tinha sido atropelado por uma moto que fugira. Três dias depois de sair do hospital, o menino desapareceu. Os Farkas pareciam muito afetados e afirmavam que o filho fora raptado. Nunca foi encontrado.

— O que você está insinuando, Bob? Que esse menino poderia ser Lee Galespi? — perguntou Blake Jackson.

— Se Galespi é O Lobo, e os Farkas também foram suas vítimas, como acreditamos, deve haver alguma ligação entre eles. Espere um momento, Petra está chegando com alguma coisa sobre Marion Galespi.

Bob Martín deu uma olhada rápida em duas páginas que sua assistente lhe entregou e leu o que era relevante para Blake Jackson: em 1984, Marion Galespi trabalhava como enfermeira no Departamento de Pediatria do Hospital Geral de Tuscaloosa. Naquele ano, pediu demissão subitamente e foi embora da cidade. Não se soube dela até a sua morte, em 1993, em Daly City, quando aparece como mãe de Lee Galespi.

— Para que procurarmos mais, Bob? — disse Blake Jackson. — Marion roubou o menino para salvá-lo do abuso dos pais. Madura, solteira, sem filhos, creio que a criatura se transformou na razão de sua vida. Vivia mudando de residência e o criou como menina trancado em casa para escondê-lo. Tenho pena dela, imagino que vivia com medo de que, a qualquer momento, as autoridades a pegassem. Tenho certeza de que amava muito o menino.

Nas horas seguintes, o inspetor constatou que era tão difícil encontrar Lee Galespi como Carol Underwater. Os Fernwood, como Angelique Larson, não tinham notícias dele desde 2006. Nesse ano, Lee investiu metade do dinheiro que recebeu do seguro em uma casa em mau estado da rua Castro, que reformou em quatro meses e vendeu a um casal gay, com mais de cem mil dólares de lucro. Na última mensagem de Natal, anunciara que iria por um tempo tentar a sorte na Costa Rica. No entanto, na Imigração não existia registro de um passaporte com esse nome. Conseguiram rastrear uma licença de empreiteiro e inspetor de propriedades com a data de 2004, que ainda estaria válida, mas não encontraram contratos assinados por ele, afora os da casa da rua Castro.

Você concordará comigo, Indiana, que os pais não são aqueles que geram, mas os que criam. Quem me criou foi Marion Galespi, ela foi minha única mãe. Os outros, Sharon e Joe Farkas, nunca se comportaram como pais, eram um casal de vagabundos alcoólatras, que deixaram minha irmãzinha morrer por negligência e batiam tanto em mim que se não fosse Marion Galespi, que me salvou, teriam me matado. Procurei-os até encontrá-los e depois esperei. Entrei em contato com eles no ano passado, quando estava com tudo preparado para cumprir minha missão. Então apareci diante deles. Precisava ver como ficaram emocionados ao ver o filho perdido! Não desconfiavam da surpresa que eu preparara para eles.

Que espécie de besta bate em um bebê? Você é mãe, Indiana, conhece o amor protetor que os filhos inspiram, é um impulso biológico; somente seres desnaturados, como os Farkas, maltratam seus filhos. E, já que estamos falando de filhos, quero parabenizá-la por Amanda, essa garota é muito inteligente, digo isso com admiração e respeito. Tem mente analítica, como eu. Gosta de desafios intelectuais; eu também. Não temo Bob Martín e seu pessoal, são despreparados, como todos os policiais, só resolvem um de cada três homicídios, e isso nem sempre significa que prendem e condenam o verdadeiro culpado. É muito mais fácil enganar a polícia do que sua filha.

Esclareço que não me encaixo no perfil de psicopata, como têm me qualificado. Sou uma pessoa racional, culta e educada, eu me informo e estudo. Planejei essa missão ao longo de muitos anos e, uma vez cumprida, voltarei a levar uma vida normal, longe daqui. Na realidade, a missão deveria ter terminado em fevereiro, com a execução de Rachel Rosen, a última condenada da lista, mas você complicou meus planos e tive de afastar Alan Keller do caminho. Essa foi uma decisão de última hora, não pude preparar as coisas com o mesmo cuidado que tive nos outros casos. O ideal teria sido que seu amante tivesse morrido em São Francisco, na hora exata que lhe cabia. Se quer saber por que ele tinha de morrer, a resposta é que a culpa é sua: morreu porque você voltou para ele. Durante meses fui obrigada a ouvir você falar de Keller e depois de Miller; suas confusões sentimentais e suas confidências íntimas revolviam meu estômago, mas eu as memorizava porque iam ser úteis para mim. Você é o tipo de mocinha que não pode ficar sem um homem: assim que terminou com Keller correu para os braços de Miller. Você me decepcionou completamente, Indiana, me dá nojo.

Era o soldado quem deveria morrer para que você ficasse livre, mas ele se salvou porque você o deixou plantado, sem explicações. Poderia ter-lhe dito a verdade. Por que não lhe disse que estava grávida de Keller? Qual era seu plano? Abortar? Você sabia que Keller nunca quis ter filhos. Ou pretendia convencer Miller de que o filho era dele? Não creio que chegasse a lhe contar, mas me ocorre que isso não o teria dissuadido; teria cuidado da criança de outro homem, como cabe a seu complexo de herói. Eu me diverti muito com o mapa astral que Celeste Roko fez dele.

Como a conheço, Indiana, acho que seu plano era ser mãe solteira, como lhe aconselhou seu pai. Só duas pessoas estavam a par do segredo, seu pai e eu, e nenhum dos dois previmos a reação de Keller. Quando lhe pediu que se casasse com ele no Café Rossini, ele não sabia nada da gravidez e você acabara de descobri-la. Dois dias depois, quando lhe contou, o homem começou a choramingar diante da perspectiva de ser pai, uma coisa que nunca imaginou que pudesse acontecer com ele. Era como um milagre. Convenceu-a a aceitar o anel. Que cena mais grotesca deve ter sido!

Nunca tive a intenção de induzir seu aborto, Indiana, foi um acidente. Uma única dose de cetamina para que me acompanhasse até aqui teria sido inofensiva, mas depois tive de mantê-la drogada por alguns dias e certamente isso provocou o aborto. Você me deu um susto enorme. Na segunda-feira, quando vim vê-la, encontrei-a em uma poça de sangue e quase desmaiei, não suporto ver sangue. Temi o pior, que você tinha dado um jeito de se suicidar, mas então me lembrei da gravidez. Na sua idade, a porcentagem de abortos é de dez a vinte por cento, e é um processo natural que raramente requer intervenção. A febre me preocupou, mas a debelamos com o antibiótico. Cuidei bem de você, Indi, deve entender que não quero que morra de hemorragia; tenho outros planos.

• • •

Ao examinar a fotografia de Lee Galespi, que Angelique Larson enviara a seu avô, Amanda sentiu uma garra no estômago e um sabor metálico na boca, sabor de sangue. Tinha certeza de que conhecia aquela pessoa, mas não conseguia localizá-la. Depois de embaralhar várias possibilidades, se deu por vencida e recorreu ao avô, que, ao primeiro olhar, disse ser parecida com a senhora com câncer que lhes dera de presente Salve-o-Atum. Sem perder tempo, os dois foram ao Café Rossini, porque sabiam que Carol Underwater passava horas lendo ali, aguardando o momento de ir fazer terapia no hospital ou esperando por Indiana.

Danny D'Angelo, sempre teatral em suas reações, recebeu-os com grandes demonstrações de afeto. Não se esquecera de que Blake Jackson cuidara dele em sua própria casa quando estivera doente. Derramou lágrimas de angústia pela tragédia que afetava a todos. Não era possível que Indiana tivesse virado fumaça, raptada por extraterrestres, não cabia outra explicação... Amanda interrompeu-o colocando a foto diante de seus olhos.

— Quem é este, Danny? — perguntou.

— Eu diria que é aquela Carol, a amiga de Indiana, quando era jovem.

— Este é um homem — disse Blake.

— A Carol também. Qualquer pessoa percebe.

— Homem? Minha mãe não percebeu e nós tampouco! — exclamou Amanda.

— Não? Pensei que Indiana soubesse. Sua mãe anda com a cabeça na lua, querida, não presta atenção em nada. Esperem, tenho uma foto de Carol, quem tirou foi a Lulu. Conhecem Lulu

Gardner? Certamente vocês a viram, anda sempre por aqui. É uma velhinha extravagante que se dedica a tirar fotos de North Beach.

Saiu apressado em direção à cozinha e voltou minutos depois com uma Polaroid colorida em que apareciam Indiana e Carol em uma mesa perto da janela e Danny posando atrás.

— Essa coisa de transformismo é uma arte delicada — explicou Danny. — Há homens vestidos de mulher mais belos do que uma modelo, mas são raros, em geral se nota muito. Carol não tenta ser bonita, basta-lhe sentir-se feminina. Escolheu um estilo desalinhado, fora de moda, que disfarça melhor o corpo. Qualquer pessoa pode se vestir de feia. Ai! Eu não deveria estar falando assim de uma pessoa com câncer. Embora, na verdade, isso a ajude, porque as pessoas perdoam a peruca e os lenços que usa na cabeça. Também é possível que não tenha câncer, que o inventou para desempenhar seu papel de mulher ou para chamar atenção. Essa coisa de fingir doenças tem um nome...

— Síndrome de Munchausen — interveio Blake que, como farmacêutico, vira de tudo.

— Isso mesmo. Para um transformista, disfarçar a voz é um problema, por causa das cordas vocais, pois as dos homens são mais grossas do que as das mulheres. Por isso, Carol fala sussurrando.

— Minha mãe acha que é por causa da quimioterapia.

— Que nada! É um truque do ofício, todas falam como a falecida Jacqueline Kennedy.

— O sujeito da foto tem olhos claros e os de Carol são escuros — disse Amanda.

— Não sei por que usa lentes de contato café, ficam péssimas, seus olhos ficam esbugalhados.

— Você tem visto Carol por aqui?

— Agora que está me perguntando, Amanda, parece que não a vejo há vários dias. Se vier, direi para ligar para você.

— Não acho que vá aparecer, Danny.

Não me vestia de mulher havia muito tempo, Indi, e só o fiz por você, para conquistar a sua confiança. Tinha de me aproximar do inspetor Martín, precisava obter detalhes das investigações, porque o pouco que os meios de comunicação publicam é inexato, e supus que você iria me servir para isso. Você e Bob Martín são um casal de divorciados estranhos; existem poucos casais casados tão amigos como vocês. Mas esse não foi o único motivo: esperava que você chegaria a me amar e a depender de mim. Você notou que não tem amigas? Quase todos os seus amigos são homens, como aquele soldado manco; você estava precisando de uma amiga. O câncer foi uma ideia genial, admita, porque, em sua ânsia de me ajudar, baixou suas poucas defesas. Como iria desconfiar de uma infeliz com câncer terminal? Foi fácil arrancar informações de você, mas não imaginei que sua filha também me ajudaria; se acreditasse na sorte, diria que foi um presente do céu, mas prefiro acreditar que minha estratégia deu frutos. Com o pretexto de ter notícias de Salve-o-Atum — que nome mais estranho para um animal de estimação — visitei sua filha algumas vezes e conversávamos por telefone. Sempre fui muito prudente, para não alarmá-la, mas, nas conversas, falávamos de seu jogo Ripper *e ela me mantinha a par do que ia descobrindo. Não sabia o favor que me fazia.*

• • •

Do Café Rossini, o avô e a neta foram correndo para o Departamento de Homicídios com a fotografia de Carol Underwater que Danny lhes dera. Era tamanha a ansiedade de Amanda, imaginando o quanto aquela pessoa sabia de sua mãe, que mal conseguia falar, e por isso Blake tomou a palavra para explicar a Bob Martín que Carol era Lee Galespi. O inspetor-chefe convocou com urgência seus detetives e os dois psicólogos criminalistas do Departamento e telefonou para Samuel Hamilton, que chegou em quinze minutos. Tudo indicava que Lee Galespi era o autor dos homicídios e o responsável pelo desaparecimento de Indiana. Deduziram que Galespi alimentara durante anos a ideia de se vingar das pessoas que o haviam maltratado, mas só resolvera agir quando Angelique Larson lhe dissera não ter certeza de que Marion Galespi, o único ser que realmente o amara em toda a sua vida, não era sua mãe. Procurara seus pais biológicos e, quando conseguira identificá-los, ficara sabendo que suas desgraças haviam começado no mesmo dia de seu nascimento, então abandonara o trabalho e os amigos, desaparecera legalmente e dedicara os seis anos seguintes a se preparar para aquilo que a seus olhos era um dever de justiça: livrar o mundo daqueles seres depravados e evitar que fizessem mal a outras crianças. Vivia frugalmente e cuidara de seu dinheiro, poderia se manter até concluir sua missão, planejando em tempo integral cada um dos homicídios, desde a obtenção de drogas e armas até a forma de realizá-los sem deixar pistas.

— Galespi apagou a si próprio do mundo e reapareceu no ano passado para matar Ed Staton — disse o inspetor.

— Transformado em Carol Underwater — acrescentou Blake Jackson.

— Não creio que tenha cometido os homicídios com uma identidade feminina. Na infância, ouviu Marion Galespi dizer que "as meninas são boas e os meninos são maus". É provável que os tenha cometido com uma identidade masculina — aventurou um dos psicólogos.

— Então, por que se vestia de mulher?

— É difícil saber. Talvez seja um transformista.

— Ou então o fez para conquistar a amizade de Indiana. Carol Underwater, ou melhor, Lee Galespi, está obcecado por minha filha — explicou Blake Jackson. — Acho que foi Galespi, vestido de Carol, quem lhe enviou a revista em que Alan Keller aparecia com outra mulher, o que rompeu a relação entre os dois.

— Temos a vingança como motivo de todos os homicídios, menos o de Keller — disse o inspetor.

— É o mesmo assassino, mas o motivo é outro. Matou Keller por ciúmes — disse o outro psicólogo.

Blake explicou que Indiana confiava em Carol e lhe dera acesso à sua intimidade. Às vezes, Carol/Lee a esperava na recepção do consultório, enquanto ela atendia seus pacientes. Não lhe faltaram oportunidades de entrar em seu computador, ler a correspondência, ver sua agenda e plantar os vídeos sadomasoquistas e o do lobo.

— Vi-as muitas vezes juntas no Café Rossini — acrescentou Samuel Hamilton. — Na quinta-feira, 8 de março, Indiana deve ter contado a Carol que iria jantar com Alan Keller em São Francisco, como lhe contava outros detalhes de sua vida. Carol/Lee dispôs de toda a tarde para ir a Napa, enfiar-se na casa de Keller e envenenar os dois copos com cianureto, depois se esconder para esperá-lo, se certificar de que estava morto e disparar a flecha.

— Mas não esperava que Ryan Miller aparecesse para falar com Keller. Deve tê-lo visto, ou pelo menos ouvido, de seu esconderijo — aventurou Amanda.

— Como você sabe quando Miller foi àquela casa? — perguntou seu pai, que suspeitava havia três semanas que sua filha estava lhe escondendo alguma coisa; talvez tivesse chegado o momento de intervir em seu computador e grampear o telefone.

— É uma questão de lógica — interrompeu o avô rapidamente. — Miller encontrou Keller vivo, discutiram, ele lhe deu um soco e foi embora, deixando suas impressões em todos os lugares. Muito conveniente para o assassino. Depois, Keller bebeu a água envenenada e morreu no mesmo instante. Mas não entendo por que deu uma flechada no cadáver.

— Para Lee Galespi também se tratava de uma execução — explicou um dos psicólogos. — Alan Keller lhe causou dano, tomou-lhe Indiana, e deveria pagar por isso. A flecha no coração é uma mensagem clara: Cupido transformado em verdugo. É semelhante ao ato de sodomizar o cadáver de Staton, uma referência ao que aquele homem fez com ele no Boys Camp, e de queimar os Constante, como eles o queimaram com cigarros quando urinava na cama.

— Matheus Pereira foi a última pessoa que viu Indiana e Carol na tarde da sexta-feira — disse Samuel Hamilton. — Conversei com Pereira porque há uma coisa que não sai da minha cabeça.

— O quê? — perguntou o inspetor.

— Carol disse ao pintor que iriam ao cinema, mas, segundo o senhor Jackson, Indiana sempre jantava em casa às sextas-feiras.

— Para ver Amanda quando chegava do colégio. O senhor Hamilton tem razão, Indiana não iria ao cinema em uma sexta-feira — confirmou o avô.

— Indiana é alta e forte, Carol não conseguiria levá-la à força — interveio o inspetor.

— A menos que tivesse lhe dado essas drogas que eliminam por completo a vontade e provocam amnésia, as que são usadas para violentar, por exemplo — replicou Hamilton. — Não chamou a atenção de Pereira encontrar as duas amigas, mas, quando levantei a hipótese de que Indiana tivesse sido drogada, ele confirmou que ela parecia um pouco ausente, que não lhe respondeu quando a cumprimentou e que Carol a segurava por um braço.

Às 23h15, todos estavam cansados e famintos, mas ninguém pensou em comer alguma coisa nem em dormir. Amanda não precisava olhar para o relógio da parede da sala do pai; estava havia dois anos treinando para adivinhar as horas: restavam à sua mãe 24 horas e 45 minutos de vida.

Ryan Miller também não descansou naquela noite. Ficou concentrado em seu computador, procurando a ponta do fio que lhe permitiria desenredar a meada de incógnitas que tinha nas mãos. Contava com os programas que usava em seu trabalho, que lhe davam acesso a qualquer informação do mundo inteiro, desde a mais secreta até a mais trivial. Podia averiguar em poucos minutos o que acontecera na mais recente reunião dos diretores da Exxon Mobil, da Petro China ou da Saudi Aramco, ou qual fora o menu do almoço do Balé Bolshoi. O problema não era conseguir a resposta, mas formular a pergunta exata.

Denise West havia sacrificado um de seus frangos e lhe preparara um suculento ensopado que deixou na cozinha com uma fogaça de pão integral, para que passasse a noite. "Boa sorte", disse, beijando sua testa, e Ryan, que estava havia duas semanas com ela, mas ainda não se habituara à ternura espontânea, ficou vermelho. Durante o dia percebia-se a tepidez da incipiente primavera, mas as noites ainda eram frias e, com as bruscas mudanças de temperatura, as madeiras da casa se queixavam, como uma anciã artrítica. As únicas fontes de calor eram a lareira da sala, que ajudava pouco, e uma estufa a gás, que Denise arrastava com ela de peça em peça, aonde fosse se instalar; Ryan Miller, habituado a seu gélido loft, não precisava dela. A mulher foi se deitar e o deixou absorto em seu computador, com Atila deitado a seus pés. Como o cachorro só podia se exercitar nos quinze mil metros quadrados de Denise, pois se fosse mais além chamaria muito a atenção, ele havia engordado, e, talvez porque tivesse começado a compartilhar espaço com dois vira-latas manhosos e alguns gatos, pela primeira vez em sua dura existência de guerreiro balançava o rabo e sorria como um perdigueiro vulgar.

Às duas da madrugada, Miller terminou o ensopado de frango, que dividira com o cachorro. Havia feito seus exercícios de Qigong, mas não conseguia se concentrar. Sua mente pulava de uma coisa para outra. Não conseguia pensar, as ideias se embaralhavam e a imagem de Indiana interrompia o fluxo de qualquer raciocínio. Sua pele ardia, tinha vontade de gritar, de socar as paredes; queria entrar em ação, precisava de instruções, de uma ordem taxativa, de um inimigo visível. Essa espera sem um objetivo definido era muito pior do que o calor do mais sanguinolento combate.

— Preciso me acalmar, Atila. Nesse estado não sirvo para nada.

Sentindo o terrível peso da derrota, deitou-se no sofá para se obrigar a descansar. Fez um esforço para respirar como Indiana lhe ensinara, atento a cada inalação, a cada exalação, e para relaxar como aprendera com seu mestre de Qigong. Passaram-se vinte minutos sem que conseguisse adormecer.

Então, no tênue resplendor avermelhado das últimas brasas da lareira, viu duas silhuetas, uma menina de uns 10 anos com saia longa e um xale na cabeça e, segurando sua mão, um menino menor. Ryan Miller ficou imóvel, sem pestanejar, sem respirar para não assustá-los. A visão durou um tempo impossível de avaliar, talvez apenas alguns segundos, mas fora tão clara como se as crianças tivessem vindo do Afeganistão para visitá-lo. Vira-as anteriormente tais como eram durante a guerra, em 2006, escondidas em um buraco: uma menininha de 4 anos e um bebê. Mas, naquela noite, na casa de Denise West, não foram fantasmas do passado que apareceram, mas eles, Sharbat e seu irmão, como eram naquele momento, seis anos depois. Quando as crianças se retiraram, com a mesma discrição de sempre, o soldado sentiu que se abria a garra que aprisionara seu coração durante aqueles seis anos e começou a soluçar de alívio e de agradecimento porque Sharbat e seu irmão estavam vivos, haviam se livrado dos horrores da guerra e da dor da orfandade, esperavam-no, chamavam-no. Prometeu que iria buscá-los assim que cumprisse sua última missão de *navy seal*: resgatar a única mulher que podia amar.

O sono surpreendeu Miller um minuto depois. Adormeceu com o rosto banhado em lágrimas.

Espero que você me perdoe por tê-la ludibriado fazendo o papel de Carol, já lhe expliquei que foi uma brincadeira sem malícia. A única coisa que eu queria era me aproximar de você. Achei mais de uma vez que você havia se dado conta de que Carol era homem e simplesmente aceitava a situação, como aceita quase tudo, mas a verdade é que nunca teve interesse em me olhar, me conhecer a fundo. Para você, a nossa amizade era superficial, mas para mim era tão importante quanto a minha missão.

Você haverá de entender, Indiana. Eliminar Ed Staton, os Farkas, os Constante, Richard Ashton e Rachel Rosen não podia passar despercebido, era fundamental que o público ficasse sabendo. Poderia ter feito tudo de maneira que parecesse acidental, ninguém teria se dado ao trabalho de investigar e eu não teria com que me preocupar, mas meu objetivo sempre foi o de castigar seres perversos como eles, que não têm o direito de viver em sociedade. Precisava ficar absolutamente evidente que minhas vítimas haviam sido julgadas, condenadas à morte e executadas. E atingi meu objetivo em todos os casos, embora quase tenha fracassado com os Farkas, porque a polícia não analisou o conteúdo da genebra, apesar de eu ter deixado a garrafa no trailer de propósito. Acabei de ficar sabendo que, por fim, seu marido descobriu que a bebida estava envenenada. Três meses depois! Isso é uma prova da incompetência da polícia.

Meu plano incluía virar notícia nos meios de comunicação e alarmar aqueles que têm a consciência suja, mas os jornalistas são preguiçosos e o público é indiferente. Eu precisava encontrar uma forma de chamar a atenção. Em setembro do ano passado, quando faltava menos de um mês para a primeira execução, a de Ed Staton, vi Celeste Roko apresentando na televisão o horóscopo do dia. A mulher é excelente, é preciso dizer, conseguiu me cativar, embora eu não acredite na astrologia; com razão, seu programa é tão popular. Ocorreu-me usá-la para dar a devida publicidade à minha missão e lhe enviei cinco breves mensagens dizendo que haveria um banho de sangue em São Francisco. Suponho que ela descartou o primeiro como se fosse uma piada; o segundo, como o ato de um demente, mas deve ter dado atenção aos seguintes e, se é tão profissional como diz ser, estudou as estrelas.

Leve em conta a sugestão, Indiana, que é um fator muito poderoso. Celeste Roko procurou na astrologia o que queria encontrar: a evidência do banho de sangue anunciado nas mensagens que havia recebido. E a encontrou, é claro, tal como você vê acertos em seu horóscopo. Os prognósticos são muito vagos, e aqueles que acreditam na astrologia, como é o seu caso, interpretam-nos de acordo com seus próprios desejos. Roko talvez tivesse visto a profecia escrita com sangue no firmamento e resolveu advertir o público, tal como eu esperava. Bem, Indiana, informo, pelo prazer de argumentar, que talvez não tenha sido assim.

O que vem primeiro, o ovo ou a galinha? Talvez minha missão tenha sido realmente determinada pela posição dos planetas. Ou seja, estava escrita desde o meu nascimento. Eu me limitei a cumprir o meu destino, era inevitável. Mas nunca saberemos, não é mesmo?

Sexta-feira, 6

Às quatro da madrugada, quando enfim Amanda adormecera na cama de seu avô, segurando sua mão, enrolada em seu jaleco, e com Salve-o-Atum em cima do travesseiro, tocou o celular, que deixara ligado na mesa de cabeceira. Blake, que não conseguira dormir e estava sentado na escuridão, atento ao passar do tempo nos números iluminados do relógio, sobressaltou-se, primeiro com a louca esperança de que fosse sua filha, livre enfim, e depois angustiado, temendo que fossem más notícias.

Sherlock Holmes teve de repetir seu nome para que o avô compreendesse de quem se tratava. Isso não acontecera nunca, uma das regras tácitas era que não houvesse contato unilateral entre os jogadores de *Ripper*.

— É Sherlock Holmes! Preciso falar com a mestra! — exclamou o garoto de Reno.

— Aqui é Kabel, o que está acontecendo?

Amanda acordou ao ouvir a voz do avô e arrancou o telefone de sua mão.

— Mestra, tenho uma pista — disse Sherlock.

— Qual? — perguntou Amanda, totalmente desperta.

— Descobri uma coisa que pode ser importante: Farkas quer dizer lobo em húngaro.

— O que está me dizendo?

— O que ouviu. Procurei a tradução de lobo em vários idiomas e descobri que em húngaro é *farkas*.

— Isso não nos indica onde está minha mãe!

— Não, mas significa que, se o assassino adotou o símbolo do lobo, é porque está relacionado com Sharon e Joe Farkas. Sabia disso antes de cometer o primeiro homicídio, o de Ed Staton, e deixou a assinatura do lobo ou de *farkas* na cena de cada crime.

— Obrigada, Sherlock. Espero que isso sirva para alguma coisa.

— Boa-noite, mestra.

— Boa-noite? Esta é a pior noite da minha vida...!

Depois de desligar, Amanda e seu avô avaliaram o novo dado, pensando em como poderiam usá-lo para resolver o quebra-cabeça.

— Como se chamava o menino que os Farkas perderam? — perguntou a garota, tão nervosa que seus dentes rangiam.

— Por favor, lindinha, acalme-se e tente descansar, você já fez muito, agora cabe à polícia.

— Sabe como se chamava ou não? — gritou ela.

— Acho que se chamava Anton. Foi o que seu pai disse.

— Anton Farkas, Anton Farkas... — repetiu Amanda, dando voltas pelo quarto.

— Esse é o nome do irmão de Joe Farkas, o que foi reconhecer os cadáveres. Você acha que...? — disse o avô.

— São as letras com que foram marcadas a fogo as nádegas dos Constante! As iniciais! — interrompeu-o a neta.

— F na de Michael e A na de Doris — recordou Kabel.

— Dependendo de como os corpos estavam na cama, são A e F. Anton Farkas.

— O cartão-postal que encontraram no trailer estava assinado com esse nome. Era um convite para se encontrarem no camping de Rob Hill em 10 de dezembro do ano passado. Mas o irmão de Joe Farkas negou que o tivesse enviado, pelo menos foi o que declarou à polícia.

— É verdade, vovô, nunca o enviou. O cartão era de outro Anton Farkas, era do filho de Sharon e Joe. Você está entendendo, Kabel? Os Farkas viajaram para São Francisco com o objetivo de se encontrar com o filho, não com o irmão de Joe. A pessoa que receberam no trailer era o filho que haviam perdido.

— Você precisa ligar para seu pai — decidiu Blake Jackson.

— Espere, me dê um minuto para pensar... Também temos que avisar imediatamente Ryan. Melhor fazê-lo por telefone.

Blake Jackson discou o número do celular secreto que Alarcón havia lhe dado. O aparelho tocou apenas duas vezes, como se o uruguaio estivesse esperando a chamada.

— Pedro? Desculpe a hora — disse Blake e passou o celular para a neta.

— Você tem de dar um recado imediatamente para Ryan. Diga-lhe que farkas quer dizer lobo em húngaro. O filho dos Farkas se chamava Anton. Lee Galespi sabia seu nome e quem eram seus pais quando fez a lista das pessoas que ia matar. Creio que não há rastro de Lee Galespi ou de Carol Underwater porque usa seu nome verdadeiro. Diga a Ryan que Anton Farkas é O Lobo. Temos de encontrá-lo nas próximas vinte horas.

Em seguida, Amanda ligou para o pai, que fora a seu apartamento pela primeira vez na semana e havia desabado na cama vestido e de sapato. Também respondeu ao telefone de imediato e Amanda lhe repetiu a mensagem.

— Você tem de prender Anton Farkas, papai, e obrigá-lo a dizer onde está a minha mãe! Arranque suas unhas se for necessário, está me ouvindo?

— Sim, filha. Deixe eu falar com Blake.

— Estou aqui, Bob — disse o avô.

— Agora este assunto está nas minhas mãos, Blake. Colocarei toda a polícia de São Francisco e a do resto da baía à procura de todos os Anton Farkas que existirem e vou alertar os federais. Acho que Amanda está prestes a sofrer uma crise nervosa. Chega. Você pode lhe dar um tranquilizante?

— Não, Bob. Precisamos que esteja lúcida nas próximas horas.

Às dez da manhã, Miller entrou em contato com os participantes do *Ripper* pelo Skype sem imagem, porque não contava com Denise para que mostrasse a cara em seu lugar. Era dia de feira e ela havia saído muito cedo com suas caixas de ovos frescos, seus frangos e potes de conservas, e só voltaria à tarde.

— O que aconteceu com a câmera de seu computador, Jezabel? — perguntou Amanda, que estava com o avô na cozinha, os dois diante do mesmo computador.

— Não sei, não tenho tempo de consertá-la agora. Estão me ouvindo bem? — disse Miller.

— Perfeitamente, mas sua voz está estranha — disse o coronel Paddington.

— Estou com laringite.

— Estas são as últimas notícias do dia, jogadores. Adiante, Kabel — ordenou a mestra do jogo.

Blake fez um resumo do que haviam discutido na reunião do Departamento de Homicídios. Os garotos já haviam sido informados de que Carol Underwater era Lee Galespi e de que a polícia não conseguira localizá-lo. O avô relatou a descoberta de Amanda a respeito de Anton Farkas.

— Esta madrugada liguei para Jezabel pedindo que procurasse Anton Farkas; é a nossa melhor investigadora — disse Amanda, sem revelar que já haviam conversado duas vezes naquela mesma manhã.

— Combinamos que ninguém deve ter vantagem sobre os demais! — reclamou Paddington, de mau humor.

— Não temos tempo para formalidades, coronel. A batalha começou. Faltam poucas horas para a meia-noite e não sabemos onde minha mãe está. Talvez já esteja morta... — disse Amanda, com a voz estrangulada.

— Está viva, mas sem muita energia — recitou Abatha em seu tom monótono de sonâmbula. — Está em um lugar imenso, frio, escuro, ouvem-se gritos, berros. Também sinto a presença de espíritos do passado que protegem a mãe da mestra.

— O que você descobriu, Jezabel? — interrompeu-a Sherlock Holmes.

— Antes de mais nada, devemos agradecer a Sherlock e Amanda. Graças a eles estamos muito perto de resolver tudo — disse Jezabel.

Em seguida, começou a lhes explicar que, felizmente, Anton Farkas não era um nome comum. Havia encontrado apenas quatro pessoas com esse nome na Califórnia: o irmão de Joe Farkas em Eureka, um velho em uma casa de repouso em Los Angeles, outro homem em Sacramento e o último em Richmond. Ligou para o primeiro número e recebeu uma resposta automática: "Aqui fala Anton Farkas, licenciado em construção, inspeção e avaliação de propriedades, deixe sua mensagem que ligarei assim que for possível." Ligou para o segundo e ouviu exatamente a mesma gravação. Ou seja, tratava-se da mesma pessoa.

— Isto é a coisa mais importante que temos! — exclamou o coronel Paddington.

— Não existe um endereço postal de Farkas em nenhuma das duas cidades, só caixas postais — disse Jezabel.

Amanda e Blake já sabiam disso, não apenas porque Miller havia lhes contado, mas porque Bob Martín também o fizera. O endereço das pessoas que alugavam caixas postais era confidencial, e era necessária uma ordem judicial para obtê-lo. Acrescentou que não tinha jurisdição naquelas cidades, apenas em São Francisco, mas, quando ficaram sabendo do que estava acontecendo, os agentes federais, que não precisavam de autorização, colocaram-se imediatamente à sua disposição. Naquele mesmo instante, Lorraine Barcott estava em Richmond e Napoleon Fournier III em Sacramento. O que o avô e a neta não sabiam era que Ryan Miller e Pedro Alarcón haviam descoberto algo mais.

— Você disse que esse Anton Farkas é inspetor de propriedades? — perguntou Esmeralda a Jezabel.

— Sim, por isso me ocorreu dar uma olhada nas inspeções recentes que foram assinadas por Anton Farkas em Sacramento e Richmond, onde certamente trabalha. Existe um registro dessas inspeções. Há uma que salta à vista e coincide com a descrição de Abatha: Winehaven. Trata-se de uma antiga propriedade de Point Molate, onde faziam vinho até 1919, quando parou de operar. Durante a Segunda Guerra Mundial, foi ocupada pela Marinha. Agora pertence ao município de Richmond — replicou Miller, em seu papel de Jezabel.

— Muito interessante — comentou Paddington.

— O edifício, imenso, está abandonado. A Marinha usou as casas dos trabalhadores para alojar oficiais, transformou as famosas adegas em quartéis e construiu um abrigo antiaéreo.

— Você acha um lugar apropriado para esconder uma pessoa sequestrada? — perguntou Esmeralda.

— Sim, é perfeito, como se tivesse sido feito sob medida. A Marinha se retirou em 1995 e, desde então, Winehaven está desocupado. Ninguém sabe o que fazer com o edifício; existiu um vago projeto de transformá-lo em cassino, mas não foi em frente. As casas dos empregados da propriedade ainda existem. O edifício, que parece uma fortaleza medieval vermelha, não está aberto ao público, mas é possível avistá-lo do ferry de Vallejo, que passa por perto sem parar, e da ponte de San Rafael. O município de Richmond contratou Anton Farkas em março para fazer uma inspeção na propriedade.

— Anton Farkas, Lee Galespi ou Carol Underwater, como quiserem chamar O Lobo, pode estar com a minha mãe em qualquer uma dessas casas abandonadas ou na fortaleza. Como vamos encontrá-la sem a ajuda de uma equipe de operações especiais? — perguntou Amanda.

— Se eu fosse O Lobo e tivesse um refém, escolheria o abrigo antiaéreo, porque deve ser mais protegido. Trata-se de estratégia elementar — disse o coronel Paddington.

— As casas estão cercadas por tapumes e ficam muito perto da estrada. Não servem para esconder um refém. Concordo com o coronel que O Lobo escolheria o abrigo antiaéreo. Como Anton Farkas esteve recentemente encarregado de fazer a inspeção, sabe como entrar.

— Qual é o próximo passo? — perguntou Esmeralda.

— Avisar meu pai! — exclamou Amanda.

— Não — rebateu-a Jezabel. — Se Anton Farkas mantém sua mãe em Winehaven, não podemos alertar a polícia, porque ela desabaria na fortaleza como um estouro de búfalos e jamais conseguiríamos recuperar sua mãe a tempo.

— Concordo com Jezabel. Devemos agir por conta própria e pegá-lo de surpresa — aprovou o coronel Paddington.

— Não contem comigo, estou em uma cadeira de rodas na Nova Zelândia — lembrou Esmeralda.

— Proponho que peçamos ajuda a Ryan Miller — interveio Jezabel.

— A quem? — perguntou Esmeralda.

— Ao sujeito que foi acusado de matar Alan Keller.

— Por que a ele?

— Porque é um *navy seal.*

— Miller deve estar no outro lado do mundo, não seria imprudente a ponto de ficar perto da cena do crime, justamente onde está sendo procurado — disse Sherlock Holmes.

— Ele não cometeu nenhum dos crimes, já sabemos disso — interveio Abatha.

— Pode ter ficado na área da baía para procurar O Lobo, acho que não confia na eficiência da polícia — sugeriu Kabel, fazendo sinais silenciosos a sua neta para que tivesse cuidado com o que dizia.

— Como vamos localizar o *navy seal*? — perguntou Esmeralda.

— Eu me encarrego disso. Por algum motivo sou a mestra do jogo — afirmou Amanda.

— Esse homem nos ajudará, sinto isso aqui, no meio da testa, no terceiro olho — disse Abatha.

— Desde que esteja disponível — disse Paddington, lamentando estar em Nova Jersey, porque a situação requeria a presença de um estrategista militar de seu nível.

— Suponhamos que a mestra encontre Ryan Miller. Como vai entrar em Winehaven? — insistiu Esmeralda.

— Os *navy seals* invadiram o refúgio de Bin Laden no Paquistão. Não acredito que Miller tenha dificuldade de entrar em uma vinícola abandonada na baía de São Francisco — disse o coronel.

— O ataque a Bin Laden foi planejado durante meses e foi levado a cabo por um grupo de *navy seals* em helicópteros, respaldado por aviões. Entraram decididos a matar. Esta seria uma operação improvisada por um único homem e com o objetivo de salvar uma pessoa, e não de matá-la. A coisa mais difícil é resgatar reféns com vida, isso já foi provado — advertiu Sherlock Holmes.

— Temos outra alternativa? — perguntou Esmeralda.

— Não. Mas isto é uma brincadeira de crianças para um *navy seal* — disse Jezabel e logo se arrependeu, porque se jactar antes da ação dava azar, como mais de um soldado pudera comprovar.

— Voltaremos a nos comunicar às seis da tarde, hora da Califórnia. Enquanto isso tentarei localizar Miller — ordenou Amanda.

Quatro participantes do *Ripper* saíram de seus Skypes, e a mestra do jogo e seu ajudante ficaram com Jezabel, quer dizer, Miller, ouvindo seu plano de ação. O *navy seal* lhes explicou que Winehaven consistia de vários edifícios, e que o maior, que abrigava as antigas adegas de vinho, tinha três andares e um porão, onde a Marinha construíra o abrigo antiaéreo. As janelas eram protegidas por grades metálicas, a porta que dava acesso ao abrigo, pelo lado da baía, estava fechada com duas barras de aço cruzadas, e o terreno, cercado, por temor de que fosse usado para um ataque terrorista contra a vizinha refinaria de petróleo da Chevron. Um guarda de segurança fazia rondas à noite, mas nunca entrava nos edifícios. Não havia eletricidade e, segundo a última inspeção, a de Anton Farkas, o lugar era muito inseguro, inundava com frequência durante as tempestades ou quando o nível da água da baía subia, as tábuas do piso estavam soltas, havia escombros causados pelos desabamentos dos tetos e buracos profundos entre os andares.

— Você sabe como é o abrigo? — perguntou Blake.

— Mais ou menos, não está muito claro nas plantas. O porão é enorme. Antes havia um elevador, que não existe mais, mas deve haver uma escada. Segundo a planta da Marinha, o lugar tem capacidade para abrigar um grande contingente de soldados e oficiais, além de um hospital de campanha.

— Como está pensando em entrar? — perguntou Amanda.

— Há uma porta no segundo andar que se vê da estrada — disse Miller. — Pedro está em Point Molate e acabou de me ligar;

diz que conseguiu fotografar a porta da grade com sua lente telescópica. É de ferro e tem dois cadeados industriais, que, segundo ele, são muito fáceis de abrir. Claro que para ele qualquer cadeado é moleza.

— Pedro irá com você, suponho — disse Amanda.

— Não. Pedro não foi treinado, seria um estorvo. Além disso, precisa ter cuidado, seu pai mandou um detetive segui-lo, não sei como o despistou para ir a Point Molate nem como vai conseguir me mandar o que preciso.

— Ele pode ensinar você a abrir os cadeados?

— Sim, mas se trata de uma daquelas portas metálicas que podem ser enroladas. Se tentar abri-la e quebrar uma janela, fará muito barulho. Preciso procurar outra entrada.

Fico feliz que você tenha finalmente acordado, Indi. Como está se sentindo? Está fraca, mas pode caminhar, embora não precise fazê-lo. Lá fora brilha um dia maravilhoso, não faz frio, a água está clara, o céu aberto e há brisa, ideal para os esportistas. Há centenas de veleiros na baía e apareceram os loucos do kite surfing, *que voam por cima da água. Também há muitas gaivotas, que pássaros mais escandalosos! Isso significa que a pesca está boa e os velhos chineses virão pescar nos arredores. Estamos perto de um antigo porto baleeiro, em desuso há quarenta anos, o último que restava nos Estados Unidos. Traziam as baleias do Pacífico, e há um século ainda restavam algumas na baía. O fundo da baía está semeado de ossos, dizem que, naquela época, uma equipe de quarenta homens conseguia transformar uma baleia em óleo e carne para forragem em uma hora e que o cheiro chegava a São Francisco.*

Você sabe que estamos a poucos metros da água? O que estou dizendo! Como pode saber se não teve oportunidade de tomar ar. Não temos praia, e da baía a propriedade é inacessível. Isto foi um depósito de combustível da Marinha durante a Segunda Guerra Mundial e ainda há manuais de instrução empoeirados, equipamentos sanitários e os barris de água que mencionei outro dia. Datam de 1960.

Sua filha me diverte, é uma garotinha esperta; jogar contra ela é muito estimulante: eu lhe apresentei alguns problemas e ela resolveu quase todos. Tenho certeza de que lhe ocorreu que O Lobo é Anton Farkas, por isso agora a polícia anda atrás dele, mas só encontrará umas caixas postais e uns telefones, um truque de ilusionista, nisso sou mestre. Quando soube que estavam procurando Farkas, compreendi que mais cedo ou mais tarde Amanda acabaria relacionando o inspetor de propriedades a esta fortaleza. Mas também sabia que seria tarde demais e, de qualquer maneira, estou preparado.

Finalmente chegou a Sexta-feira Santa, Indi, hoje termina seu cativeiro, que não prolonguei por vontade de castigá-la, você sabe que odeio a crueldade, produz confusão, sujeira e desordem. Teria preferido poupá-la de incômodos, mas você não quis entender, negou-se a colaborar comigo. A data de hoje não foi estabelecida por capricho ou de improviso, mas pelo calendário lunar. As datas são importantes, assim como os rituais, porque dão significado e beleza aos atos humanos e ajudam a fixar os eventos na memória. Eu tenho meus rituais. Por exemplo, minhas execuções acontecem sempre à meia-noite, a hora misteriosa em que é afastado o véu que separa a vida da morte. É uma pena que, na vida moderna, existam tão poucos rituais seculares, todos são religiosos. Os cristãos, por exemplo, estão celebrando a Semana Santa com ritos solenes. São três dias de luto, comemora-se o calvário de Cristo, como todos sabemos, mas poucos sabem em que consiste exatamente a crucificação, um suplício atroz, uma morte lenta. O condenado é atado ou cravado em duas madeiras, uma vertical e a outra transversal, essa é a imagem mais conhecida, mas existem cruzes que têm outras formas. A agonia pode durar horas ou dias, de acordo com o método e o estado de saúde da vítima, e a morte acontece por extenuação, septicemia, parada cardíaca, desidratação ou uma combinação de qualquer uma dessas causas; também por perda de sangue, no caso de existirem feridas ou que tenham quebrado as pernas do condenado, como costumava ser feito antigamente para acelerar o processo. Existe uma teoria segundo a qual a posição dos braços estendidos, suportando o peso do corpo, dificulta a respiração e a morte chega por asfixia, mas ela ainda não foi comprovada.

A primavera se evidenciava no dia ensolarado e na explosão de cores das barracas do mercado, entre as quais circulava uma multidão com roupas leves e espírito festivo comprando frutas, verduras, flores, carnes, pão e comida pronta. Na entrada havia uma garota cega, com vestido de camponesa e touca das mulheres menonitas, cantando com voz angelical e vendendo CDs com suas canções; cem metros depois, um grupo de músicos bolivianos, com roupas tradicionais e instrumentos do altiplano, deleitava o público.

Ao meio-dia, Pedro Alarcón, vestindo shorts, sandálias e chapéu de palha, aproximou-se do toldo branco sob o qual Denise West vendia os produtos de seu galinheiro e de sua cozinha. O detetive do Departamento de Homicídios que estava seguindo

Pedro havia vários dias tirara o paletó e se abanava com um panfleto ecológico que alguém colocara em sua mão. A poucos metros de distância, escondido no meio das pessoas, observou o uruguaio, que comprava ovos e conversava com a vendedora, uma mulher madura e atraente, vestida como lenhador, com uma trança grisalha que ia até as suas costas, mas não viu que lhe entregara a chave de seu carro. Depois, suando, seguiu Pedro Alarcón em seu passeio de barraca em barraca, comprando uma cenoura aqui e um ramo de salsinha acolá, com uma lentidão irritante. Não percebeu que, enquanto isso, Denise West fora ao estacionamento, tirara um pacote do carro de Pedro e o colocara em sua caminhonete. O detetive não achou estranho que, antes de sair do mercado, Pedro tivesse passado para se despedir da mulher com a qual havia antes flertado e nem notou que recuperara sua chave.

Denise West fechou sua barraca cedo, desmontou o toldo, colocou suas tralhas no caminhão e se dirigiu ao endereço que Pedro Alarcón lhe deu, perto da foz do rio Petaluma, uma vasta extensão de canais e pântanos. Teve dificuldade de encontrar o lugar, porque esperava algo assim como uma loja de esportes aquáticos, mas era uma casa em tão péssimo estado que parecia abandonada. Parou seu pesado veículo em um lodaçal e não se atreveu a continuar, temendo ficar atolada no barro. Tocou a buzina várias vezes, e de repente surgiu, por encantamento, a menos de um metro de sua janela, um velho barbudo armado com um fuzil. O homem gritou alguma coisa incompreensível apontando-a com a arma, mas Denise não fora até lá para recuar ao encontrar o primeiro obstáculo. Abriu a porta, desceu com alguma dificuldade porque seus ossos doíam, e encarou o homem com as mãos na cintura.

— Abaixe esse fuzil, mister, se não quiser que eu o tome de você. Pedro Alarcón lhe avisou que eu viria. Sou Denise West.

— Por que não me disse antes? — grunhiu o homem.

— Estou dizendo agora.

— Trouxe a encomenda?

Ela entregou o envelope que Alarcón lhe dera, o homem contou lentamente as cédulas e, quando se deu por satisfeito, enfiou dois dedos na boca e deu um assovio estridente. Momentos depois, apareceram dois rapagões com duas bolsas grandes de lona, que jogaram sem cerimônia na parte traseira do veículo. Tal como Denise temia, o caminhão havia atolado e os três homens não se atreveram a dizer não quando ela exigiu que o empurrassem para que pudesse sair.

Denise chegou em casa ao entardecer, quando Ryan Miller já havia preparado cuidadosamente seu equipamento, tal como fizera para cada missão em seus tempos de *navy seal*. Sentia-se confiante, como então, embora não contasse com seus irmãos do Seal Team 6 nem com a variedade de armas, mais de quarenta, que tinha antes à sua disposição. Havia memorizado as plantas do interior de Winehaven. A vinícola surgira depois do terremoto de 1906 em Point Molate, onde, na época, só havia umas quantas famílias chinesas de pescadores de camarão, que foram expulsas. As uvas chegavam dos vinhedos da Califórnia em grandes barcaças e eram processadas por mais de quatrocentos trabalhadores permanentes, que produziam meio milhão de galões de vinho por mês, para atender à enorme demanda do resto do país. O negócio terminara bruscamente em 1919 com a proibição de bebidas alcoólicas nos Estados Unidos, a lei seca que haveria de durar treze anos. A fortaleza ficara desocupada por mais de vinte anos, até que fora transformada pela Marinha em base militar, cujas plantas Miller obtivera sem dificuldade.

Denise e ele tiraram as duas bolsas do caminhão e abriram-nas no pátio; a primeira continha o esqueleto e a segunda a capa de um caiaque Klepper, descendente direto das canoas dos inuítes, mas, em vez de madeira e pele de foca, era construída com uma armação desdobrável de alumínio e plástico e coberta com lona impermeável. Não havia nada tão silencioso, leve e prático como aquele Klepper, ideal para os planos de Miller, que o usara amiúde em seus tempos na Marinha, em águas muito mais encrespadas do que as da baía.

— Pedro lhe mandou isto — disse Denise, entregando-lhe o pacote que tirara do carro do uruguaio.

Era um abrigo de lona para Atila e o suéter de cashmere bege que Alan Keller dera de presente a Indiana vários anos atrás. Alarcón o encontrara na camionete de Miller e resolvera guardá-lo, antes de cumprir a promessa que lhe fizera de se livrar do veículo. Deixara a caminhonete em uma garagem clandestina, escondida no meio dos estaleiros abandonados de Hunter's Point, onde uma quadrilha de ladrões especializados a reformaria para vendê-la no México. Chegara a hora de dar uma finalidade ao suéter.

— Você sabe o que penso disso — disse Denise.

— Não se preocupe, terei boa visibilidade — replicou Miller.

— Está ventando muito.

— O vento sopra a meu favor — disse Miller, mas se absteve de mencionar outras possíveis inconveniências.

— Isto é uma fanfarronice, Ryan. Por que vai se enfiar sozinho na boca do lobo? Literalmente.

— Por machismo, Denise.

— Como você é estúpido! — suspirou ela.

— Não, mulher. A verdade é que o desalmado está com Indiana, e a única forma de resgatá-la com vida é pegá-lo de surpresa, sem lhe dar tempo de reagir. Não é possível agir de outra maneira.

— É possível que você esteja enganado e que sua amiga não se encontre nesse lugar, ou talvez que O Lobo a mate assim que você se aproximar, se é que não já o fez.

— Isso não vai acontecer, Denise. O Lobo é ritualista, vai esperar até a meia-noite, como fez em todos os casos. Vai ser fácil.

— Comparado com o quê?

— É um homem solitário, um louco delirante, e seu arsenal se reduz a uma *taser*, narcóticos, veneno e flechas. Duvido que saiba usar uma espingarda de chumbo. E, além do mais, ele se veste de mulher!

— Sim, pode ser, mas já cometeu oito assassinatos.

Às seis da tarde, a mestra do jogo informou aos participantes do *Ripper* que havia localizado o *navy seal* e lhes contou por alto o plano, que foi aprovado com entusiasmo por sir Edmond Paddington e com restrições por Sherlock Holmes. Abatha estava mais incoerente do que o normal, desgastada psiquicamente pelo grande esforço de restabelecer a comunicação telepática com a mãe de Amanda. Havia interferências, e as mensagens eram muito vagas, explicou. Nos primeiros dias, ela a visualizava flutuando na noite sideral e podiam conversar, mas o espírito de Indiana já não navegava livremente. A culpa também era dela, admitiu, culpa das quinhentas calorias ingeridas no dia anterior, que deixaram sua aura listrada como as listras de uma zebra e a barriga em chamas.

— Sua mãe ainda está viva, mas desesperada. Nessas condições, não posso penetrar em sua mente — acrescentou.

— Ela está sofrendo? — perguntou Amanda.

— Sim, mestra, muito — disse Abatha, e Amanda respondeu com um soluço.

— Já pensaram no que acontecerá se Miller fracassar? — interrompeu Esmeralda.

Por um longo minuto, ninguém respondeu. Amanda não conseguia imaginar a possibilidade de Miller falhar, porque não haveria uma segunda oportunidade. Com a aproximação da noite, as dúvidas aumentavam, avivadas por seu avô, que estava pensando seriamente em telefonar para Bob Martín e confessar tudo.

— Esta é uma missão de rotina para um *navy seal* — disse Denise West em seu papel de Jezabel, sem grande convicção.

— Do ponto de vista militar, é um bom plano, mas arriscado, e precisa ser monitorado da terra — disse Paddington, com firmeza.

— Pedro Alarcón, amigo de Miller, fará isso com o celular e o GPS. Estará a um quilômetro de distância, pronto para intervir. A mestra e eu ficaremos em contato com ele — esclareceu Kabel.

— E como nós poderemos ajudar? — perguntou Esmeralda.

— Rezando, por exemplo, ou mandando energia positiva a Winehaven — sugeriu Abatha. — Eu vou insistir na telepatia. Tenho de dizer à mãe de Indiana que aguente firme e tenha coragem, que logo chegará ajuda.

As últimas horas da tarde transcorreram com pavorosa lentidão para todos, em particular para Ryan Miller, que observava com uma luneta o festival de veleiros na baía, contando os minutos para que se retirassem para seus atracadouros. Às nove da noite, quando o movimento dos barcos cessou por completo e o último ferry passou em direção a Vallejo, Denise West deixou-o com Atila e o caiaque no Sonoma Creek, um dos afluentes do rio Napa. Era uma noite sem estrelas; a lua cheia, um magnífico disco de prata pura, elevava-se lentamente sobre as colinas do leste. A mulher ajudou Miller a colocar o Klepper na água e se despediu discretamente, desejando-lhe boa sorte. Já lhe dissera tudo o que pensava a respeito. O *navy seal* se sentia bem preparado, estava com a pistola mais adequada ao seu objetivo, uma Glock semiautomática calibre 45 fabricada na Austrália. Havia deixado penduradas na parede de seu loft armas mais letais, mas não sentia falta delas, porque não lhe seriam tão úteis como a Glock para resgatar Indiana. Também carregava sua faca militar Ka-Bar, do mesmo modelo que era usado desde a Segunda Guerra Mundial, e seu kit standard de primeiros socorros, mais por superstição do que por outra coisa, pois um torniquete evitara que se esvaísse em sangue no Iraque, o resto Atila fizera. Pedira a Denise que comprasse os melhores óculos de visão noturna, que lhe custaram a bagatela de mil dólares; dependeria deles por completo em Winehaven. Vestira-se de preto — calça, camiseta, agasalho e tênis — e pintara o rosto com graxa de sapato da mesma cor. À noite, era praticamente invisível.

Calculara que levaria duas horas para atravessar a baía daquele ponto até Point Molate, a uma velocidade de quatro ou cinco nós. Isso lhe dava uma boa margem de tempo até a meia-noite. Confiava na força de seus músculos, na sua experiência de remador e em seu conhecimento da baía. Pedro Alarcón inspecionara os arredores de Winehaven e o avisara de que não havia praia nem embarcadouro, teria de escalar uma parede de rochas para entrar na propriedade, mas que não era muito íngreme, e achava que Atila também conseguiria fazê-lo, mesmo na escuridão. Uma vez na antiga vinícola, teria de agir com cuidado e velocidade, ou perderia sua vantagem. Voltou a repassar na mente a planta de Winehaven enquanto remava nas águas tranquilas do canal. Sentado no caiaque, ereto e atento, Atila farejava o horizonte, como um bom marinheiro.

Quinze minutos depois, o caiaque entrou na baía de São Paulo e se dirigiu ao sul. O homem não precisava de bússola, orientava-se pelas luzes das duas margens da larga baía e pelas boias iluminadas, que assinalavam os vãos navegáveis para botes e barcaças de carga. O caiaque podia navegar em águas muito pouco profundas e isso lhe permitia avançar em linha reta em direção a Point Molate, sem medo de encalhar, como teria acontecido com seu barco a motor. A agradável brisa do dia transformara-se em vento do norte, que batia em suas costas, mas não o ajudava porque a maré estava subindo, muito forte na lua cheia, e o vento se chocava contra a direção da água, levantando ondas. Isso o obrigava a remar com mais força do que a normalmente necessária naquele trecho. A única embarcação que avistou na hora seguinte foi uma barcaça de carga que se afastava em direção à Golden Gate e ao oceano Pacífico.

Miller não pôde ver dois rochedos onde as gaivotas faziam ninho, que marcavam o ponto onde a baía de São Paulo se transformava na de São Francisco, mas adivinhou onde estava porque as águas se encresparam ainda mais. Avançou outro trecho e viu na sua frente as luzes da ponte Richmond-São Rafael — que parecia muito mais próxima do que realmente estava — e que haveriam de lhe servir para se orientar, e as do velho farol, transformado em pitoresco hotelzinho para turistas aventureiros, em uma das ilhotas chamadas Dos Hermanos. Encontraria Winehaven à sua esquerda, pouco antes de chegar à ponte, e, como não tinha luzes, deveria navegar perto da margem para não passar ao largo. Continuou remando contra as ondas, indiferente ao esforço dos músculos dos braços e das costas, sem perder o ritmo cadenciado de seus movimentos. Parou apenas duas vezes para enxugar o suor que empapava sua roupa e beber água de uma garrafa.

— Estamos indo bem, companheiro — disse a Atila.

O homem sentia a conhecida excitação que precede o combate. Qualquer ilusão de que tinha a situação sob controle e de que previra os possíveis perigos desaparecera ao se despedir de Denise West. Era um soldado treinado, sabia que escapar ileso de um combate é questão de sorte; até o mais experiente pode ser atingido por uma bala perdida. Em seus anos de guerra, sempre tivera consciência de que, a qualquer momento, poderia morrer ou ser ferido; a cada amanhecer acordava agradecido e dormia preparado para o pior. Isto, no entanto, não tinha semelhança com a guerra tecnológica, abstrata e impessoal a que estava habituado; aquela seria uma luta a curta distância, e essa possibilidade aumentava seu entusiasmo e ansiedade. Desejava: queria ver O Lobo cara a cara. Não o temia. Na realidade, não conhecia ninguém na vida civil que pudesse temer, estava mais bem preparado do que qualquer um, mantivera-se em boa forma, e naquela noite enfrentaria um homem só, disso tinha certeza, porque nenhum serial killer conta com cúmplices ou ajudantes. O Lobo era um personagem romanesco, absurdo, doido, certamente não era um adversário digno de um *navy seal*.

— Diga, Atila, você acha que estou subestimando o inimigo? Às vezes, peco por soberba e presunção.

O cachorro não podia ouvi-lo. Estava imóvel em seu posto, com seu único olho fixo no objetivo.

— Você tem razão, companheiro, estou divagando — disse Miller.

Concentrou-se apenas no presente, na água, no ritmo de seus braços, na planta de Winehaven, na esfera iluminada de seu relógio, sem antecipar a ação, sem repassar os riscos, sem evocar seus irmãos do Seal Team 6 nem imaginar que Indiana poderia não estar no abrigo antiaéreo da antiga base naval. Devia tirar Indiana da mente, aquela distração poderia ser fatal.

A lua estava muito alta no céu quando o caiaque atracou diante de Winehaven, um enorme bloco de tijolo, com grossas muralhas, parapeitos dentados e torreões. Parecia um incongruente castelo do século XIV na plácida baía de São Francisco, que, sob o resplendor branco da lua, adquiria características ameaçadoras e de mau agouro. Erguia-se na ladeira da colina, de maneira que, da perspectiva de Miller, era muito alto, mas a parte frontal tinha a metade da altura. A entrada principal, pelo lado do caminho, dava diretamente no segundo andar; havia um andar mais acima, outro mais abaixo e o subterrâneo.

O *navy seal* pulou na água, que chegava ao seu peito, amarrou a frágil embarcação em uma pedra, pegou a arma, munições e o resto do equipamento, calçou os tênis, que estavam pendurados no pescoço, e fez sinal a Atila para que o seguisse. Empurrou o cachorro para que subisse pelas pedras escorregadias e, uma vez em terra firme, correram os quarenta metros de distância entre a água e o edifício. Faltavam 25 minutos para a meia-noite. A travessia havia durado mais do que calculara, mas, se O Lobo seguisse seus hábitos, disporiam de tempo de sobra.

Miller esperou dois minutos grudado na parede, para se assegurar de que tudo estava calmo. Só percebeu o pio de uma coruja e o movimento de pavões selvagens no pasto, mas não se assustou, porque Pedro o advertira de que havia bandos daquelas aves lerdas nos arredores. Avançou à sombra da fortaleza, rodeou o torreão da direita e encarou a parede do lado sul, que vira em uma das fotografias de Pedro e a escolheu porque era invisível do caminho, por onde podia passar o guarda. Em sua parte mais baixa, a parede media entre quinze e dezoito metros e contava com um tubo de ferro pelo qual escorria a água acumulada no teto. Ao colocar o abrigo em Atila, um colete improvisado de lona com quatro aberturas para as patas com um gancho no lombo, sentiu que o animal tremia de nervosismo. Compreendeu que Atila lembrara a experiência de usar um abrigo semelhante.

— Fique tranquilo, companheiro, isso vai ser muito mais fácil do que pular de paraquedas — sussurrou, como se o cachorro pudesse ouvi-lo, e acariciou sua cabeça. — Espere aqui e nem pense em perseguir os pavões. — Enganchou a corda que estava em sua cintura no colete e fez um sinal ao cachorro para que esperasse.

Suplicando para que os canos o sustentassem, Miller começou a subir impulsionando-se com os músculos do torso e dos braços e estabilizando o corpo com sua única perna, como fazia quando nadava; a perna com a prótese era inútil naquele momento. O encanamento estava preso com firmeza, rangeu, mas não cedeu com seu peso, e ele chegou rapidamente ao telhado. Dali pôde apreciar a enorme superfície do edifício e a vista espetacular da baía iluminada pela lua, com as luzes da ponte à sua esquerda e, em frente, o resplendor distante da cidade de São Rafael. Deu um rápido puxão na corda para avisar Atila e então começou a içá-lo lentamente, tendo o cuidado de não machucá-lo. Assim que o teve ao seu alcance, passou-o no colo por cima do muro e desenganchou a corda, mas não tirou o colete. Nesse breve trajeto vertical, Atila recuperou o espírito corajoso que lhe valera sua medalha: não dava mais mostras de nervosismo, estava atento às ordens, cheio de energia, com uma expressão de feroz expectativa que Miller não percebia havia muitos anos. Felicitou-se por ter continuado treinando-o com o mesmo rigor de outrora, quando combatiam juntos. Atila mantivera intacta sua disciplina de soldado.

No grande terraço da cobertura, coberto de cascalho, Miller viu três cúpulas de vidro, uma em cada corpo do edifício. Deveria entrar pela primeira, deslizar até o andar superior de Winehaven e achar o poço do elevador que unia os andares e terminava no abrigo antiaéreo. Agradeceu à minuciosidade de Alarcón, que lhe enviara fotografias do exterior, inclusive das claraboias. Afastar duas finas lâminas metálicas de ventilação da base da cúpula de vidro foi fácil, porque estavam enferrujadas e frouxas. Olhou para iluminar o poço com sua lanterna, que resolvera usar o menos possível, e calculou uma distância de cinco metros. Discou o número de Alarcón e falou com ele sussurrando.

— Tudo bem. Estou no terraço com Atila, vamos entrar.

— Você tem mais ou menos quinze minutos.

— Vinte.

— Cuide-se. Boa sorte.

O *navy seal* colocou em Atila os óculos caninos de visão noturna que usara na guerra e que conservara como recordação, sem suspeitar que chegaria a usá-los. Notou que estava incomodado, mas, como o cachorro os usara antes, suportou-os em silêncio; serviam-lhe de pouco, porque enxergava mal, mas ia precisar deles. Miller enganchou a corda no colete, fez-lhe um sinal e começou a baixá-lo no espaço escuro que se abria diante dele.

Assim que sentiu que Atila tocara o chão, Miller amarrou a outra extremidade da corda na moldura de ferro da claraboia e usou-a para descer. "Já estamos dentro, amigo", murmurou, colocando seus óculos novos. Demorou alguns segundos para habituar a vista às imagens fantasmagóricas e movediças verdes, vermelhas e amarelas. Acendeu a luz infravermelha que levava na testa e pôde ter uma ideia da vasta sala onde se encontrava; parecia um hangar de avião. Tirou o colete do cachorro, inútil a partir daquele momento, porque a corda ficara pendendo da claraboia; dali em diante, teria de confiar na exatidão das plantas desenhadas em 1995, na sua experiência e na boa sorte.

Os óculos permitiam-lhe avançar de frente, mas carecia de visão periférica. O cachorro, com seu instinto e excelente faro, o advertiria se houvesse perigo. Adentrou, evitando os escombros do chão, e uns dez metros mais adiante distinguiu um grande cubo de grade metálica onde antes houvera um elevador de carga, semelhante ao de seu loft. Ao lado do poço, encontrou, tal como imaginara, uma escadinha de ferro. Supôs que O Lobo não teria sua guarida no andar onde estava nem no que ficava imediatamente abaixo, porque durante o dia recebiam um pouco de luz, que penetrava pelas claraboias, o poço do elevador e as frestas das janelas tapadas. Deu-se conta de que não havia cobertura para o celular e não poderia se comunicar com Alarcón. Haviam previsto essa possibilidade, mas praguejou entredentes, porque agora não tinha outro respaldo além do cachorro.

Atila vacilou diante da escada estreita e empinada, mas a um sinal começou a descer com cuidado. Ao se preparar na casa de Denise, Miller havia pensado em minimizar o ruído forrando suas patas, mas achou que isso iria travá-lo e se limitara a cortar suas unhas. Não se arrependeu, porque Atila não teria conseguido manobrar naquela escada se não pudesse se firmar.

O vasto andar principal se estendia pela largura e o comprimento dos três edifícios que compunham a fortaleza. Miller desistiu da ideia de explorá-lo. Não havia tempo para isso, tinha de apostar todas as suas cartas em uma única possibilidade: o abrigo subterrâneo. Parou, ouvindo na escuridão, com Atila grudado em sua perna. Na absoluta quietude imperante, achou que ouvia as palavras de Abatha, a menina anoréxica da clínica de Montreal que descrevera acertadamente aquele lugar fantasmagórico. Espíritos do passado protegem a mãe de Amanda, dissera Abatha. "Espero que assim seja", murmurou Miller.

O lance seguinte da escada era um pouco mais largo e sólido do que o primeiro. Antes de descer, abriu a bolsa de plástico que carregava embaixo da camiseta, tirou o suéter bege de Indiana e o colocou nas narinas de Atila. Sorriu diante da ideia de que até ele mesmo conseguiria seguir o rastro daquele aroma que a caracterizava, uma combinação de óleos essenciais que Amanda chamava de cheiro de magia. O cachorro cheirou a lã e levantou a cabeça para olhar o companheiro através dos óculos, indicando que havia compreendido. Miller colocou o suéter na bolsa, para não confundir o cachorro, e a enfiou embaixo da camiseta. Atila grudou o nariz no chão e desceu com cuidado para o andar seguinte. O *navy seal* esperou e, quando teve certeza de que o cão não havia encontrado nada alarmante, seguiu-o.

Viu-se em um andar de teto mais baixo, com solo de cimento, que possivelmente fora utilizado como depósito para guardar primeiro tonéis de vinho e depois apetrechos militares e combustível. Sentiu frio pela primeira vez e lembrou que sua roupa estava molhada. Até onde conseguia ver com os óculos, havia escombros, tralhas, tonéis, imensos caixotes lacrados, armações circulares de madeira para enrolar mangueiras ou cordas, uma geladeira antiga, várias cadeiras e escrivaninhas. Indiana, a sequestrada, podia estar presa em qualquer canto daquele andar, mas a atitude de Atila indicou-lhe claramente que não deviam perder tempo ali, estava agachado, com o nariz na escada, aguardando instruções.

A luz infravermelha revelou um buraco e os primeiros degraus de uma escada torta e decrépita, que, segundo as plantas, deveria levar ao abrigo. Bateu em seu nariz um fedor de mofo e água parada. Perguntou-se se Atila seria capaz de seguir o rastro de Indiana naquele ambiente contaminado, e a resposta chegou imediatamente: o cachorro estava com o lombo eriçado e os músculos tensos, pronto para entrar em ação. Era difícil adivinhar o que iria encontrar no abrigo antiaéreo, porque a planta só exibia quatro paredes espessas, o poço onde estivera o elevador e a localização das pilastras de ferro. No extremo oposto, deveria haver uma outra escada que dava acesso ao exterior, mas, sem uso havia muitos anos, talvez nem existisse mais. Um dos informes da Marinha mencionava divisórias provisórias destinadas ao hospital, escritórios e quartos dos oficiais, o que complicaria muito; a última coisa que o soldado queria era se perder em um labirinto de lonas.

Ryan Miller entendeu que estava finalmente na boca do lobo, como dissera Denise West. No execrável silêncio da fortaleza, podia ouvir as batidas de seu coração como se fossem o tique-taque de um relógio. A entrada da escada era um buraco de meio metro de largura. Teria de se dobrar ao meio e passar por baixo de uma barra metálica antes de encarar os degraus enferrujados. Não poderia fazê-lo com facilidade, pensou, calculando seu tamanho e a inconveniência da perna artificial. O raio de luz infravermelha não conseguia iluminar o fundo, e ele não quis se delatar acendendo a lanterna. Hesitava entre descer com cuidado ou se atirar desesperadamente no abismo para ganhar tempo. A partir daquele momento, ele se movimentaria por instinto, impulsionado pelo ódio contra o homem que tinha Indiana em seu poder, guiado pela experiência e o conhecimento gravados a sangue e fogo na guerra, a resposta automática que seu instrutor de *hell week* chamava de memória muscular. Exalou o ar retido, tirou a trava da pistola e deu duas pequenas palmadas no lombo de seu companheiro.

Atila começou a descer.

Se o *navy seal* pretendia atacar de surpresa, o som das patas de Atila reverberando nas profundezas do porão levou-o a desistir. Contou as pisadas do cachorro para ter uma ideia da altura e, assim que sentiu que Atila chegara embaixo, agachou-se para driblar o obstáculo da barra e deixou-se cair no vão da escada, sem dar atenção ao ruído que fazia, com a pistola na mão. Chegou a pisar em três degraus, mas o quarto cedeu com estrépito e sua prótese se incrustou no metal enferrujado. Em uma fração de segundo, compreendeu que, se tivesse sido a perna, a lâmina teria arrancado a pele. Puxou para se soltar, mas ela estava emperrada, e precisou usar a mão para destravar o pé de fibra de carbono, preso entre os pedaços do degrau. Não podia abandonar a prótese, precisava dela. Havia perdido segundos preciosos e a vantagem da surpresa.

Chegou embaixo com quatro pulos e se agachou, girando o corpo em círculos para examinar o espaço até onde chegava a visão noturna dos óculos, empunhando a Glock com as duas mãos. À primeira vista, achou que estava em um recinto menor do que os outros andares, mas logo se deu conta de que ao longo das paredes havia lonas escuras: as divisórias que temia. Não teve tempo de avaliar esse obstáculo, porque viu claramente a silhueta de Atila deitado no chão. Chamou-o, com voz abafada, sem imaginar o que acontecera. Poderia ter levado um tiro que ele não ouvira devido ao acidente do degrau quebrado ou então fora disparado com um silenciador. O animal não se mexia, estava deitado de costas, a cabeça para trás em uma posição inusual e as patas rígidas.

— Não! — exclamou Miller. — Não! — Vencendo o impulso de correr em sua direção, acocorou-se, inspecionando o pouco que conseguia ver ao seu redor, procurando o inimigo, que, sem dúvida, estava bem perto.

Ryan estava ao pé da escada, perto da grande casa de máquinas do elevador, exposto por todos os lados; podia ser atacado de qualquer ângulo. O cenário era o pior: a parte central do abrigo era um grande espaço vazio, mas o restante estava dividido, era um labirinto para ele e um esconderijo perfeito para O Lobo. Pelo menos, tinha certeza de que Indiana estava por perto, Atila identificara seu cheiro. Não se equivocara ao supor que Winehaven era a guarida do Lobo e que mantinha Indiana prisioneira naquele lugar. Como sua luz infravermelha, capaz de detectar o calor de um corpo, não lhe revelou nada, deduziu que o homem estava escondido atrás da lona de um dos espaços. Sua única proteção era a escuridão e sua roupa preta, desde que o outro também não tivesse óculos de visão noturna. Tornara-se um alvo muito fácil, precisava abandonar Atila por ora e se proteger de alguma maneira.

Correu agachado para a direita, porque a posição em que Atila caíra permitia-lhe supor que havia recebido o impacto pela esquerda, onde certamente estava o inimigo. Alcançou a primeira divisória e, com um joelho na terra e as costas contra a lona, inspecionou o campo de batalha, pensando no próximo passo. Revisar as lonas uma por uma seria uma grande imprudência, tomaria seu tempo e não podia fazê-lo disposto a disparar, porque talvez O Lobo o aguardasse em qualquer uma delas preparado para usar Indiana como escudo. Com Atila teria avançado sentindo-se seguro, o cachorro o teria guiado com o faro. Entre os múltiplos riscos que imaginara ao planejar a estratégia que adotaria em Winehaven não estava a possibilidade de perder seu fiel companheiro.

Pela primeira vez arrependeu-se de sua decisão de enfrentar sozinho o assassino. Pedro Alarcón advertira-o mais de uma vez que a arrogância seria sua perdição. Esperou durante intermináveis minutos, atento ao menor som ou alteração na terrível quietude do refúgio. Precisava ver a hora e calcular quanto faltava para a meia-noite, mas não podia exibir o relógio, tapado pela manga do casaco, porque os números brilhariam como um farol verde nas trevas. Resolveu ir até a parede do fundo para se afastar do Lobo, que devia estar perto da escada, de onde havia atirado em Atila, e depois obrigá-lo a se mostrar. Estava seguro de sua pontaria, poderia acertar facilmente com a Glock em um alvo em movimento a vinte metros, inclusive com a pouca visibilidade de seus óculos. Sempre fora um bom atirador, de olho certeiro e punho firme, e, desde que se afastara do exército, treinava rigorosamente em um campo de tiro, como se tivesse adivinhado que um dia voltaria a precisar dessa habilidade.

Deslizou colado nas lonas, consciente de que poderia ter calculado mal e seu inimigo podia estar atrás de uma delas e matá-lo pelas costas, mas não lhe ocorreu nada melhor. Avançou o mais rápido e cuidadosamente que sua perna artificial lhe permitia, com todos os sentidos em estado de alerta, detendo-se a cada dois ou três passos para avaliar o perigo. Negou-se a pensar em Indiana e em Atila, concentrado na ação e em seu corpo: estava empapado do suor da adrenalina, seu rosto ardia com a graxa de sapato, e as faixas que prendiam os óculos e a lanterna na cabeça apertavam, mas suas mãos estavam secas. Sentiu que sua arma mantinha-se sob controle.

Ryan Miller conseguira avançar nove metros quando percebeu, no final do subterrâneo, o pestanejar de um forte resplendor que não conseguiu identificar. Subiu os óculos à testa, porque multiplicavam a luz, e tentou ajustar as pupilas. Um instante depois distinguiu do que se tratava e um grito rouco brotou de seu ventre. À distância, no enorme espaço negro, havia um círculo de velas, cujas chamas vacilantes iluminavam um corpo crucificado. Estava pendurado na interseção de uma pilastra e uma viga, com a cabeça inclinada sobre o peito. Reconheceu-a pelos cabelos dourados: era Indiana. Esquecendo qualquer precaução, correu até ela.

O *navy seal* não sentiu o impacto do primeiro balaço no peito e deu mais alguns passos antes de cair de joelhos. O segundo acertou sua cabeça.

Você pode me ouvir, Indiana? Sou Gary Brunswick, seu Gary. Você ainda respira, olhe para mim. Estou aqui, a seus pés, como tenho estado desde que a vi pela primeira vez no ano passado. Mesmo agora, nesta hora de agonia, você é tão bela... A blusa de seda lhe cai muito bem, leve, elegante, sensual. Keller lhe deu de presente para fazer amor e eu vesti em você para que expiasse seus pecados.

Se levantar o rosto poderá ver seu soldado. É aquele vulto no chão que estou apontando com a minha lanterna. O cachorro tombou mais distante, ao pé da escada, não pode vê-lo daqui; o choque elétrico foi mortal para seu tamanho, a taser *acabou com o espantoso animal em um segundo. Mal se distingue o soldado, está vestido de preto. Consegue vê-lo? Não importa, não pode mais se intrometer em nosso amor. Este foi um amor trágico, Indiana, mas poderia ter sido um amor maravilhoso se você tivesse se entregado a ele. Naquela semana que passamos juntos, chegamos a nos conhecer como se estivéssemos casados havia muito tempo. Eu lhe dei a oportunidade de ouvir minha história completa, sei que me compreende: eu tinha de vingar o bebê que fui, Anton Farkas, e o menino que fui, Lee Galespi. Era meu dever, um dever moral, ineludível.*

Você sabe que não sofro de enxaqueca há três semanas? Poderíamos dizer que, finalmente, suas terapias deram resultado, mas há outro fator que não podemos descartar: eu me livrei do peso da vingança. Carreguei essa responsabilidade por muitos anos, imagine o dano que isso causou ao meu sistema nervoso. Desde que comecei a planejar a minha missão, sofri aquelas terríveis enxaquecas que você conhece melhor do que ninguém. As execuções me produziam um estado de exaltação maravilhoso, eu me sentia leve, eufórico, parecia que eu tinha asas, mas em poucas horas a enxaqueca voltava e eu achava que ia morrer de dor. Creio que agora, quando finalmente cumpri a missão, estou curado.

Confesso que não esperava receber visitas tão cedo; Amanda é mais esperta do que eu pensava. Não estranho o soldado ter vindo sozinho, achou que poderia me derrotar facilmente e queria se exibir resgatando sua dama em apuros. Quando seu ex-marido chegar com sua manada de incompetentes, já estarei longe. Eles continuarão procurando Anton Farkas, mas, em algum momento, Amanda se dará conta de que O Lobo é Gary Brunswick. Ela é observadora, reconheceu Carol Underwater em uma fotografia minha da época em que eu era Lee Galespi, acho que continuará pensando nessas fotografias e vai acabar somando dois mais dois e compreendendo que Carol Underwater também é Gary Brunswick, o amigo com quem jogava xadrez on-line.

Vou repetir o que lhe disse ontem, Indi, que, uma vez cumprida a minha missão de justiça, eu pensava em lhe contar toda a verdade, explicar que sua amiga Carol e seu cliente mais fiel, Gary Brunswick, eram a mesma pessoa, que meu nome de batismo é Anton Farkas, e que, sob qualquer identidade, homem ou mulher, Underwater, Farkas, Galespi ou Brunswick, eu a teria amado da mesma forma, se você tivesse permitido. Eu sonhava em irmos para a Costa Rica. É um país hospitaleiro, cálido e pacífico, onde teríamos sido felizes, poderíamos comprar um hotelzinho na praia e viver de turismo. Eu lhe ofereci mais amor do que todos os homens que você teve em seus 33 anos. Ora! Acabo de me dar conta de que você tem a idade de Cristo. Não havia pensado nessa coincidência. Por que você me rejeitou, Indi? Você me fez sofrer, me humilhou. Eu queria ser o homem da sua vida; no entanto, tive de me resignar a ser o homem da sua morte.

Falta muito pouco para a meia-noite, e então terminará o seu calvário, Indi, apenas dois minutos. Esta deve ser uma morte lenta, mas, como não podemos esperar, pois estamos com pressa, vou ajudá-la a morrer, embora você já saiba que o sangue me deixa mal.

Ninguém poderia me acusar de sanguinário. Gostaria de poupá-la da inconveniência destes últimos dois minutos, mas a lua determina a hora exata da sua execução. Será muito rápido, um tiro no coração, nada de cravar uma lança nas suas costas, como faziam os romanos com os condenados que ficavam muito tempo na cruz...

Ryan Miller voltou da morte com as lambidas de Atila no rosto. O cachorro havia recebido em cheio o golpe da *taser* ao pisar no último degrau da escada, onde Brunswick o aguardava. Ficou inconsciente durante alguns minutos, completamente paralisado outros tantos e precisou de mais algum tempo para ficar em pé com dificuldade, sacudir a confusão em que o choque o mergulhara e lembrar-se de onde estava. Então, respondeu a seu instinto mais notável: a lealdade. Seus óculos tinham ficado no chão, mas o faro o guiou até o corpo prostrado de seu companheiro. Miller sentiu as cabeçadas com que Atila tentava reanimá-lo e abriu os olhos, atordoado, mas com a vívida recordação da última coisa que vira antes de cair: Indiana crucificada.

Fazia cinco anos, desde que voltara da guerra, que Miller não precisava lançar mão da extraordinária determinação que lhe permitira tornar-se um *navy seal*. O músculo mais poderoso é o coração, aprendera na semana infernal de seu treinamento. Não tinha medo, mas uma grande clareza. A ferida na cabeça devia ser superficial, senão estaria morto, pensou, mas a do peito era grave. Desta vez não há torniquete que me valha, pensou, estou fodido. Fechou a mente à dor e ao sangue que perdia, sacudiu a fraqueza extrema que o convidava a descansar, a se abandonar como fazia nos braços de Indiana depois de fazer amor. "Espere um pouco", disse-lhe a morte, empurrando-o para um lado. Auxiliado pelo cachorro, ele se ergueu sobre os cotovelos, procurando a arma, mas não conseguiu achá-la; supôs que a soltara ao cair, não havia tempo de encontrá-la. Limpou o sangue dos olhos com a manga e viu, a uns quinze metros de distância, a cena do Gólgota, que tinha gravada na retina. Ao lado da cruz estava um homem que ele não reconheceu.

Pela primeira vez, Ryan Miller deu a Atila um sinal que jamais lhe dera, mas que haviam ensaiado algumas vezes brincando ou treinando. Deu um forte apertão com a mão em seu pescoço e apontou o homem ao longe. Era a ordem para matar. Atila hesitou por um momento, dividido entre o desejo de proteger o amigo e a obrigação de cumprir a ordem. Miller repetiu o sinal. O cachorro se lançou para a frente com a velocidade e a exatidão de uma flecha.

Gary Brunswick ouviu o galope e pressentiu o que estava acontecendo, virou-se e disparou sem apontar, na escuridão, contra a fera que já estava no ar pronta para desabar em cima dele. A bala se perdeu no imenso porão e a boca do cão se fechou no braço que segurava a arma. Com um berro, Brunswick soltou a pistola e tentou desesperadamente se livrar, mas Atila o esmagou com seu peso no chão. Então, soltou seu braço e deu-lhe uma mordida na nuca, atravessando-a com os caninos de titânio e sacudindo-o até rasgá-lo. Gary Brunswick ficou deitado, com o pescoço destroçado pelas dentadas, o sangue brotando da jugular a borbotões cada vez mais fracos.

Nesse ínterim, Miller se arrastara impulsionando-se com os braços e a única perna, já que para isso a prótese de pouco lhe servia, e se aproximara de Indiana com terrível lentidão, chamando-a, chamando-a, enquanto sua voz ia se apagando. Perdia a consciência por alguns segundos e, assim que a recuperava, arrastava-se mais um pouco. Sabia que ia deixando um rastro de sangue no chão de cimento. Percorreu o último trecho auxiliado por Atila, que o puxava pela roupa. O Lobo não conseguira cravar a mulher na cruz, porque a pilastra e a viga eram de ferro, e optara por amarrá-la com correias pelos pulsos, com os braços esticados, pendurada a meio metro do chão. Ryan Miller continuou chamando, Indiana, Indiana, sem obter resposta. Não tentou checar se ainda estava viva.

Com um esforço sobre-humano, o *navy seal* conseguiu ficar de joelhos e se levantou, apoiado na pilastra, sustentando-se na perna de fibra de carbono, porque a outra se dobrava. Tornou a limpar os olhos com a manga, mas compreendeu que não era apenas o sangue e o suor que nublavam sua vista. Desembainhou sua faca, a Ka-Bar, a primeira arma que todo soldado sempre leva consigo, e cortou uma das correias que prendiam Indiana. Mantinha a faca afiada como uma navalha e sabia usá-la, mas levou mais de um minuto para cortar a tira de couro. O corpo inerte de Indiana desabou em cima dele, mas ele conseguiu sustentá-lo, embora ainda estivesse pendurado por um braço. Segurou-a pela cintura, enquanto atacava a outra correia. Por fim, com as últimas forças, conseguiu cortar a amarra.

O homem e a mulher ficaram em pé. De longe, pareceriam abraçados, ela entregue à languidez do amor e ele apertando-a contra o peito, em uma atitude tão possessiva quanto terna, mas a ilusão teria durado apenas um instante. Ryan deslizou para o chão lentamente, sem soltar Indiana, porque seu último pensamento foi protegê-la de uma queda.

EPÍLOGO

Sábado, 25 de agosto de 2012

Amanda Martín convocou pela última vez os participantes do *Ripper* para dar por encerrado o jogo e se despedir. Dali a dois dias ela estaria no MIT, dedicada inteiramente a reconquistar Bradley e a estudar em seu tempo livre; não teria tempo para RPGs.

— Ontem eu e Kabel fomos deixar minha mãe no aeroporto. Ela viajou para o Afeganistão na tentativa de encontrar duas crianças em uma aldeia — disse a mestra do jogo.

— Para quê? — perguntou Esmeralda.

— Tem de cumprir uma promessa que fez a Ryan Miller. Não sabe o nome das crianças nem o da aldeia, sabe apenas que fica perto da fronteira com o Paquistão, mas conta com a ajuda de um grupo de *navy seals* que foram companheiros de Ryan.

— Então vai encontrá-las — afirmou o coronel Paddington, para quem os *navy seals* eram semideuses.

— Essas crianças estão esperando por Ryan Miller há seis anos — disse Abatha.

— Como você sabe? Consegue ler o pensamento? — perguntou Esmeralda.

— Nem tentei. Eu sei porque a mestra nos contou sua história. Vocês têm uma memória péssima — replicou a vidente.

— Minha mãe sonha com Ryan quase toda noite. Está mais apaixonada por ele agora do que quando ele estava vivo. Não é verdade, Kabel? — disse Amanda.

— É verdade. Indiana não é mais a mesma pessoa. Acho que nunca vai se recuperar da morte de Alan Keller, de Ryan Miller e de todo o horror que viveu em Winehaven. E eu nunca me perdoarei pelo que aconteceu, poderíamos ter evitado — disse o avô.

— Eu também não me perdoarei. Se eu tivesse avisado meu pai um pouco antes, Ryan estaria vivo. A polícia chegou dez minutos depois. Apenas dez minutos! — exclamou Amanda.

— O *navy seal* conseguiu salvar sua mãe e morreu como um herói. Decidiu correr riscos desnecessários e não aceitou a ajuda de ninguém. Talvez quisesse morrer — sugeriu Sherlock Holmes.

— Não! Ryan queria viver, queria se casar com a minha mãe, queria voltar a ver as crianças do Afeganistão. Não tinha a menor vontade de morrer! — afirmou Amanda.

— O que vai acontecer com o cachorro quando você for para o MIT? — perguntou Esmeralda.

— Vou ficar com ele — interveio o avô. — Atila tolera Salve-o-Atum e a mim, mas esse é outro que vai ter muita dificuldade de se recuperar. Fica imóvel ao longo de horas, com a vista fixa na parede, parece embalsamado.

— Também está de luto. O espírito do soldado não consegue partir, porque Indiana e Atila o retêm aqui, precisam soltá-lo — afirmou Abatha.

— Talvez, quando minha mãe cumprir a promessa pendente, Ryan se despeça da gente e siga sua viagem — arriscou Amanda.

— Voltaremos a jogar *Ripper* algum dia? — perguntou Esmeralda.

— Poderíamos nos encontrar nas férias de inverno — sugeriu sir Edmond Paddington.

— A menos que antes tenhamos alguma coisa horripilante para investigar — acrescentou Sherlock Holmes.

— E enquanto isso Kabel vai escrever a nossa história: o romance *O jogo de Ripper* — despediu-se a mestra do jogo.

AGRADECIMENTOS

Este livro nasceu em 8 de janeiro de 2012 porque minha agente, Carmen Balcells, sugeriu a meu marido, Willie Gordon, e a mim, que escrevêssemos um romance policial a quatro mãos. Tentamos, mas em 24 horas ficou evidente que o projeto terminaria em divórcio, de maneira que ele se dedicou ao dele — seu sexto livro policial — e eu me tranquei para escrever a sós, como sempre. No entanto, este livro não existiria sem Willie, que me ajudou a estruturá-lo e me apoiou quando eu fraquejava. Há outros colaboradores aos quais sou muito grata:

Ana Cejas é a bruxa boa que inspirou o personagem de Indiana Jackson.

Robert Mitchell é o *navy seal* do livro, embora tenha duas pernas e a consciência limpa.

Sarah Kessler foi minha magnífica investigadora.

Nicolás Frías, meu filho, revisou o texto e corrigiu meus frequentes erros de lógica, que meus leitores atribuem ao realismo mágico.

Andrea Frías, minha neta, me iniciou nos mistérios do *Ripper*, o RPG.

O doutor D.P. Lyle, experiente perito criminal, respondeu às minhas perguntas sobre homicídios, armas, drogas e venenos sem me agoniar com advertências morais.

Lawrence Levy, psicólogo, contribuiu para o desenvolvimento do personagem mais importante: o vilão.

O capitão Sam Moore me instruiu sobre as águas de São Francisco.

Lori, minha nora, e Juliette, minha assistente, defenderam-me do mundo enquanto eu escrevia.